De judaskus

Alan Parker

De judaskus

Vertaald door Sylvia Birnie, Primatov, Baarn

Uitgeverij BZZTôH
's-Gravenhage, 2004

Oorspronkelijke titel: The sucker's kiss

Foto omslag: The Image Bank/Getty Images
Ontwerp omslag: Julie Bergen
Redactie en productie: Vitataal, Oostum
Zetwerk: Niels Kristensen, Groningen
Druk- en bindwerk: Krips bv, Meppel

ISBN 90 453 0046 X

www.bzztoh.nl

Voor LM

Veel dank aan Helen Garnons-Williams, Lisa Moran en
Ed Victor. Ook dank aan de Writers Guild of America en
de Screen Actors Guild omdat hun van alle kanten
bekritiseerde stakingen me een opening boden en me
op het spoor zetten van proza.

Ik zal wel nooit begrijpen waarom ze van me hield.

Ze zei altijd dat mijn principes even betrouwbaar waren als de veerboot naar Vallejo, en dat ze bijna even vaak aan de grond liepen. Ik plaagde haar altijd door te zeggen dat haar haar de kleur van gloeiende kastanjes had en dat haar benen donkerpaars waren. Ze droeg jurken van bedrukte voile en ondergoed van crêpe de Chine. Ze was prachtig. Ze was Effie. Ze was mijn grote liefde.

Mijn hand gleed over de gekreukelde bruine papieren tas die zich tussen mijn knieën had genesteld en met mijn vingers volgde ik de contouren van de fles die erin zat. Het was een goede wijn en ik verheugde me al op het moment dat ik hem zou ontkurken en een glas of wat zou delen met Effie. Door het achterraam van de bus zag ik de skyline van San Francisco achter de heuvels verdwijnen en ik ving mijn eigen blik op in het spiegelende glas. Met mijn duim veegde ik het zweet van mijn gladgeschoren bovenlip. De modieuze, maar duidelijk nagemaakte das van Javaanse zijde zag er vreemd uit, misplaatst en te chic voor het crèmekleurige shirt met de rafelige kraag. Voorzichtig betastte ik de kleine snee op mijn onregelmatige huid. Het botte scheermes was, net als mijn kleding, afkomstig van het Leger des Heils. Toen ik aan de gehavende huid krabde, begon er een hardnekkig straaltje bloed omlaag te druppelen. Ondertussen neuriede ik zachtjes het strijdlied van het Leger des Heils: 'Voorwaarts dan, gij heilsoldaten, nu ten strijd gespoed! Zie alleen op Jezus, die verwinnen doet.' Wat een idiote tekst, waarom moest ik daar in hemelsnaam op dit moment aan denken?

De miezerige regen trok strepen op het raam van de bus, het leken wel tranen. 'Hoe meer tranen, des te groter de magie,' had Effie ooit gezegd. Het had een hele tijd geduurd voordat ik die uitspraak begreep.

In de vele rapporten die de politie over me had geschreven, stond ik vermeld als Thomas Patrick Moran. En er stond altijd bij: 'alias Butterfingers.' Ik was een zakkenroller, een kruimeldief, een kleine crimineel, ik had lange vingers, ik hoorde thuis in de onderwereld. En hoewel het zowel onbescheiden als beschamend klinkt, ik was de beste. Sommige mensen beweerden dat ze me Butterfingers noemden omdat ik mijn vingers net zo gemakkelijk in en uit een jaszak kon laten glijden als een mes door zachte boter. Anderen beweerden dat mijn handen af en toe zo verschrikkelijk trilden, als ik een borrel nodig gehad, dat ik niet eens in staat was om een portefeuille van een lijk te jatten. Door mijn beroep ben ik overal in de Verenigde Staten geweest, en ik ben ook in bijna elke staat wel een keer in mijn kraag gevat. Maar ik was trots op mijn werk. Hoe nederig of onwaardig je werk ook is, een mens moet trots zijn op wat hij doet.

Ik moet toegeven dat ik me van tijd tot tijd nog eenzamer heb gevoeld dan een vuurtorenwachter op een onbewoond eiland. Ik moest mijn gezicht altijd omlaag houden uit angst dat ik zou worden herkend. Ik zag vaker scheuren in het trottoir, omgevouwen broekspijpen, versleten laarzen, damesschoenen met zilveren gespen en met pis besmeurde tegels dan een zonnestraal die door een donkere wolk heen priemde. Maar soms, als ik naar het wrak keek dat me vanuit de spiegel aanstaarde, realiseerde ik me dat ik precies hetzelfde was als alle anderen die in Amerika probeerden hun hoofd boven water te houden. Ik was niet anders dan de modderkruipers op Wall Street die, net als ik, hun handen in andermans zakken staken. Misschien sliep ik zelfs rustiger omdat ik, hoewel ik als een dief van hot naar her zwierf, in elk geval eerlijk was over mijn beroep. Want vergis je niet, er bestaat maar één kaart van Amerika en die is groen, met een afbeelding van een dode president erop.

De echte wereld heb ik nooit gekend omdat dat de wereld van andere mensen was. De mensen die ik beroofde. We hadden niets met elkaar gemeen. Het enige intieme contact tussen mij en de medemens bestond uit een zachte streling langs de binnenkant van de jas van een onbekende, als mijn vingers op weg waren naar zijn portefeuille. Op mijn zwerftocht verkeerde ik in het gezelschap van de verschoppelingen, de bezitlozen en de vervloekten. Ik voer op mijn innerlijke kompas en volgde het naar het oosten, het westen, het noorden en het zuiden. Mijn kompas wees altijd in een bepaalde richting en leidde vrijwel nooit ergens naartoe. Maar hoewel ik steeds heb geweten dat ik verdwaald was, heb ik me nooit gerealiseerd dat ik ook een van de vervloekten was. Dat wil zeggen, tot ik Effie ontmoette en ze me leerde dat de toekomst meer te bieden had dan alleen een nieuwe morgen.

In de wereld van de zakkenrollerij weet iedereen dat het het moeilijkste is om iemand te bestelen die tegenover je staat en je recht in de ogen kijkt. Zoiets wordt de 'judaskus' genoemd en die gaf Effie aan mij – vol op de lippen, zogezegd – in een armoedig café in San Francisco.

1

Ik was zeven jaar oud en diep in slaap toen de aardbeving San Francisco op zijn grondvesten deed schudden. Het was 5.13 uur in de ochtend, woensdag 18 april 1906. Mijn hulpsheriff en ik waren op zoek naar Black Bart en een troep laffe desperado's van buiten de stad die een postkoets hadden overvallen, toen onze jacht werd onderbroken door een hevige schok die mij, en miljoenen anderen, uit onze dromen wekte. In die langste veertig seconden uit de geschiedenis leek het of mijn hele wereld wankelde. Mijn moeder, die altijd geneigd was tot hysterie, had ons ditmaal kalm uit bed gehaald – mijzelf en mijn twee zusters Gracie en Maeve – en ons rustig van onze houten bovenwoning naar beneden gebracht, naar de rokerige Filbert Street.

Overal om ons heen holden mensen schreeuwend door elkaar. Ze graaiden hun bezittingen bijeen en maakten een kabaal alsof het einde der tijden was aangebroken. In het wegdek zaten grote, rafelige scheuren, de klinkers waren uiteengetrokken als bij een legpuzzel.

Maar wat ons vieren betreft kon heel Californië afbreken en in zee vallen, zoals een koekje in een kop koffie, het deed ons niets. We keken verwonderd toe, alsof het zo had moeten zijn, omdat het ons absoluut niet aanging.

Ik herinner me dat we stonden te kijken hoe slechts een

half blok verderop een gasleiding explodeerde, waarop het enige thuis dat ik ooit had gekend in tweeën brak en als een kaartenhuis op de straat instortte. Gek genoeg waren we absoluut niet bang of zelfs maar verdrietig – want laten we eerlijk zijn, het was niet óns huis. Het was van de mensen die ons elke tweede dinsdag van de maand kwamen lastigvallen over de huur. Dezelfde hufters die nog maar een dag eerder gedreigd hadden ons uit het huis te zetten. Mijn zusters en ik hadden bijnamen voor ze bedacht: Meneer Dikzak en Mevrouw Vel Over Been. Eigenlijk was het wonderlijk dat we ze zo grappig vonden, terwijl het belangrijkste doel in hun leven was om ons ellende te bezorgen. Niet dat het echte boeven waren; het waren eigenlijk gewoon simpele sloebers die voor vijf dollar per week deden wat hun was opgedragen: kleine mensen zoals mijn moeder en alle anderen in ons gebouw de stuipen op het lijf jagen. Het had altijd iets triests als arme mensen nog armere mensen in de hoek probeerden te drijven. De echte boeven waren natuurlijk die dikzakken van Nob Hill, door wie ze waren gestuurd. Hoe dan ook, de stapel planken die door een stofwolk aan het oog werd onttrokken, had niets met ons te maken. Wat je niet hebt, kun je ook niet verliezen.

Lijdzaam kropen we met zijn vieren bij elkaar, terwijl we zwijgend toekeken hoe de paniek en de gekte opstegen uit de verstikkende rook om ons heen. Ik weet niet of mijn moeder in een shock verkeerde of dat ze gewoon ontzettend moedig was, en ik zal er wel nooit achter komen – ze haalde eenvoudigweg haar schouders op en wuifde met haar hand de rook uit haar gezicht. Ik denk niet dat er een beklagenswaardiger situatie bestaat dan die waar zij op dat moment in verkeerde. Sinds de dood van mijn vader had ze het laatste sprankje vreugde, elk kruimeltje geluk dat ze uit zichzelf kon persen aan ons, haar drie kinderen, gegeven.

Er kwam een politieagent aangelopen die iets riep naar de mensen die hun bezittingen uit de ramen van de bovenste verdiepingen naar beneden gooiden. Nog geen dertig centimeter van Maeve vandaan landde een ijzeren ledikant, het stuiterde op het wegdek en raakte haar gezicht. Maeve bloedde en een vrouw die zei dat ze verpleegster was verscheurde een beddenlaken en gebruikte dat als verband.

We gingen op een kapotte stoeprand zitten. Mijn moeder vroeg of ik ergens iets te drinken kon vinden voor Maeve. Ik herinner me nog hoe ik door de straten liep. De glasscherven knerpten onder mijn voeten en overal klonk het gerinkel van bellen. Ik had een zakdoek voor mijn neus gebonden tegen het stof en de stank van de kapotte gasleidingen en rioleringen. Overal om me heen waren chaos, verwoesting en hysterie, en toch drong het allemaal niet helemaal tot me door. Met de zakdoek voor mijn gezicht voelde ik me net een bankrover in een goedkoop stripverhaal.

Het was alsof alle bloedvaten van de stad gesprongen waren. De dikke, door mensenhanden vervaardigde betonnen huid was bruut uiteengescheurd en de ingewanden lagen open en bloot op het plaveisel. Gasleidingen, waterleidingen en verbogen tramrails waren uit het beton gerukt en hingen half in de lucht alsof ze uit de mand van een soort onderaardse slangenbezweerder waren ontsnapt.

Een man met een slagersschort voor zijn buik en een legerhelm op zijn hoofd bood gratis koffie aan vanuit het gebroken venster van wat vroeger Williams meubelwinkel was geweest. Hij kookte de koffie in een oude zinken badkuip, waar hij met een kapotte bezemsteel in stond te roeren.

Zenuwachtig vroeg ik vier kopjes. Het bleek echter dat alleen het eerste kopje gratis was, daarna kostte het twee cent per kopje. Ik vertrok met een kopje koffie en een wijze les: in Amerika krijg je niets voor niets.

Op dat moment explodeerde er twee straten verderop een enorme vuurbal die de vlammen bijna twintig meter de lucht in joeg. Terwijl iedereen om me heen wegrende, deed ik het tegenovergestelde: ondanks mezelf spoedde ik me naar de gratis voorstelling van een levensechte ramp. Met morbide nieuwsgierigheid stond ik te kijken hoe dode en gewonde mensen uit het vuur werden gesleept en vervolgens op de stoep werden gedeponeerd. Gehypnotiseerd en op mijn tenen liep ik voorzichtig langs de rij naakte, gehavende lichamen. Ik was zeven jaar oud en had mijn zusters nog nooit ongekleed gezien, dus begreep ik niets van deze vreemde, piemelloze mensen met zware, vlezige borsten.

Mijn biologieles werd onderbroken door een ambulance, die me bijna omverreed. Verpleegsters haastten zich naar de gewonden en een man – ik neem aan dat hij dokter was – trok zijn jasje uit en gaf dat aan mij, waarna hij het gebouw binnenrende. Plotseling was het alsof de hysterische paniek om me heen in rook was opgelost. Ik staarde naar het brandschone, wollen jasje met blauwe zijden boorden. Ik streelde het zachte satijn, voelde een bobbel en gluurde onopvallend in de zak. Ik zag een portemonnee die uitpuilde van de bankbiljetten. Het was absoluut uitgesloten dat ik de portemonnee van deze man zou stelen – hij was immers geheel onbaatzuchtig bezig om anderen te helpen. Misschien verscheurde hij precies op dat moment zijn shirt om een tourniquet te maken waarmee hij het leven van een arme sukkel zou redden. Maar toen realiseerde ik me dat in Amerika niets gratis was omdat alles van iemand was. En hoewel mijn levenservaring op dat moment nog gering was, had ik al wel door dat het probleem was dat alles over het algemeen van iemand anders was. En daar, omringd door de rook en het afschuwelijke, ontredderende verdriet van de grote aardbeving van San Francisco van 1906, besloot ik dat de dingen nu eenmaal zo in elkaar zaten en dat het waarschijnlijk altijd zo was geweest. Het enige waar ik moeite mee had, was dat, hoewel ik overduidelijk fout zat, dat er helemaal niets toe deed, omdat het er nu eenmaal zo aan toeging in de wereld en omdat de wereld om ons heen op dat moment instortte. Mijn moeder, niet helemaal op de hoogte van de grondbeginselen van het kapitalisme, had ons altijd voorgehouden dat Jezus had gezegd dat 'alles van iedereen was.' En daarom besloot ik op dat moment en op die plek om de dingen met anderen te delen. Het leek wel of ik een hemelse boodschap had ontvangen. De boodschap luidde 'sukkel', en ik voelde me in de verste verte niet schuldig over wat ik deed. Nee, om eerlijk te zijn, ik voelde me... nou ja, gewoon fantastisch. Vakkundig rolde ik de portemonnee van de dokter, ik streek de blauwsatijnen voering glad en hing het jasje netjes aan de knop van het portier van de ambulance. Want laten we eerlijk zijn, voor hetzelfde geld had ik ook het jasje van die kerel gejat, maar zonder principes kun je niet leven.

Van de knisperende biljetten kocht ik een stuk brood, koffie voor mijn moeder en limonade voor Maeve, Gracie en mezelf. De politie droeg iedereen op door te lopen naar de Embarcadero. Met minstens duizend anderen werd ik door Filbert Street gedirigeerd, steeds ingehaald door voortjakkerende stoombrandblussers – de brandweerlieden trokken als bezetenen aan de bel om de weg vrij te maken. Sommige mensen hadden hun bezittingen hoog op hun hoofden gestapeld en ik zag moeders met hun baby stevig tegen de borst gedrukt. Het was een wonderlijke begrafenisstoet, iedereen verkeerde in shock en zwalkte verbijsterd over straat.

Plotseling werd de sombere sfeer doorbroken doordat mensen begonnen te schreeuwen en alle kanten op renden. Een reusachtige, chocoladebruine stier kwam over Stockton Road aanstormen, achtervolgd door ongeveer dertig mensen. Zonder nadenken sloot ik me aan bij de jacht op het doodsbange dier.

Op de kruising met Jackson rende een Chinese jongen de straat op en wierp een groot kapmes, dat zich in de vlezige flank van het arme beest boorde. Het mes remde het dier weliswaar een beetje af, maar het bleef moedig verder galopperen. Aan het bloedspoor te zien was het arme dier flink op weg om dood te bloeden. Op Portsmouth Square hield hij stil, draaide zich om en keek ons een voor een aan. Plotseling viel de menigte stil, zoals menigten doen als ze geconfronteerd worden met direct gevaar. Terwijl hij met zijn hoef in zijn eigen bloed stond te schrapen staarde de stier rechtstreeks naar mij. Wat kon ik doen? Me verontschuldigen en zeggen dat het niet míjn kapmes was geweest? De Chinese jongens liepen uitdagend in de richting van het uitgeputte, gewonde dier alsof ze torero's uit Spanje of waarvandaan ook waren. Op dat moment klonk er een schot. Een politieagent te paard schoot de stier in de zijkant van zijn kop, de stier was meteen morsdood. Onze oh's en ah's verstomden toen dezelfde politieagent op ons af galoppeerde en met zijn revolver in de lucht schoot. De menigte spatte in alle richtingen uiteen. Ik rende over Clay tot mijn longen uit mijn lijf barstten en ik op mijn knieën in de modder neerzeeg om alle roet en stof uit te hoesten. Een soldaat gaf me een slok uit zijn veldfles; het water smaakte precies zoals het water uit het roestige vat in onze tuin. Ik voelde me direct een stuk beter, op één ding na: ik besefte dat ik mijn moeder en zusters was kwijtgeraakt. Ik was alleen.

Zo snel mogelijk rende ik naar de top van Telegraph Hill, weer omlaag via de trappen van Filbert Street en verder naar de Embarcadero. De toren van het Ferry Building stond nog steeds overeind, zij het een beetje wankel, en vormde een baken voor de vele duizenden families die zich met veel ellebogenwerk een weg baanden naar de veerboten, waarmee ze hoopten te kunnen oversteken naar de veiligheid van East Bay. Het was een hopeloze situatie; ik begreep dat ik mijn moeder op dit moment zeker niet zou terugvinden. Ik besloot er maar het beste van te maken, en terwijl de menigte me alle kanten op duwde, gleed mijn hand verschillende keren naar plekken waar hij eigenlijk niet thuishoorde.

De rest van de dag zwierf ik door San Francisco, overal hielp ik mensen door hun jassen vast te houden. Door de zakdoek die ik tegen de rook, het stof en de stank van de kapotte rioleringen voor mijn gezicht had gebonden, was ik niet zomaar een kind, ik was Billy the Kid, Dick Turpin, Robin Hood, Jesse James, Black Bart – ik was Terrible Tommy Moran, de menselijke kapstok. Ik had zo veel portemonnees gerold dat ze niet eens meer in mijn zakken pasten. Het was alsof die goeie oude God daarboven me toestemming had gegeven.

Op Jefferson Square had het leger dertig rijen tenten opgezet en voor die nacht werd ik verwezen naar een bataljon van de 22ste infanterie uit Fort Dowell op Angel Island.

De zeewind trok plotseling aan en joeg de roodhete sintels hoog de lucht in. Dankzij de hitte van de branden en de aanvoer van verse zuurstof laaide het vuur onmiddellijk weer op. Die eerste nacht was de hemel door de vlammen zo helder verlicht dat het wel dag leek. Onder een stinkende, beschimmelde legerdeken viel ik in slaap. In één dag was ik mijn onschuld kwijtgeraakt en had ik genoeg twijfelachtig zelfvertrouwen opgedaan voor een heel leven.

2

De volgende dag ging het helemaal mis met de branden. Ik was naar onze oude Saints Peter and Paul Church aan Filbert Street gelopen in de hoop dat ik daar een bekende zou vinden, maar het vuur was vanuit Chinatown overgeslagen naar Powell en van de kerk was helaas niets meer over.

Het verbaasde me niet dat Chinatown als eerste in brand was gevlogen; uiteindelijk was het niet meer dan een tondeldoos van grofweg aan elkaar getimmerde latten. En de wijk had niet eens een eigen brandweerkazerne. San Francisco telde in totaal tachtig brandweerkazernes en iemand in het gemeentehuis had eens voor de grap gezegd dat de twintigduizend Chinezen die in Chinatown woonden een eventuele brand wat hem betreft met hun pis konden blussen. Chinatown hield nauwelijks zes uur stand. Toen werd iedereen naar de legerbarakken in het Presidio geëvacueerd, inclusief een rij bleke opiumrokers die hun pijp hadden aangestoken in de hoop zo in de hemel te komen, maar in plaats daarvan waren ontwaakt in de gekte van de hel.

De leden van de Nationale Garde waren de ergste plunderaars. Systematisch doorzochten ze de smeulende restanten van Chinatown, hun jutezakken vol gesmolten juwelen. Burgemeester Schmitz had afgekondigd dat de politie en het leger zonder waarschuwing op iedere plunderaar zouden schieten. Maar dat was een loos dreigement, want deze kerels met de jutezakken wáren het leger.

In Powell zag ik een paar kinderen die op diefstal waren betrapt. Ze waren aan elkaar gebonden en werden heuvelafwaarts gevoerd, in de richting van de kade. Om hun nek droegen ze stukken karton met de tekst 'Ik ben een dief.' Zie je het voor je? Het was een meelijwekkend gezicht, maar het bracht me geen moment uit mijn evenwicht. Tenslotte rolde ik portemonnees van levende mensen, en dat kon je geen plunderen noemen. Bovendien, als er mensen waren die een stuk karton met de tekst 'Ik ben een dief' om hun nek zouden moeten dragen, dan waren het de Nationale Garde en de meeste leden van de gemeenteraad wel.

Dwars door het kapotte raam van een juwelierszaak hing het lichaam van een jongen. Hij was doodgestoken. De soldaten hadden hem daar achtergelaten als waarschuwing voor anderen. De jongen had nog steeds een zilveren koffiepot in zijn hand. Tegen zonsopgang zou die zeker opnieuw gestolen zijn.

De vuurstorm had nu bijna de helft van de stad in zijn greep en de brandweer, politie en het leger stonden volkomen machteloos, omdat door de aardbeving alle belangrijke waterleidingen van de stad en de centrale aanvoerbuizen vanuit San Andreas Lake en Crystal Springs op duizenden plekken waren gesprongen. Een marine-eenheid deed wanhopig haar best om een anderhalve kilometer lange blusslang in elkaar te zetten die water uit de baai naar Meigg's Wharf aan Jackson Square moest brengen.

Ik herinner me de verschillende geuren die in de lucht hingen: rook, stof, gas, stront uit de riolering, dynamiet, en de ergste stank van alles, waarvan de soldaten zeiden dat het rottend en verkoold vlees was. Het leger was begonnen met het opblazen van gebouwen, waarmee het ter hoogte van Van Ness Street een soort brandgang wilde creëren. De soldaten hadden zelfs artillerie aangevoerd om de gebouwen aan de overkant met de grond gelijk te maken. Ik vond het leuk om ernaar te kijken, het was net alsof je plotseling midden in een echte oorlog was beland, behalve dat er niemand terugschoot. Ik hielp een vent met het kalmeren van een paar paarden die van slag waren door de gloeiend hete sintels die door de lucht dwarrelden. Iedereen zei dat het leek of het leger meer problemen schiep dan het oploste.

Ze probeerden het Palace Hotel te redden, maar omdat de bovenste tien verdiepingen al in brand stonden, vond ik de hele onderneming nogal onzinnig. Beneden werden de voorraadkelders ontruimd. Eerst had het hotel zijn beroemde vruchtentaarten geofferd, maar toen de vlammen langs het gebouw naar beneden kropen, besloot men ook de inhoud van de wijnkelder weg te geven, hetgeen nogal wat mensen aantrok. Ik slaagde erin een fles te pakken te krijgen, wat blijkbaar nogal bijzonder was, want een vent gaf me er een dollar voor. Om precies te zijn, hij gaf me vijf dollar. Want luttele seconden nadat hij zijn portemonnee in zijn achterzak had opgeborgen, gleed mijn hand daar naar binnen.

Op de derde dag sloot ik me aan bij een colonne soldaten uit Fort Mason die bevel had gekregen om de Old United States Mint op de hoek van Fifth en Mission te bewaken. De soldaten beweerden dat een gewapende bende op het punt stond het gebouw te overvallen, en dat wilde ik graag meemaken.

Enkele soldaten waren bovendien belast met het bewaken van een groep veroordeelden uit de stadsgevangenis. Zodra de vlammen het naast de gevangenis gelegen gebouw hadden bereikt, waren de bewaarders naar Oakland gevlucht. De gevangenen hadden ze in hun cel achtergelaten, in afwachting van hun eigen barbecue. Op dit moment zaten de aan elkaar geketende gevangenen midden op straat te wachten op een vrachtwagen van het leger. Er waren slechts vier soldaten om hen te bewaken, zodat de sergeant me een karabijn overhandigde en zei dat ik die op de veroordeelden moest richten. Omdat ik het geweer nauwelijks kon optillen, denk ik dat de gevangenen zich meer zorgen maakten over de mogelijkheid dat ik de trekker per ongeluk zou overhalen – hetgeen bijna gebeurde toen een explosie in Market een reusachtige wolk gloeiende sintels onze kant op blies. Een van die sintels belandde in mijn oog. Ik liet het geweer op de grond vallen en greep naar mijn gezicht. Man, wat deed dat pijn. Maar de gevangenen renden niet weg. Integendeel, ze holden naar dit schreeuwende kind dat op de stoep lag te kronkelen van de pijn. Een soldaat en twee veroordeelden smeerden zalf op mijn oog en verbonden mijn hoofd met zwachtels.

Een politieagent te paard bracht me naar een opvangkamp in Valencia. Hij zette me af aan het hoofd van een zes blokken lange rij wachtenden voor de gaarkeuken. De mensen in de rij waren van zeer diverse pluimage, rijk en arm, allemaal hopend op een gratis maaltijd. Dat was het rare van de aardbeving: doordat bijna alles, van het meest pretentieuze hotel tot het eenvoudigste krot, was ingestort of verbrand, was iedereen opeens gelijk. Maar op dat moment kon dat me geen barst schelen, want ik had het gevoel dat mijn hele oog in brand stond.

Een gedecideerde tante van het Leger des Heils greep mijn arm en sleurde me naar een tent waar ouders en verdwaalde kinderen met elkaar werden herenigd.

'Waar is je familie?'

'Weet ik niet.'

'Ben je verdwaald?'

'Nee, mijn moeder en zusjes zijn verdwaald.' De pijn sneed als een mes door mijn oog en ik schreeuwde het uit.

'Doet je oog pijn?' vroeg ze.

Ik knikte.

'Hoeveel pijn doet het?'

'Het doet godvergeten veel pijn, mevrouw,' antwoordde ik. Niemand gebruikte dat soort woorden bij ons thuis, maar de afgelopen drie dagen had ik bijna geen andere woorden gehoord. Ik denk dat die vrouw van het Leger des Heils behoorlijk geschokt was.

'Wát doet het?'

'Erg veel pijn,' schreeuwde ik.

'We zullen je naar het ziekenhuis in Oakland brengen.'

Ze ging me voor naar een andere tent en zei dat ik op een veldbed moest gaan liggen. Een vriendelijke verpleegster smeerde nieuwe zalf op mijn oog en ververste voorzichtig de zwachtels rond mijn hoofd. Ze gaf me ook een theelepel met een drankje uit een klein blauw flesje, waardoor ik in slaap viel.

Die nacht begon mijn hele hoofd te branden. Ik dacht dat de brand in mijn oog zich over mijn hele lichaam had verspreid, net zoals de echte brand zich over de stad had verspreid. Ik droomde dat ik alleen door de straten zwierf en dat de branden waren verdwenen. Het was heel eng om alleen in het donker buiten te lopen omdat de agenten hadden gezegd dat een heleboel graven op de verschillende begraafplaatsen tijdens de aardbeving in het ongerede waren geraakt, waardoor de dode lichamen omhoog waren gekomen. Een vent bij het Palace Hotel had me verteld dat men op Market Street wandelende skeletten had gesignaleerd. In mijn nachtmerrie was ik de hele tijd op de vlucht. Net als de rest van mijn leven.

Tegen zonsopgang bracht iemand me samen met een heleboel kinderen van het protestantse weeshuis naar het Ferry Building en zette ons op een boot naar Oakland. Ik keek achterom naar de verbrande restanten van de stad, die bijna volledig verwoest leek. De lucht was zwaar van de zwarte rook en de stank van water op smeulend hout. Toen ik over de baai keek, zag ik hoe de laatste brand werd geblust. Het was even na zevenen in de ochtend. Met mijn goede oog blikte ik omhoog naar de donkere hemel. Het begon te regenen.

3

Voor een kind vormden de overblijfselen van San Francisco na de aardbeving van 1906 een fantastische plek om op te groeien omdat de hele stad een grote bouwput leek. Naar verluidt had de brand vijfhonderd huizenblokken met in totaal dertigduizend gebouwen verwoest. Elke week werd er een splinternieuw gebouw uit de grond gestampt.

Mijn brandwonden heelden goed, hoewel ik er een enigszins hangend rechter ooglid aan overhield. Maar men zei dat het wel lief stond; het leek een permanente knipoog.

Mijn moeder had een nieuw appartement geregeld in een opgekalefaterd gebouw aan een zijstraat van Filbert Street. De provisorische houten trap die ze na de brand in elkaar hadden geflanst, zigzagde langs de buitenkant van het gebouw omhoog, en terwijl je de treden beklom, kon je hem horen kreunen. Mijn moeder kon uitstekend naaien. Ze werkte voor meneer Kittleman, de eigenaar van de Madison Modes kledingwinkel aan Fillmore. De oude meneer Kittleman was dol op mijn moeder en hielp haar met de huur voor de eerste maand. Hij bracht altijd grote stapels stof naar het appartement, want mijn moeder kon werkelijk alles maken, van een trouwjurk tot een driedelig pak. Als voorbeeld gebruikte ze de vijf centimeter dikke modecatalogus van een postorderbedrijf waarin Kittleman de artikelen die ze moest namaken had omcirkeld. Ik was dol op die catalogi en samen met Gracie zat ik er op de houten trap urenlang in te bladeren, elke smoking, sok, jurk en schoen in mijn geheugen prentend. Dat zou een levenslange obsessie blijven.

Ze deden er drie maanden over om mijn oude school te herbouwen, en zelfs toen was het niet meer dan een schuurtje van palen en planken dat ze tussen de restanten van de oude Saints Peter and Paul Church op de hoek van Filbert en Powell Street hadden neergekwakt.

Ik had alle tijd om de straten af te schuimen en mijn zojuist ontdekte talenten verder te ontwikkelen. Overal waren kerels druk in de weer met zagen, hamers en Engelse sleutels. Ze bogen zo diep voorover dat hun bilspleet zichtbaar werd, en naarmate ik mijn zakkenrollerstalenten verfijnde, vormden ze een steeds eenvoudiger doelwit voor me.

Hoewel ik door de hele stad zwierf, was Chinatown mijn favoriete buurt. Na 1906 gingen er stemmen op om Chinatown, of *Tangrenbu*, zoals het vroeger werd genoemd, te verplaatsen naar de slikken bij Hunter's Point in het district San Mateo. Toen de oudere Chinezen lucht kregen van dit plan, begonnen ze onmiddellijk de vijf rechthoekige percelen van de oorspronkelijke buurt te herbouwen. De bakstenen waren nog warm van de brand en de mannen gooiden ze van de ene hand in de andere alsof het hete muffins waren. Voor die vergunningen zijn waarschijnlijk heel wat steekpenningen betaald, want Chinatown was binnen twee jaar herbouwd; een heel jaar sneller dan de rest van de stad.

Ik ontmoette Sammy Liu voor het eerst in de zomer van 1908. Ik moet een jaar of negen zijn geweest en ik was aan het werk in een mensenmenigte die in Chinatown een ceremonie bijwoonde waarmee de naam van de oude Dupont Street werd veranderd in Grant. Alle hoge pieten uit het gemeentehuis waren aanwezig – nou ja, degenen die niet in de gevangenis zaten –, allemaal in de rij om het lint door te knippen. Het publiek bestond voornamelijk uit Chinezen en was slechts matig geïnteresseerd – waarschijnlijk omdat men niet van plan was om de naam van de straat die dwars door Chinatown liep te veranderen. Twintig jaar later hadden ze het nog steeds over *Dupon Gai*.

Normaal gesproken had ik er geen moeite mee om Chinezen te beroven. Hoewel ze tamelijk gevoelig waren voor aanraking, droegen ze wijde jassen met zakken die zo groot waren dat ze het niet eens zouden merken als je erin klom. In Chinatown was het gebruikelijk om de kranten op de muur te plakken. En terwijl de Chinezen diep in gedachten de kleine karakters stonden te ontcijferen, deed ik mijn werk. Op de dag van de ceremonie liet ik mijn hand in de jute schoudertas van een vent glijden en haalde iets tevoorschijn wat aanvoelde als een dikke bundel dollarbiljetten. Zonder te kijken stak ik de papieren in mijn eigen zak en trok me terug uit de menigte. In een zijstraatje bij de Nin Yang Kaarsenfabriek haalde ik mijn buit tevoorschijn, om te ontdekken dat de bundel papieren niet meer was dan dat – papier. Alle papiertjes waren ongeveer even groot als een dollarbiljet en bedrukt met Chinese karakters. Op dat moment werd ik opgeschrikt door een hoog gegiechel. Ik keek om me heen en zag een magere Chinese jongen. Hij was waarschijnlijk net zo oud als ik, maar een stuk langer.

'Ik heb je zien zakkenrollen,' zei hij.

'Nou en?'

'Je bent behoorlijk goed.'

Arrogant haalde ik mijn schouders op. Het was de eerste

keer dat iemand me complimenteerde met mijn bijzondere, antisociale vaardigheden.

'Weet je wat je daar hebt?'

'Nee.' Ik keek omlaag naar het waardeloze bundeltje papier.

'*Wenhuashe.*'

'Wat?'

'De vent die alle stukjes papier met tekst erop verzamelt die in Chinatown zijn weggegooid.'

Dat vond ik idioot. Maar terwijl we in het souterrain van Yoot Hong aan Clay een bord varkensstoofschotel naar binnen werkten, legde de magere jongen genaamd Sammy Liu uit wat er aan de hand was. De vent wiens zakken ik had gerold was de papierverzamelaar. In Chinatown gold het als oneerbiedig om een stukje papier met Chinese karakters weg te gooien.

'Het is grotendeels Chinese flauwekul,' zei Sammy. 'Het is eigenlijk gewoon een manier om de straten schoon te houden, en af en toe vindt de *Wenhuashe* een papiertje met gevoelige informatie, waar iemand in Chinatown veel geld voor overheeft. Dus het maakt mensen... voorzichtig.'

Sammy stak een sigaar op die minstens achttien centimeter lang was. Hij zei dat hij gerold was op de dijen van de Chinese maagden in hartje Chinatown, daar waar blanke jongens niet durven te komen. Ik vroeg of dat ook Chinese flauwekul was, maar hij beweerde bij hoog en bij laag dat het waar was. Ik keek om me heen of er iemand was die deze tienjarige jongen zou vertellen dat hij de sigaar, die bijna even lang was als zijn arm, moest doven. Maar tot mijn verbazing zei niemand er iets van. Sterker nog, toen we naar buiten liepen en Sammy wilde betalen, maakte de dame achter de kassa een afwerend gebaar. Hij zei dankjewel, waarop ze boog, knikte en nerveus glimlachte.

'Was dat eten gratis?' vroeg ik, terwijl we de trap naar de straat beklommen.

'Ja, maar het heeft eigenlijk niets met mij te maken. Het is vanwege mijn oom.' Hij wilde het niet verder uitleggen en veranderde snel van onderwerp.

'Zullen we stickball spelen?' Stickball was een soort honkbal met een bezemsteel en een lichte bal.

4

We speelden stickball in *Ohn Nu Hong* Alley, wat Sammy uit de losse pols vertaalde met Piss Alley, omdat heel Chinatown daar urineerde. Er was altijd wel ruimte om stickball te spelen. De daaropvolgende jaren zouden Sammy en ik hier honderden Stickball World Series spelen, want we werden al snel boezemvrienden. We waren de San Francisco Seals, de Oakland Oaks, we waren Frank en Jesse James, de Katzenjammer Kids, Wild Bill Hickok en Bronco Billy, Cochise en iedere Apache die ooit had geleefd. Sammy en ik rouwden een hele week om Geronimo's dood in 1909 en na een laatste, gewaagde overval op Fosco's gebakswinkel uit naam van de Apachen werden we over de hele Columbus Avenue achtervolgd door een agent te paard.

Sammy en ik waren bovendien de onbetwiste, hoewel onofficiële, Amerikaanse kampioenen in het vangen van ratten. De hele stad hing vol met affiches waarop de volgende boodschap stond:

BELONING VOOR RATTEN:
EEN BELONING VAN 5 CENT WORDT BETAALD VOOR
ELKE RAT, DOOD OF LEVEND, DIE WORDT
AFGELEVERD BIJ DE AANGEWEZEN INLEVERSTATIONS
VAN DE SANITAIRE DIENST.

Ze waren voortdurend bang dat er een epidemie van builenpest zou uitbreken in San Francisco. Meestal kregen de Chinezen de schuld, omdat het op de stoomschepen uit Hongkong en Sjanghai altijd wemelde van de ratten. En eens in de zoveel tijd werd het lijk van een ongelukkige Chinese verstekeling uit de baai gevist. Zo iemand was overboord gekieperd omdat men dacht dat hij de een of andere afschuwelijke ziekte onder de leden had waar minstens de helft van de bevolking van Californië aan zou kunnen bezwijken.

Een slimme vent kwam erachter dat de pest niet door de ratten werd verspreid, maar door de vlooien die op de ratten leefden. Blijkbaar hielden die vlooien ook van mensen. Sammy leende een oude hond genaamd Poo Shoo, die een rat op twintig meter afstand kon ruiken. We vingen zwarte ratten, bruine ratten, rode ratten en grijze ratten – ratten zo groot als je hand en ratten zo groot als een kater. We maakten een paar grote, houten tangen zodat we de dieren niet hoefden aan te raken, waarmee we ze in een vat vol kerosine lieten vallen. Twee weken achter elkaar doorzochten we samen met Poo Shoo elke goot van San Francisco, waarna we meer dan vijftig ratten bij de sanitaire dienst konden afleveren. Daarvoor kregen we de reusachtige som van maar liefst tweeënhalve dollar. Die teleurstellende ervaring maakte ons enigszins afkerig van eerlijke arbeid. Ik besloot aarzelend dat mijn zakkenrolpraktijk waarschijnlijk toch lucratiever was, terwijl Sammy voor zijn oom ging werken.

Chin Ju Bing was de gemeenste en schofterigste gangster van Chinatown. Hij was leider van de San Yi, die samen met hun belangrijkste rivalen, de Si Yi, zo ongeveer alles wat los en vast zat in handen hadden, van wasserijen tot hoerenkasten en van *fan tan*-gokhuizen tot de *pak kop piu*: de witteduivenloterij. De naam 'witteduivenloterij' sloeg op het feit dat iedereen er altijd verloor, vervolgens zijn loten verscheurde, de snippers als een zwerm duiven in de lucht gooide en ze dan op handen en voeten opraapte omdat dat geluk bracht. Chin Ju Bing werd ook wel Little Joe genoemd. Maar voor Sammy was hij oom Joe, surrogaatvader en beschermer sinds Sammy's eigen vader in Grocery Alley was gevonden met een .38 kogel in zijn hoofd. Waar Sammy ook ging in Chinatown, ik koesterde me in zijn aanzien.

Sammy werkte voor een stuiver per pijp in een van de heroïnetenten van zijn oom, in Mah Fong Alley. De opiumkit lag direct achter de stallen en er werd gezegd dat de stank van de paardenmest de zoete geur van de opium in de schuur erachter verdoezelde. Sammy's werk bestond uit het schoonmaken van de pijpenkoppen en het vermengen van de as, de *yen-shee*, met nieuwe opium. Ik ging vaak met hem mee om hem gezelschap te houden, dan hielp ik een handje door water op de met lakens bedekte vloer te sprenkelen, zodat die de geuren beter absorbeerden. Af en toe ontlastte ik de verslaafde rokers van het geld dat nog over was nadat ze hadden betaald om 'de tijd te vergeten', om de zoete blauwe rook te achtervolgen naar de vergetelheid. In het schemerige licht van de Chinese notenolielampen lagen de verslaafde sukkels weerloos op de houten banken en het was doodsimpel om ze te beroven. Ik voelde me wel een beetje schuldig, maar Sammy zei dat deze mensen hun ziel toch al kwijt waren en dat ze hun portemonnee daarom zeker niet zouden missen.

Mijn favoriete plek was een fantastisch Chinees theater aan Jackson Street. De vrijdagavonden waren het beste – al die kelners die helemaal hoteldebotel waren van goedkope rijstwijn, of wat ze ook hadden gedronken. Ik herinner me een fantastische komiek genaamd Ah Soon die grappen maakte over rivaliserende *tong*-bendes. De toeschouwers lachten tot de tranen over hun wangen liepen en de dollarbiljetten bij wijze van spreken zo uit hun zakken vielen. Ik begreep geen woord van de Chinese grappen, maar ik lachte altijd mee alsof ik uit Sjanghai of zoiets kwam.

Op een avond kwam een grote vent genaamd Big Mike Abrahams binnenvallen. Met een broodmes in zijn hand sprong hij pardoes door het achtergordijn en liep op Ah Soon af, die op het podium stond. Voor onze ogen sneed hij zijn keel door. Het publiek bleef lachen tot het bloed tot aan de tiende rij spoot en de mensen eindelijk begrepen dat het geen geintje was en begonnen te schreeuwen. Een of andere drugszaak, zei men, of misschien vond hij Ah Soons optreden niet leuk. Ik heb wel vaker gehoord van komieken die op het toneel stierven, maar eerlijk gezegd denk ik dat Big Mike de grappen nog minder goed begreep dan ik.

Big Mike verborg zich meestal in zijn verlopen hotel aan Union, waar de Chinezen hem ten slotte inderdaad vonden. Op een avond sloten ze zijn kamer luchtdicht af met jutezakken, staken een rubber slang door het sleutelgat en vergasten de arme kerel terwijl hij lag bij te komen van een fles Happy Jack. Ik durf te beweren dat hij vrediger naar zijn Schepper is teruggekeerd dan die arme Ah Soon. Sammy zei dat de Hip Sing Tong-jongens het hadden gedaan. Maar ja, dat zeiden ze altijd. Vooral omdat het meestal waar was.

5

Mijn moeder stuurde me altijd naar de buitentrap als Maeve en Gracie hun wekelijkse bad kregen, dus was mijn kennis van het andere geslacht nogal beperkt. Daarom vertrouwde ik op Sammy's ervaring en ging ik zelf op onderzoek uit in het Herenhuis aan Jackson Street, ter hoogte van Kearny. Hoewel 'Herenhuis' nogal chic klinkt, was het in feite het grootste en smerigste bordeel van San Francisco. Een vent genaamd McCarthy was tot burgemeester gekozen op grond van de belofte dat hij San Francisco zou omtoveren tot het 'Parijs van Amerika'. Het eerste wat hij na zijn beëdiging deed, was steekpenningen aannemen van een vent genaamd Gerry McGlane, die prompt toestemming kreeg om een 'Parijs' bordeel te openen.

Het Herenhuis bestond uit meer dan honderd kleine, door gordijnen van elkaar gescheiden cabines waar mannen zich voor een handvol dollars konden amuseren met een Zuid-Amerikaanse schone. Voor een paar extra dollars kregen ze een echte 'Frenchie', die helemaal uit Parijs of Warschau of waar dan ook afkomstig was. Sammy en ik deden daar natuurlijk niet echt aan mee. Maar de meisjes mochten ons graag, we plachten hun drankjes in te schenken en als het rustig was, lieten ze ons het een en ander zien.

Toevallig waren Sammy en ik er ook op de avond dat de

politie een inval deed. Toen de agenten zagen hoeveel puisterige jongelui zich hier voor twee dollars lieten verwennen, werd het bordeel onmiddellijk gesloten. Vervolgens moesten we buiten in de vrieskou in de rij gaan staan. Daar stonden we dan, tien magere jongetjes op Jackson Street, rillend van de kou en hopend dat onze onderbroeken en een dikke laag kippenvel voldoende bescherming boden tegen longontsteking.

'Mijn moeder vermoordt me,' zei ik.

'Maak je niet druk. Je moeder komt er niet achter,' zei Sammy. Hij stond ook te vernikkelen, maar hij was absoluut niet bang.

'Maar ze schrijven onze namen op.'

'Maak je geen zorgen, ze bluffen.'

'Het ziet er anders behoorlijk serieus uit. Hoe weet je dat zo zeker?'

Zonder een spoortje haast noteerden de agenten de gegevens van alle kinderen die daar op straat stonden dood te vriezen.

'Mijn oom zegt dat de agenten zo veel boter op hun hoofd hebben, dat hun haar vetter is dan de wielen van de trams op Van Ness Street. En je weet wat er is gebeurd met politiechef Biggy.'

'Nee. Wat is er met hem gebeurd?'

'Een paar jaar geleden sloot Big Bill het gemeentelijke bordeel en...'

Sammy schudde zijn hoofd, alsof dat voldoende was om zijn zin te voltooien. Hoewel we onszelf krampachtig warm probeerden te houden, rilden we van de kou. Maar ik wilde er meer van weten.

'Wat?'

'Hij verdween onder mysterieuze omstandigheden.' Sammy's lippen waren blauw en zijn tanden klapperden. 'Van zijn politieboot. De volgende dag haalden ze hem in de baai uit het water.'

'Vermoord?'

'Dat weet niemand.'

'Z-z-z-zelfmoord?' vroeg ik klappertandend. Ik voelde de kou al niet meer en had moeite om de woorden te vormen. Sammy schudde zijn hoofd, nee.

'Streng katholiek.'

'En de vent die de boot bestuurde? Heeft die niets gezien?'

'Geheugenverlies.'

'Geheugenverlies?'

'Kon zich niets meer herinneren. Volgens mijn oom Joe ging het gerucht dat Billy's pik was afgehakt toen ze hem uit het water visten; die vonden ze in zijn jaszak, samen met zijn horloge. Daar zou iedereen geheugenverlies van krijgen.'

Zoals we al hadden verwacht, stuurden de agenten ons weg zodra ze onze gegevens hadden opgeschreven. We graaiden onze kleren bijeen en renden naar huis, dwars door de plassen, rillend en lachend in de regen.

Twee dagen later was het Herenhuis weer in bedrijf.

6

Het moet me van het hart dat mijn moeder nooit blij is geweest met mijn beroepskeuze. Laten we het er maar op houden dat ze mijn contacten met ratten, dood of levend, vier- of tweebenig, niet op prijs stelde. En over Chinezen was ze helemaal niet te spreken. Ik denk dat ze zich veel zorgen over me heeft gemaakt, en dat verdiende ze niet. Mijn moeder was een grote vrouw met armen als boomstammen en hoewel ze over het algemeen weinig spraakzaam was, kon je haar als ze tot het uiterste werd getergd drie blokken verderop horen schreeuwen. Ze droeg een bril met dikke glazen, het resultaat van vele jaren naaien bij slecht licht, en haar voorhoofd werd doorsneden door drie diepe, verticale rimpels, waardoor het leek of ze permanent haar wenkbrauwen fronste. Het wonderlijke met mijn moeder was dat, hoewel ze voor meneer Kittleman prachtige jurken maakte, ze in mijn herinnering zelf nooit iets anders droeg dan een bruine jasschort. En een hoed. Ze droeg altijd een hoed tijdens het naaien, naar eigen zeggen omdat ze geen tijd had om haar haar te doen.

De dag waarop ze haar nieuwe naaimachine kreeg, was de eerste keer sinds de dood van mijn vader dat ik haar werkelijk gelukkig zag. Meneer Kittleman had haar geholpen met de financiering; ik denk dat hij vond dat mijn moeder een goede investering was. Hij betaalde haar slechts tweeënhalve dollar per jurk en haar jurken hingen altijd op een prominente plaats in zijn etalage. Samen met meneer Huber, die boven ons woonde, tilde de bezorger de naaimachine de gammele trap op, terwijl Maeve en ik de weg wezen. Het apparaat had gekrulde gietijzeren poten en een glimmende mahoniehouten bovenkant; het was mijn taak om die glimmend te houden. De naaimachine stond op een mooi plekje in een hoek van ons appartement en het leek of mijn moeder elk moment dat ze wakker was naar voren en naar achteren zat te schommelen, in hetzelfde ritme als waarmee haar voeten het gietijzeren pedaal in beweging brachten, terwijl ze de stof onder de naaldvoet door trok. Ze was een goede vrouw en verdiende geen zoon die haar kwaad maakte. En reken maar dat ik dat deed. Het ging er niet zozeer om dat ik mijn hand steeds in andermans zakken stak, ik denk dat ze dat wel kon waarderen, want ze maakte nooit bezwaar tegen de dollarbiljetten die ik in haar naaimand liet glijden. Wat haar het meeste irriteerde, denk ik, was het feit dat ik zo vaak betrapt werd en dat ik wat een familiegeheim zou moeten zijn opblies tot een schandaal waarvan de hele buurt op de hoogte was.

Gepakt worden is onvermijdelijk als je zo'n zware leerschool volgt. En ik vind eerlijk gezegd dat ik al heel snel doorhad dat de wetten van de waarschijnlijkheid heel wat belangrijker waren dan de wetten van het land. De politie leerde me behoorlijk goed kennen en kneep in de meeste gevallen glimlachend een oogje toe als ik een vetzak van Nob Hill bevrijdde van een portemonnee die dikker was dan ikzelf. Toegegeven, ik ben heel wat keren in de kraag gevat, maar in de meeste gevallen kwam ik ervan af met een reprimande en een knipoog die me het gevoel gaven dat ik een van hen was. Ik zag al snel in dat dieven en agenten tot dezelfde soort behoorden –

beide gehouwen uit het graniet van St. Patrick Street en slechts door een blauw uniform en een pensioen van elkaar gescheiden.

Als de zaken echt uit de hand begonnen te lopen, waarschuwden de agenten mijn moeder dat als ze me nog een keer betrapten, ik voorgoed zou worden opgesloten. Ze zeiden dat ze me naar een speciale gevangenis voor jeugdige criminelen konden sturen die onlangs in San Jose was gebouwd. Het scheen dat je daar een dwangbuis moest dragen en dat het eten afkomstig was van de gemeentelijke vuilnisbelt – en dat gestoorde priesters er met je plasser speelden.

Omdat het in die periodes verstandig leek als ik me even gedeisd hield, mocht ik het appartement een tijdlang niet verlaten. Als moeder naar Fillmore ging om haar voltooide jurken bij meneer Kittleman af te leveren, werd ik bewaakt door mijn oudere zuster Maeve. Ik probeerde haar vaak om te kopen met allerlei hebbedingetjes uit mijn geheime bergplaats, maar ze was niet te vermurwen en gaf me zonder aarzelen een klap als ik het lef had om uit de leunstoel op te staan. Maeve kon gemeen slaan, veel harder dan nodig was vond ik, zoals oudere zusters hun vervelende kleine broertjes plegen te mishandelen. Ze had nooit het kinderlijke geluk van onwetendheid en onbezorgdheid ervaren. Maeve had nooit de aangename spanning gevoeld die je krijgt als je de scherven van een gebroken vaas in de vuilnisbak probeert te verstoppen, het plezier van het stiekem lospeuteren van de plug van de regenton waardoor de tuin onder water loopt. Arme Maeve, ze had helemaal geen jeugd gehad. Ze was oud geboren.

Ik was dol op mijn kleine zusje Gracie, die twee jaar jonger was dan ik, maar die, zoals meneer Huber van boven het verwoordde, niet het hele spel kaarten had meegekregen. Mijn moeder zei dat God niet helemaal klaar was geweest en dat de engelen haar iets te vroeg naar de aarde hadden gebracht. Daar heb ik nooit iets van begrepen – misschien was God even weg voor een koffiepauze of zoiets. Gracie was niet gek of zo; laten we het erop houden dat ze een beetje traag was. Als ze een kakkerlak zag, kon ze als een bezetene krijsen. Ik sloeg het insect met een bezem en knuffelde Gracie terwijl we toekeken hoe het ongedierte in zijn stille doodsstrijd over de vloer kronkelde.

Met zijn tweeën onderzochten we de hele buurt, we beklommen de steile heuvels en sprongen op het laatste moment opzij voor de kabeltrams op Mason Street.

'Eskimo's, Tommy!' riep ze altijd naar me en dan wreef ik mijn neus tegen de hare, zoals ze in Canada schijnen te doen. En dan moest ze lachen als een verlopen dronkelap. Natuurlijk zat er voornamelijk zaagsel in Gracies hoofd, maar ze had het mooiste gezicht en de wonderlijkste groene ogen die je je kon voorstellen en ze kon je aankijken alsof ze eigenlijk naar iemand achter je keek. Ze had grote zwarte pupillen die als dronken stuivers in die groene irissen ronddobberden. Maar ze trok absoluut de aandacht. Zelfs mensen die haar helemaal niet kenden, stopten om haar in haar wang te knijpen en haar stroblonde haar te strelen, wat mij de gelegenheid gaf om hun beurs of het kleingeld uit hun zakken te halen.

In de winkel van meneer Rizzola, op de hoek van onze straat, waren Gracie en ik wereldkampioen in het verorberen van schepijs en pepermuntstokken. Elke keer schudde de eigenaar zijn hoofd en vroeg hij zich af waar die twee arme kinderen toch al dat geld vandaan haalden. En als we thuiskwamen vroeg mijn moeder altijd waar Gracie die nieuwe speeltjes vandaan had, en dan zei ik dat de mensen haar zo lief vonden dat ze ze aan haar gegeven hadden. Gelukkig ging mijn moeder nooit naar Posnick's Five & Dime op Kearny, want daar hadden ze haar waarschijnlijk graag het een en ander willen vertellen over dat joch met zijn hangende ooglid dat ze voortdurend de winkel uit moesten jagen en over zijn blonde zuster die hij altijd meesleepte.

Als meneer Huber aan het einde van de dag thuiskwam moest hij altijd over Gracie en mij heen stappen, want dan zaten we naast elkaar op de trap in moeders catalogi te bladeren. Meneer Huber werkte bij de steenfabriek op Corona Heights en ik plaagde hem altijd door achter hem aan te sluipen als hij zijn vermoeide lichaam over de houten trap omhoog sleepte. Ik rolde zijn portemonnee zonder dat hij er ooit iets van merkte, maar boven aan de trap gaf ik hem altijd weer terug. Hij moest er werkelijk om lachen – soms gaf hij me zelfs een dubbeltje. Dan schudde hij zijn hoofd en zei: 'Je bent me er eentje, Tommy. En je ziet er goed uit. De manier waarop je mijn portemonnee steelt... hemeltje... ik hoop dat ik het nog meemaak dat je president wordt.'

Meneer Huber was een fantastisch aardige kerel, maar ik moet zeggen dat hij en mevrouw Huber een vreemd stel vormden. Hij was een verlegen, enigszins saaie man die altijd aan het werk was zodat mevrouw Huber zich kon kleden in die belachelijke roze tafzijden jurken van haar. Zij was luidruchtig, ordinair en hing zichzelf vol met goedkope juwelen – 'varkensvlees dat paradeert alsof het een lamskarbonaadje is,' zei mijn moeder altijd.

Overdag ontving mevrouw Huber altijd een heleboel kerels, wat ik destijds niet helemaal begreep. Elke maand had ze een nieuw slachtoffer te pakken, tegen wie ze heel vriendelijk deed. Mijn moeder noemde de mannen 'mevrouw

Hubers heren'. Als ik mevrouw Huber op de trap tegenkwam, gaf ze me een aaitje onder mijn kin en soms gunde ze me een natte, paarsrode kus op mijn wang en een snelle blik in haar decolleté. Haar gezicht was zo dik gepoederd dat het op cement leek en ze stonk naar eau de cologne en gin. Destijds begreep ik niets van het bedrog en de leugens in hun relatie. Ik vroeg me dikwijls af of de oude meneer Huber iets af wist van de bedrieglijke praktijken van zijn vrouw, of gedroegen alle getrouwde mensen zich op die manier? Ik vond het erg verwarrend en het bezorgde me lange tijd een enorme afkeer van al dat gedoe over 'liefhebben, respecteren en gehoorzamen.'

7

Eenmaal heb ik een van de 'heren van mevrouw Huber' na een bezoekje aan haar gevolgd. Hij liep naar beneden over de trappen van Filbert Street en terwijl hij op Mason Street op de kabeltram stond te wachten, sloeg ik mijn slag. Met één hand doorzocht ik zijn jaszak. Maar plotseling schreeuwde ik het uit van de pijn toen een politieknuppel zich diep in mijn nieren boorde. Ik herinner me nog precies hoe mijn moeder keek toen de politieman me thuisbracht en door de voordeur naar binnen smeet. Hij stelde zich voor als agent Horgan en nog voordat hij was bijgekomen van de klim van de steile trap, vroeg hij beleefd waar uit dat prachtige Ierland mijn moeder oorspronkelijk vandaan kwam. Hij sprak met zo'n zwaar Iers accent dat je zou zweren dat hij afgelopen dinsdag pas van de boot was gestapt. Grappig dat het niet uitmaakte hoelang die geharde veentrappers hier al woonden, hun accent veranderde nooit, evenmin als dat van de Italianen. Ik denk dat dat voornamelijk uit zelfbescherming was. Maar deze viseter was absoluut niet te porren voor een voorkeursbehandeling, want in plaats van dat hij binnenkwam voor een slokje Ierse whisky die nog over was van Kerstmis en een of twee coupletten van 'The Rose of Tralee', werd hij plotseling venijnig en snauwde tegen mijn moeder: 'Waar is de vader van deze jongen?'

‘Hij is niet langer met ons,’ zei mijn moeder.

‘Is hij in San Francisco?’

‘Nee, ik denk dat hij in de hemel is.’

‘Het spijt me, m’vrouw. God hebbe zijn ziel.’

De politieman nam zijn pet af, alsof hij mijn vader daarmee kon terugbrengen. Maar het leek of hij daarmee ook het deksel van zijn boosheid lichtte. Mijn vader beweerde altijd dat als je een Ier op een stukje land zette, er altijd een andere Ier in de buurt was om hem dwars te zitten. En die woorden waren op dit moment zeker van toepassing. Ik stond nog steeds met mijn hoofd in mijn nek in de deur van het appartement toen de agent met een reusachtige vuist mijn hand vastgreep en met zijn andere knuist mijn kraag beetpakte, waarbij zijn knokkels diep in mijn luchtpijp drukten. Hij boog zich voorover tot zijn ogen nog maar een paar centimeter van de mijne verwijderd waren. Zijn gezicht zag eruit als een beschimmelde badspons en zijn neus was dikker dan de lul van een paard.

‘Luister naar me, luister jij eens goed. Als je nog één keer betrapt wordt op het beroven van mensen, sturen we je zonder meer naar de kindergevangenis in San Jose, heb je dat goed begrepen?’

Ik knikte. Ik kon nauwelijks ademhalen en zelfs als ik iets had willen zeggen, wat niet het geval was, had ik dat niet gekund.

‘En anders sturen we jou en je moeder terug naar Sligo, is dat duidelijk?’

Ik knikte opnieuw en ondertussen tilde hij me omhoog tot ik op mijn tenen stond. Het deed verrekte zeer, want Horgan bleef me de hele tijd knijpen, waardoor ik geen andere keus had dan de klootzak te beroven. Ik liet mijn hand in zijn zak glijden en haalde zijn opschrijfboekje en fluitje tevoorschijn.

'Het spijt me, m'vrouw, maar zonder vader, deze jongen heeft discipline nodig. Hij terroriseert de straat. U moet eens goed nadenken hoe u hem gaat aanpakken.'

'Dat zal ik doen, meneer agent,' zei mijn moeder, 'dat zal ik doen.'

'Goede dag dan, m'vrouw. Ik zou hem eigenlijk moeten arresteren, maar de vrouw van mijn broer komt uit Sligo.'

Ja hoor, natuurlijk kwam ze daarvandaan. Het was algemeen bekend dat mensen uit Sligo nooit met iemand van buiten Sligo trouwden, daarom waren we allemaal ook zo gestoord.

Hij tikte aan zijn hoed en liep naar de deur, terwijl mijn moeder zich achter haar naaimachine liet neervallen en begon te huilen.

Ik liep naar buiten en ging op de houten trap zitten, terwijl de zelfgenoegzame Ierse politieman luidruchtig naar beneden stampte alsof hij door stroop waadde. Ik wreef over mijn vuurrode hand en moest aan mijn pa denken, wiens handen altijd rood waren geweest. Hij had bij het Thatcher Ice House aan Meigg's Wharf gewerkt, waar hij de hele dag in de weer was met blokken ijs. En als hij 's avonds thuiskwam, waren zijn handen altijd bevroren en rauw. Bij de kachel in de hoek van ons oude appartement masseerde hij zijn vingers en beweerde steevast dat het hem niet lukte om ze weer doorbloed te krijgen. Mijn moeder goot heet water in een porseleinen bakje, waar hij zijn handen in dompelde. Dan schopte hij zijn laarzen uit en probeerden Maeve en ik weer leven in zijn keiharde voeten te wrijven. De Kerstmis voor de aardbeving stierf hij aan bronchitis.

Ik stond op van de trap en wierp het belachelijke politiefluitje van Horgan woedend in de donkere steeg. Horgan draaide zich even om toen hij het geluid van metaal op de keien hoorde. Hij haalde zijn schouders op, wreef over zijn paardenlulneus en liep verder.

Binnen zat mijn moeder nog steeds gebogen over haar naaimachine in de hoek te snikken. Ik liep naar haar toe en legde mijn hand op haar schouder.

'Het spijt me.'

Ze wreef haar gezicht af met haar schort en keek naar me op. 'We moeten naar de priester.'

Met dat verhaal over Sligo had de agent lopen bluffen, dat weet ik zeker, maar voor mijn moeder was het de druppel geweest. Dat ik misschien zou worden opgesloten in een tuchthuis in San Jose, dat kon ze wel aan, maar de mogelijkheid te worden teruggestuurd naar Sligo was onverdraaglijk.

8

Mijn school was verbonden met de Saints Peter and Paul Church. Tenminste, voor dat gebouw tijdens de brand werd verwoest. Nu was de Salesian School samen met de kerk ondergebracht in een provisorisch houten bouwsel. De angstaanjagende, in een donker gewaad geklede priester heette Vader Imielinski, had een zwaar Pools accent en rook naar natte sokken. Hij stak een preek tegen me af waarbij hij in niet mis te verstane bewoordingen uitlegde dat het zelfs voor iemand van mijn jeugdige leeftijd mogelijk was om voor eeuwig verdoemd te worden. Maar wat moesten ze met me aanvangen? Hij citeerde de catechismus: 'God moet uw handen verre houden van zakkenrollen en stelen... zakkenrollen en stelen...' Na de vierde keer begon de boodschap langzamerhand tot me door te dringen.

De volgende etappe was St. Mary's Cathedral aan Van Ness Street. Ik was veroordeeld tot een gesprek met Vader Ramm. In de katholieke gemeenschap van San Francisco was Vader Ramm een soort plaatselijke held, omdat hij tijdens de felle brand na de aardebeving met gevaar voor eigen leven de torenspits van St. Mary's had beklommen om daar met zijn gewaad de vlammen uit te slaan en aldus de kathedraal te redden.

De aangeboren goedheid die deze vriendelijke priester

aan alle kanten uitwasemde, wedijverde in intensiteit met de doordringende geur van zijn tabaksadem, die zo afschuwelijk stonk dat de tranen me in de ogen schoten. Maar ondanks zijn indrukwekkende persoonlijkheid was ik niet bang voor deze man. Na de negentiende-eeuwse bandiet Black Bart was hij immers de grootste held van alle leerlingen van de katholieke school.

'Was u naakt, Vader?' De vraag die me sinds 1906 bezighield, ontsnapte onbedoeld aan mijn lippen.

'Wanneer was ik naakt?' vroeg hij enigszins afwerend.

'Toen u de torenspits van St. Mary's beklom tijdens de Grote Brand.'

'Nee, ik was niet naakt.'

Nogal teleurgesteld fronste ik mijn wenkbrauwen. 'Maar hoe kon u het vuur dan doven met uw gewaad, Vader?'

Met een zucht wist Vader Ramm deze strikvraag ternauwernood te ontwijken.

'Gewoon.'

'Was hct ccn reservegewaad?'

'Nee, dat was het niet'

'Was het het gewaad dat u droeg?'

'Ja, dat was het.'

'Dus u was naakt?'

'Dat was ik niet.'

'Droeg u een hemd en een onderbroek?

'Ik droeg een mantel.'

'Een mantel?'

'Met die mantel heb ik de vlammen gedoofd.'

'Een mantel?'

'Een mantel.'

Er viel een stilte. Vader Ramm leek opgelucht dat de

ondervraging van deze puber voorbij was. Hij keek naar mij. Ik keek naar hem. Ik glimlachte.

'Het verhaal zou mooier zijn als u naakt was geweest,' zei ik. Zijn hand kletste als een zware eikenhouten hamer tegen de zijkant van mijn hoofd en wierp me uit mijn stoel.

Hij tilde me overeind, drukte me stevig tegen zijn borst, streelde mijn haar en mompelde een Latijns gebed. Zijn gewaad stonk naar wierook, lichaamsgeur en de rum-met-esdoorn pijptabak van Prince Albert. Omdat ik bijna werd gesmoord door zijn tabakszak en een heel mooie rozenhouten pijp die in een diepe zak ter hoogte van zijn navel zaten, zag ik geen andere uitweg dan die twee zaken tevoorschijn te halen. Ik stopte ze meteen weer terug. Beroof nooit een priester.

Na langdurige besprekingen tussen de eerwaarde Vaders besloten ze dat mijn opstandigheid niet gezond was en dat ze me daarom naar een speciaal katholiek tehuis voor recalcitrante jongens in Sacramento zouden sturen. Ik vond de klank van de woorden 'opstandig' en 'recalcitrant' niet prettig, want waar hadden ze het in godsnaam over? De klank van de naam Sacramento beviel me evenmin. Zelfs Sligo klonk beter dan Sacramento. Persoonlijk ben ik altijd dol geweest op de klank van Sligo. Telkens als mijn moeder een paar glaasjes gin van mevrouw Huber had gedronken, sprak ze met warme woorden over haar geboorteplaats en ons voorouderlijk huis. Het gevolg was dat mijn zusters en ik Sligo redelijk goed kenden, we kenden de hangende tuinen en de zonnige stranden waar je drie Coca Cola's voor een cent kon kopen en waar kleine jongens op St. Patrick's Day uit het lange groene gras tevoorschijn sprongen en iedereen een foldertje over Ierse gedenkpenningen in de hand drukten. Maeve en ik snapten niet waarom onze moeder ooit uit Ierland was weggegaan.

Dus toen ik zwijgend op de harde houten bank in het kleine zijkamertje van St. Mary's zat te wachten, maakte ik me behoorlijk ongerust over mijn toekomst. Mijn moeder zat binnen te huilen, ze greep de hand van de priester en legde die op haar hoofd. Steeds opnieuw en doorspekt met weesgegroetjes en lofprijzingen vertelde ze hoe dankbaar ze was dat de Kerk de verantwoordelijkheid voor mij van haar overnam. Terwijl ik daar zo zat, vond ik haar dankbaarheid wel een beetje overdreven en daarom besloot ik ze allemaal uit hun ellende te verlossen, en de Kerk of de staat Californië niet langer op kosten te jagen.

Ik trok mijn zakdoek voor mijn gezicht – ten eerste om Black Bart te imiteren en ten tweede om die smerige zoete geur van wierook niet meer te hoeven ruiken. Met mijn duim, wijs- en middelvinger vormde ik een pistool dat ik voor me hield en vervolgens schoof ik langzaam achteruit. Iedereen die me probeerde te stoppen tekende daarmee zijn eigen doodvonnis. Ik klom op de plank waar de wijnkannen voor het sacrament werden opgeborgen en wrong me door het smalle venster aan de achterzijde van de sacristie. Voorzichtig liet ik me op het met lood beklede dak van het naburige seminarie zakken. Ik gleed omlaag langs de regenpijp en rende zo snel als ik kon door de paardenslagerij in de tuin daarachter.

Ik voelde me schuldig omdat ik geen afscheid had genomen van mijn moeder, maar eerlijk gezegd was ze waarschijnlijk opgelucht dat ik was vertrokken. In elk geval was ze niet langer verantwoordelijk voor me. De daaropvolgende jaren heb ik me vaak afgevraagd of ze zich weleens zorgen over me maakte, of ze benieuwd was hoe het met me ging. En ik vroeg me ook af of zij, Maeve en Gracie me ooit zouden hebben opgezocht in het tehuis in Sacramento. Wie zal het zeggen? Ik heb het haar altijd willen vragen en me misschien zelfs willen verontschuldigen voor het feit dat ik die dag zomaar ben vertrokken. Tenslotte was ze mijn moeder en hield ik van haar. Hoewel ik me soms afvroeg of dat gevoel wel wederzijds was; het is wel duidelijk waarom. Hetzelfde geldt voor Maeve en Gracie. Ik hield echt van hen, vooral van kleine Gracie. Ik vertrok op 12 februari 1913, twee dagen voor mijn veertiende verjaardag op Valentijnsdag. Ik troostte mezelf met de gedachte ik misschien ooit de kans zou krijgen om de dingen aan hen uit te leggen, en dat ze het dan zouden begrijpen. Misschien zouden we ooit weer allemaal bij elkaar zijn. Dan zouden we dansen als derwisjen, dronken worden en die trieste Ierse liedjes over Sligo en Donegal zingen waar we altijd van moesten huilen. Maar het liefste zou ik dan hardop willen lachen tot we pijn kregen in onze zij en, het eenvoudigste van alles, gelukkig waren als andere mensen.

9

Het zwervende bestaan maakte me snel volwassen en mijn beroep voerde me door het hele land. Ik reisde altijd per goederentrein, als verstekeling, van Cheyenne in Wyoming naar Duluth in Minnesota, en van Hastings in Nebraska naar Fayette in Missouri. Door de vonken van de trein was de huid op mijn rug minstens voor de helft weggeschroeid, ik had een litteken van mijn nek tot mijn kont als bewijs.

Als je te lang op een plaats bleef, begonnen de slimmere agenten – die zich hadden gespecialiseerd in het treiteren van zakkenrollers als ik – te denken dat ze een speciale band met je hadden. Ik werkte altijd alleen en, zoals ik al zei, heb altijd principes gehad. Ik stal nooit van iemand als ik dacht dat hij het verlies niet kon lijden en liet altijd een dubbeltje zitten zodat mijn slachtoffer nog met de bus naar huis kon. Maar bovenal nam ik nooit meer dan ik nodig had om van te leven, net als in de echte jungle. En na verloop van maanden, jaren, werd ik behoorlijk goed in wat ik deed. In een menigte was ik even gevoelig als een vleermuis. Ik kon tegen iemand opbotsen zonder hem aan te raken. Ik kon koffiedrinken in een goedkoop restaurant en zes verschillende gesprekken tegelijk afluisteren. Mijn ogen waren zo goed getraind dat ik een zijden sjaal in de wind zag wapperen zoals een jager een witgevleugelde duif waarneemt.

Ik bezat niets en had ook nauwelijks iets nodig: af en toe een nieuw pak om er wat ouder uit te zien en een paar flessen whisky, waarvan ik moet toegeven dat ik er al op te jonge leeftijd van heb leren houden. Het stelde misschien niet zoveel voor, maar ik kon ervan leven. In die tijd had niemand het makkelijk en ik heb in elk geval altijd werk gehad, wat al meer is dan veel andere stakkers over zichzelf konden zeggen. Ik beroofde ook nooit invaliden – zelfs geen rijke. Priesters evenmin. Ik zou absoluut nooit een priester beroven, hoewel dat principe voornamelijk op bijgeloof berustte. Ze zeggen dat een eerlijke dollar de enige dollar is die 's nachts niet op je kussen danst, maar ik heb altijd als een roos geslapen. Je moet je slachtoffer op dezelfde manier bekijken als een visser naar een zeebaars kijkt – je kunt niet al te gevoelig worden. Zoals ik het zag, had ik een zeldzame en magische gave omdat ik geld kon wegnemen van elke plaats op het lichaam – en je zou steil achteroverslaan van verbazing als ik je vertelde welke plekken dat zoal waren.

Ik had mijn jonge leven gewijd aan de schemerwereld die mijn beroep met zich meebracht en elke dag leerde ik me beter aanpassen aan de eenzaamheid van een bestaan te midden van vreemden. Onderweg ontmoette ik soms een meisje dat me gezelschap hield en van enkelen herinner ik me zelfs nu nog de naam. Ik heb er nooit een seconde bij stilgestaan dat ik me ooit zou settelen; niet met één persoon en niet op één plaats. In de loop van de jaren had ik te veel zogenaamd gelukkige stellen ontmoet en beroofd; ik snuffelde door hun portemonnees en tasjes, die uitpuilden van bedrog en verraad. Echt waar, je weet niet half waartoe respectabele mensen in staat zijn als ze even niets te doen hebben. In zekere zin zou je kunnen zeggen dat het een voorrecht was om een blik te kunnen werpen in de geheimen van andere mensen. Ik jatte immers dingen die ze dicht op hun hart droegen, maar nooit zo dicht dat ik, of iemand anders met hetzelfde duistere beroep, ze niet te pakken kon krijgen om erin te gluren. In mijn ogen was verliefd worden iets wat andere mensen deden – niet dat ik er niet aan dacht, maar in het leven dat ik leidde was gewoon geen ruimte voor dat soort afleidingen. Ik had weinig bagage. Als het op binding aankwam, koos ik altijd voor een vreemdeling. Je kent ze niet en zij kennen jou niet. Er is geen ruimte voor geschiedenis. Geen ruimte voor trots. Geen ruimte voor verwachtingen. Geen ruimte voor teleurstellingen. Geen ruimte voor leugens.

Ik hield mijn handen soepel en zacht als een babykontje; ik poederde ze vier keer per dag, en knipte, vijlde en oliede mijn maagdelijke nagels elke ochtend, middag en avond. En zo trok ik verder, elke week naar een nieuwe stad en elke maand naar een andere staat. Ik meed de banken omdat daar te veel professionele gluurders rondhingen die je onmiddellijk in de gaten hadden. Ik bracht mijn tijd door op renbanen, in trams, metro's en bij vakbondsvergaderingen. Vakbondsvergaderingen waren mijn favoriet, omdat iedereen daar een broeder is en ze er meestal over geld praten, waardoor ik het gevoel kreeg dat ik er op mijn eigen manier ook bij hoorde.

Politieke vergaderingen hebben me altijd geïntrigeerd. Het lijkt bijna vanzelfsprekend dat je op zo'n plek andermans geld in je eigen zakken stopt – dat is tenslotte wat de vent op het spreekgestoelte ook van plan is als hij eenmaal gekozen is.

Ik kende een paar kermissen en circussen die hun eigen vingerkunstenaars hadden om de menigte af te werken. Zelfs de spreekstalmeester was erbij betrokken door op een gezwollen, gedecideerde toon te waarschuwen: 'Dames en heren, past u alstublieft op voor zakkenrollers.' Dat hielp ons enorm. Hij had het nog niet gezegd of iedere simpele ziel met een paar bankbiljetten in zijn zak controleerde met een klopje van zijn hand of de portemonnee nog op zijn plaats zat. Het was een soort wegwijzer, want daardoor wist ik precies welke zak ik moest hebben, een fluitje van een cent. Binnen vijf minuten had ik een aanzienlijke buit te pakken, waarna ik ontspannen achteroverleunde en van de rest van de voorstelling genoot.

Die keer in Erwin, Tennessee, vormde natuurlijk een uitzondering. Op die dag kreeg een olifant genaamd Skippy de kolder in de kop en denderde dwars door het publiek, waarbij hij de een of andere arme kerel doodtrapte. Dat was de laatste keer dat ik in een circus werkte. Het publiek was zo kwaad geworden dat het in opstand kwam. Blijkbaar weigerde de circuseigenaar het dier dood te schieten, wat begrijpelijk was, want met Skippy verdiende hij zijn brood. Ik hielp de circusjongens om het ongelukkige schepsel in zijn kooi te drijven toen er opeens een menigte van ongeveer honderd man verscheen. Het waren geen krankzinnigen of gestoorden, maar gewoon mensen uit de buurt, sommige hadden zelfs hun kinderen bij zich. Ze schreeuwden en scholden en duwden de dierverzorgers opzij. Wat er daarna gebeurde, had ik nooit geloofd als ik het niet met mijn eigen ogen had gezien. De opgewonden menigte viel de reusachtige olifant aan, probeerde haar keel door te snijden, wikkelde touwen om haar heen en takelde haar vervolgens met een hijskraan van de spoorlijn omhoog. Ik bedoel, een olifant, zie je het voor je? Het tekent de menselijke inventiviteit, om nog maar te zwijgen van zijn wreedheid. Het enige wat in me opkwam was: O, jongen, als ze nu al olifanten gaan ophangen, dan kan ik hier beter niet te lang blijven. Daarna heb ik nooit meer een voet in Tennessee gezet.

In die periode begon ik met *catching out* – op goederentreinen springen voor een gratis ritje naar elke willekeurige bestemming. En daar ontmoette ik Hoagie.

10

In 1906, toen de aardbeving vanaf de oceaan landinwaarts snelde, werd de Agnew's Psychiatrische Inrichting in Santa Clara met de grond gelijkgemaakt. Hoewel de plaatselijke sheriff en twintig agenten het verwoeste gebouw omsingelden, wisten duizenden bewoners uit hun cellen te ontsnappen en in de nacht te verdwijnen. Sommigen werden gevangen en aan bomen vastgebonden, maar de meesten bleven op vrije voeten. Een paar trokken verder en ontwikkelden zich tot succesvolle zakenlieden en één vent wist het zelfs aardig ver te schoppen in de politiek.

Moraal: wie bepaalt er wie gek is?

Ik zat in een kapperszaak in Cincinnati in een van de tien stoelen die naast elkaar stonden opgesteld. Een klein legertje kappers hanteerde de schaar en sleep het scheermes aan een van de lederen riemen aan de muur. Terwijl iemand mijn kin en wangen met olie insmeerde, keek ik naar de vent naast me. Hij had een spierwit gezicht dat zo bleek en kil was als een beeld in een kathedraal. Zijn komische snorretje zag eruit alsof het met houtskool was aangebracht. Maar ik zag ook dat hij ondanks zijn magere postuur een geldriem droeg die zo dik was dat het leek of hij op het punt stond te bevallen van een tweeling. Toen de kapper het gezicht van de man met een warme handdoek bedekte, liet ik mijn hand in zijn zak glijden. En ja hoor, massa's geld.

'Waar kom je vandaan, buurman?' vroeg hij plotseling vanonder de dampende handdoek.

'Ik?' vroeg ik enigszins verrast. 'Overal eigenlijk... oorspronkelijk kom ik uit San Francisco.'

'Wat doe je voor werk?' vroeg hij.

'O, van alles. Ik denk erover om naar Salinas te gaan om daar werk te zoeken.'

'Salinas? Zit je in de tuinbouwbusiness?'

'Ja, alles wat ik kan krijgen,' antwoordde ik.

'Je ziet er niet uit als een boerenjongen.'

'Nou ja, ik neem alles aan wat ik kan krijgen.' Ik sloot mijn ogen toen de kapper me begon in te zepen. Hij veegde een klein stukje schoon, waardoor ik het gesprek kon voortzetten.

'Zit je in de advieswereld?' vroeg de vreemdeling.

'Heb je advies nodig?' antwoordde ik, maar toen zei hij iets verrassends.

'Nee, kerel, jij.' Hij stond op, veegde zijn gezicht af met de warme handdoek en wierp behendig twee kwartjes omhoog, die keurig op de marmeren toonbank landden.

'Ten eerste moet je altijd weten wat voor tijd van de dag het is. Het klinkt simpel, maar het is belangrijk.'

'Ja, moet je altijd weten.'

Hij boog zich naar me toe. 'Ik ben Hoagie, aangenaam kennis te maken.'

'Hoagie?'

'Afkorting van Illyich.'

'Ja, natuurlijk. Aangenaam kennis te maken, Hoagie.' Ik keek in de spiegel en zag op de muur achter me een advertentie voor Adcock's scheerzeep. 'Tommy… Tommy Adcock,' zei ik en ik stak mijn hand uit. Hij greep hem vast en gaf me een stevige handdruk. Hij had meteen door dat mijn schone, zachte handen nooit in de grond hadden gewerkt of bonen hadden geplukt.

'En het andere advies?' vroeg ik. Om de een of andere reden begon deze kerel me te intrigeren.

'Het lukt je niet om een krab rechtuit te laten lopen.'

'Nee, dat lukt niet.'

'Een boterham valt altijd op de beboterde kant.'

'Klopt.'

'En maak nooit een afspraakje met een meisje uit Peoria, Illinois. Ben je ooit in Peoria geweest, Tommy?'

'Alleen op doorreis.'

'Ze zijn misschien wel knap, maar uiteindelijk pis je spelden en naalden.'

Ik lachte en hij liet eindelijk mijn hand los. Ik wist zeker dat deze kerel nog gestoorder was dan een bietenvlieg in de zomer, maar op dat moment lag ik naar het plafond te staren, terwijl de kapper met een geopend scheermes mijn keel afschraapte, en dat is niet zo'n beste houding om te filosoferen.

'En hebzucht heeft heel lange armen,' voegde hij daaraan toe.

'Ja, daar heb je helemaal gelijk in,' zei ik tegen het plafond.

'Trouwens, weet je hoe laat het is?' vroeg hij.

'Tuurlijk. Het is…'

De kapper stapte achteruit om zijn scheermes aan de lederen riem te slijpen en ik haalde mijn hand vanonder de schort tevoorschijn.

'Het is…' Maar ik kon deze vent niet vertellen hoe laat het

was omdat ik geen horloge had. Ik had vijftig horloges en mijn favoriete exemplaar, een gouden juweeltje met een zilveren en gouden schakelarmband en een schitterende nieuwe, lichtgevende wijzerplaat, zat niet langer om mijn pols.

De man met het bleke gezicht poetste zijn schoenen met een borstel die aan een haak aan de muur hing en zei: 'Het is twintig over twee.' Vervolgens overhandigde hij me mijn favoriete gouden horloge met de lichtgevende wijzerplaat.

'En misschien heb je deze ook nog nodig om die scheerbeurt te betalen.' Hij gaf me mijn portemonnee. Toen zwaaide hij met de bundel geld die ik nog maar een paar seconden geleden van hem had gestolen.

'Je moet hier beter opletten, man. Er zijn zoveel van die godvergeten dieven in de wereld.'

'Daar heb je gelijk in,' zei ik verbijsterd. Deze vent had me beroofd! Hij had mijn horloge gestolen, mijn portemonnee en zelfs het geld dat ik van hem had gejat. Voor de eerste keer in mijn leven was *ík* degene die was beroofd. Sterker nog, hij had alles teruggegeven. Ik betaalde mijn scheerbeurt en rende de straat op, achter de vreemdeling genaamd Hoagie aan. Het regende pijpenstelen en bliksemschichten verlichtten de straat, maar ik was niet van plan om te schuilen.

In een hoekje van een bar aan Sycamore Street vertelde Hoagie dat ik nooit mijn linkerhand moest gebruiken om iemand aan mijn rechterzijde te beroven.

'Als je vastzit in een kappersstoel kun je je lichaam niet bewegen. Als je je lichaam niet kunt bewegen, kun je niet doen alsof. Alles is schijn. Zakkenrollen is niet meer dan illusie, net als het hele leven illusie is.'

Ter illustratie gaf hij me mijn pennenmes terug. Allemachtig, bleef deze vernedering nog lang doorgaan? Ik was bijzonder gesteld op dat pennenmes. In het paarlemoeren handvat waren mijn initialen aangebracht met zilver: TM.

'Jij, godver... heb je mijn pennenmes gejat?'

'Jawel. Was je er erg aan gehecht?'

'Ja, mijn initialen staan erin.'

'Heb je het laten graveren?'

'Nee, hij is van iemand anders geweest,' antwoordde ik enigszins beschaamd. Maar hemeltje, dit was de eerste keer dat ik met een dief sprak. Ik vond mezelf altijd een klasse beter dan mijn collega-kruimeldieven en was gewend hen te ontlopen. Ik had nooit gedacht dat ze net zo goed konden zijn als ik, en zelfs als dat zo zou zijn, beschouwde ik hen als ongewenste reflecties in een spiegel. Maar Hoagie was anders.

'Die man had dezelfde initialen als ik... TM,' zei ik aarzelend.

'Ik dacht dat je had gezegd dat je Tommy Adcock heette?'

'Dat is niet mijn echte naam... ik heet Tommy Moran.' Allemachtig, deze vent veegde compleet de vloer met me aan.

'Een goede leugenaar moet een goed geheugen hebben. Weet je, dat is precies de reden waarom ík gehecht ben aan dat mes,' zei Hoagie.

'Ben je dat?'

'Ja, ik heb dezelfde initialen, want mijn echte naam is Tiekhorad Miczislaus.'

Maar wat zijn naam ook was, hij had gelijk.

'Tommy, als je iets steelt, is het niet van jou. Het is niet van jou omdat het ook niet van de man was van wie je het hebt gestolen. Niets is van iemand. Alles is gestolen, hoe dan ook.'

Ik knikte instemmend. Ik had nooit gedacht dat ik ooit een beschermengel zou hebben. Ik had altijd het idee dat als ik er al eentje had gehad, die waarschijnlijk in een of andere gintent aan de kant van de weg was blijven hangen. Maar ik luisterde naar Hoagie alsof er witte vleugels uit zijn schouderbladen staken. Hij bestelde twee biertjes en vervolgde zijn verhandeling.

'Het is nu eenmaal zo,' zei hij, 'zo simpel als één plus één, doodeenvoudig. Zo is het altijd al geweest, en niemand zal het ooit veranderen omdat we, helaas, allemaal wel iets van hebzucht in ons hebben.'

'Ik heb nog nooit iemand ontmoet die liever hard werkte als hij het geld ook zo in het handje kon krijgen,' beaamde ik.

'Precies,' zei Hoagie. 'Het is de menselijke natuur, omdat de hele wereld op de een of andere manier bezig is om zijn medemens een dollar te ontfutselen. Het schijnt dat fraudeurs drie keer zoveel geld stelen als bankrovers, en dat is een feit, want ik heb het uit *The New York Times*. Ik bedoel, kijk eens naar al die bankiers die het spaargeld van de kleine man aannemen om het vervolgens te verliezen bij een mislukte zakelijke transactie; in mijn ogen is dat net zo goed stelen.'

'Iemand heeft eens gezegd dat als je op de beurs van New York "Houd de dief!" zou roepen, iedereen er als een haas vandoor zou gaan,' voegde ik daaraan toe, waarop ik een slokje bier nam. Ik begon me te vermaken.

Hoagie moest lachen en leunde voorover. 'Het staat vast dat elk groot vermogen gebaseerd is op een grote misdaad. Volgens mij heetten de grote Amerikaanse dieven niet Jesse James en Billy the Kid, maar Carnegie, Rockefeller...'

'Dupont en Vanderbilt?'

'Crocker, Morgan, Havemeyer – al die lui. Die kerels met hun goedkope Cubaanse sigaren hebben van iedereen gestolen en ze zijn er niet alleen nooit voor vervolgd, de mensen hebben hen nota bene tot helden verheven. Vergis je niet, Tommy, het staat als een paal boven water dat die vermogens allemaal over de rug van anderen zijn vergaard, dat weet ik honderd procent zeker.'

Man, ik begon mijn nieuwe vriend Hoagie steeds aardiger te vinden. Hij was niet zoveel ouder dan ik, ongeveer 25, maar Hoagie wist alles. Hij was de slimste persoon die ik ooit had ontmoet. Misschien was hij zelfs slim genoeg om mee te kunnen doen aan de presidentsverkiezingen. Maar dat zou hij nooit doen, natuurlijk – daar was hij te slim voor.

'Tommy, in het grote plaatje stelt een portemonnee stelen helemaal niets voor.' Hij schudde zijn hoofd. 'Maar onwetendheid...'

'Onwetendheid?'

'Lees je weleens iets?' vroeg hij.

'Lezen? Ik lees een hoop kranten.'

'Nee, ik bedoel boeken. Lees je weleens een boek?'

Ik schudde enigszins beschaamd mijn hoofd. Mijn vlucht door het raam van de sacristie had een einde gemaakt aan zowel mijn jeugd als mijn opleiding.

'Tommy, dat je ongeschoold bent wil nog niet zeggen dat je stom moet zijn. Weet je waarom president Wilson zo stom is?'

'Nee.'

'Omdat hij niet kan lezen.'

'Kan hij niet lezen?'

'Nee.'

'Maar hij is de president.'

'Het is een vaststaand feit,' zei Hoagie schouderophalend.

Hij stak zijn hand in zijn zak en haalde een klein, in leer gebonden boekje vol ezelsoren tevoorschijn, dat hij over de tafel naar me toe schoof. Ik pakte het op en las '*Dhr. Peters literaire bloemlezing.*'

'Lees dat, Tommy, elk woord, vooral de teksten van die kerel, Shakespeare.'

'Geef je dit aan mij?'

'Ik kan het je niet geven, Tommy. En jij kunt het niet bezitten. Weet je nog wel: niets is van iemand; geen boek, geen gouden horloge, geen pindaboerderij. De korte tijd dat we op deze aarde zijn, lenen we de dingen alleen maar een poosje.'

11

Op het rangeerterrein van Mill Creek sprongen Hoagie en ik op een goederentrein. Hij liet me zien hoe je de handgreep van een rijdende trein moest pakken door gelijk met de wagons op te rennen.

'Je moet altijd de voorkant van een wagon vastgrijpen, nooit de achterkant, want die kan uitzwenken en dan kom je tussen de wielen terecht,' schreeuwde hij. Vervolgens maakte hij een sprong van bijna twee meter en zat hij al op de trein. Hoagie kon harder lopen en hoger springen dan Jim Thorpe op de Olympische Spelen.

Een tijdlang volgden we de meisjes die tijdens de oogstperiode door het land trokken. Ze plukten perziken in Oregon, bezemgierst in New Mexico, grapefruit in Kansas, kersen in Michigan, snijbonen in New Jersey en sneden bieten in Idaho. Er zaten best knappe meiden tussen. En ze waren eenzaam, vermoeid, ver van huis en deden niet moeilijk. Waarmee ik niet wil zeggen dat ik op het gebied van de liefde nou zo'n sukkel was. Ik had zo mijn buien en door mijn hangende ooglid leek het of ik voortdurend knipoogde; ik hoefde slechts naar een meisje te kijken om een glimlach terug te krijgen. Maar zodra het op een serieuze verbintenis begon te lijken sprong ik onmiddellijk op de eerste de beste trein. Het maakte niet uit waar die naartoe ging.

Het noodlot sloeg toe toen we met een goederentrein van Kansas City naar Joplin, Missouri, reisden. Ik denk dat er minstens tweehonderd verstekelingen op die trein zaten, sommige hadden zich aan de zijkant vastgeklampt als mosselen aan een duwboot op de rivier de Hackensack. Het enige wat de sinteljuten – agenten van de spoorwegpolitie – geacht werden te doen, was ons van de trein gooien, maar in sommige staten hadden de spoorwegen uitzonderlijk valse mannen in dienst die lukraak in het donker schoten alsof ze konijnen van hun gazon wilden verjagen.

In Kansas had ik een schot hagel in mijn kont gekregen, waardoor ik niet kon zitten. Zo'n schot hagel was niet dodelijk, maar het prikte verschrikkelijk. We hadden er allemaal wel een paar van in ons lijf en beschouwden ze als een ereteken. In de hoek van een dichte goederenwagon vol zoete aardappels, verscholen onder een stapel lege zakken, haalde een gewillige, jonge boerenmeid met haar tanden een schot hagel uit mijn wangen. Dolly's tanden waren scherper dan het mes van een chirurg. Ze pakte de kogeltjes een voor een beet, spuugde ze uit en sprenkelde wat whisky over de wondjes.

Plotseling hoorden we het geknars van staal op staal, de trein begon af te remmen en via via hoorden we dat de smerissen aan boord waren geklommen om de goederenwagons uit te kammen. Hoagie, die in elkaar gerold had liggen slapen met een andere boerenmeid, sprong overeind en begon als een natte kip in het rond te springen.

'Sta op!' schreeuwde hij. 'We moeten van de trein af. Ik ken dit soort oponthoud. De smerissen hier zijn knettergek. Pak je spullen bij elkaar! We moeten ervandoor.'

Misschien wist hij iets wat wij niet wisten; dat was meestal het geval. We hoorden het geluid van schoten toen een heel peloton smerissen door de wagons trok. Hoagie en ik hielpen de meisjes uit de trein en ze renden weg in de duisternis.

Net toen we onze spullen hadden verzameld, begon de trein weer vaart te maken. Boven ons hoofd, op het dak van de gesloten goederenwagon, klonk het geluid van honderden schoten toen de smerissen in het wilde weg op illegale treinreizigers vuurden. Ik had weleens gehoord dat ze dat soort dingen af en toe deden. Je las er nooit iets over in de krant, maar soms zag je op een afgelegen plek een berg anonieme lichamen langzaam wegrotten langs de spoorlijn.

Terwijl de trein steeds harder ging rijden, schoot Hoagie zijn broek aan en klom hij op de treeplank van de goederenwagon. Ik gaf mijn spullen aan en hij hielp me naar buiten. Een plotselinge windvlaag blies mijn hoed weg, en toen ik hem probeerde te pakken verloor ik mijn evenwicht. Hoewel Hoagie mijn arm wist te grijpen, sleurde de trein me mee over de sintels naast de rails. Mijn jas en shirt scheurden aan flarden en het grootste deel van de huid op mijn rug werd tot op het bot toe afgeschraapt. Met veel moeite hees Hoagie me omhoog, terug in de veiligheid van de wagon. Maar toen maakte de trein opnieuw een onverwachte beweging, zoals in een dronken kermisattractie, Hoagie struikelde en verdween in de nacht.

Ik leunde voorover en staarde in de duisternis, mijn ogen deden pijn van het gruis en de rook, maar ik zag niets. Ik rolde terug in de wagon en raakte buiten westen op de splinterige planken.

De reusachtige, stalen wielen sneden Hoagie finaal in tweeën. Toen we de staatsgrens overschreden, bleef de helft van zijn lichaam achter in Kansas, terwijl de andere helft in Missouri werd gedumpt. Hoagie, of Illyich, of Tiekhorad Miczislaus, of hoe hij ook mag hebben geheten, was mijn beschermengel geweest en hij was altijd bijzonder. Hij is de enige persoon in de Verenigde Staten die in twee verschillende staten begraven ligt.

12

In de weken die mijn rug nodig had om te herstellen, volgde ik Hoagies raad op en las ik zijn kleine bloemlezing van kaft tot kaft. Het werd mijn lijfboek. Een uitbaatster van een dansclub in Kenosha genaamd Beckie gaf me nog een paar boeken. *Moby Dick* heb ik maandenlang meegesleept. Omdat het boek minstens een ton woog, heb ik het uiteindelijk aan een barkeeper in Minnesota gegeven. Hij vertelde me dat hij vroeger dekhulp was geweest op een duwboot en dat hij er altijd van had gedroomd om nog eens op walvisjacht te gaan. *Gullivers reizen* redde me tijdens een koude winternacht in Bismarck, in North Dakota, van de bevriezingsdood doordat ik het boek bladzijde voor bladzijde heb verbrand.

Op de renbanen leerde ik rekenen en ik kende de Amerikaanse geografie beter dan een hoogleraar aan de universiteit.

'Het feit dat je ongeschoold bent, wil nog niet zeggen dat je stom moet zijn,' had Hoagie beweerd, 'hoewel de wereld waarschijnlijk zal proberen je wijs te maken dat je dat wel bent.'

Ik nam zijn verstandige woorden ter harte. Er waren 7 wereldwonderen, 22 wereldreligies, 5 zintuigen, 4000 talen, 7 doodzonden, 66 bijbelboeken, 38 toneelstukken van Shakespeare, 154 sonnetten, 3 musketiers, 4 tweeën in het kaartspel, 12 werken van Hercules, 10 geboden, 9 planeten en 1 Galileo.

Al deze getallen komen uiteindelijk op hetzelfde neer: je eigen domheid. Ze zijn volkomen waardeloos als jij er niets van weet en iemand anders wel. Het feit dat je niet naar school bent geweest, betekent dat je nu moet leren om je hersenen te gebruiken. 'Er bestaat geen andere duisternis dan onwetendheid,' las ik in Hoagies boek, en elke dag, van Boston tot Brobdingnag, drong er een beetje meer licht tot me door.

In die jaren moest ik vaak aan Gracie, mijn moeder en Maeve denken. Als ik een portemonnee vond waar veel geld in zat, stuurde ik altijd een deel naar huis. Datzelfde gold voor een mooie ketting of een ring met een waardevolle steen. Ik had zelfs een portret van mezelf laten maken door een vent in Winooski, in Vermont. De fotograaf was een echte kunstenaar die heel zorgvuldig te werk ging met zijn enorme camera.

'Zit je in de mijnbouw?' vroeg hij.

'Ja, steenhouwer.'

'Welke mijn?'

'Barre.' Deze vent was nieuwsgieriger dan een smeris. Ik was een paar dagen daarvoor in Barre geweest. Als de Schotse, Italiaanse en Zweedse steenhouwers er op zaterdagavond uitgingen, zopen ze zich helemaal klem. Ik had een praatje met hen gemaakt en een paar drankjes weggewerkt – evenals de inhoud van een paar zakken.

'Betaalt het goed?'

'Prima. Geen klachten.' In mijn ogen was vijftig cent per uur behoorlijk betaald. Maar dat mocht ook wel, want de meesten van die kerels stierven voor hun dertigste door het granietstof dat ze dag in dag uit inademden. Nogal ironisch als je erover nadenkt: ze maakten namelijk grafstenen voor begraafplaatsen in heel Amerika.

'Is deze foto voor je liefje?'

'Nee, voor mijn moeder.'

'Dan mag je wel wat beter je best doen op die glimlach van je, en probeer je beide ogen open te houden.'

Aan dat ooglid kon ik weinig veranderen, maar meer dan één boerenmeisje had me gezegd dat ik zo'n aardige glimlach had, dus straalde ik als de reusachtige clown voor het lachpaleis op Coney Island. De fotograaf ontstak wat poeder op een stok en ik werd volkomen verblind. Een week later kon ik mijn foto ophalen.

Onder het genot van een biertje staarde ik in Geraghty's Saloon naar de foto alsof ik een volslagen onbekende zag. Die fotograaf was goed, want de man op de foto zag er heel wat beter uit dan degene die ik elke ochtend in mijn scheerspiegel zag. Ik maakte mezelf wijs dat ik zelfs wel tamelijk knap was. Natuurlijk was ik langer en slanker geworden en als bokser was ik met mijn 65 kilo een keurig weltergewicht geweest. Ik had het smalle gezicht van mijn vader en zwarte, Ierse ogen, waarvan één met een hangend ooglid, en de eerste tekenen van mijn moeders frons. Mijn neus, scherp en licht gebogen, was niet zo edel als die van Geronimo, maar het scheelde niet veel. Mijn achterovergekamde haar, dat ik altijd netjes kortgeknipt droeg, was ingesmeerd met pommade en glom als een biljartbal. Ik vouwde twee biljetten van honderd dollar in een envelop en voegde de foto erbij. Op de achterzijde had ik geschreven: 'Voor Mam, Maeve en kleine Gracie. Jullie toegewijde zoon en broer.' Wat een flauwekul. Het klonk als een tekst op een lint van een grafkrans.

In mijn boek stond dat de mensen tegen zonsondergang hun deuren sloten. Maar ik had geen huis, en geen deur, dus liep ik gewoon van staat tot staat in de richting van de horizon. Ik had altijd genoeg geld voor een maaltje bonen met corned beef en jus in een restaurant in het eerstvolgende stadje en na afloop deed ik als vaste prik de lichten uit, want met zonsopgang zou er weer een nieuwe dag aanbreken. Dat was zo'n beetje mijn enige zekerheid in die tijd.

Ik liep langs amaranten, alsem en verbleekte koeienschedels en kwam van tijd tot tijd een laars zonder zool tegen die uit het zand omhoogstak op een spierwit scheenbeen – we noemden ze 'landloperszerken'. In mijn boek stond een gedicht van een dame genaamd Emily Dickinson, dat ik vaak hardop voor me uitschreeuwde onder het lopen: '*I'm nobody! Who are you? Are you nobody too?*'

In die tijd begon ik dingen te bespreken met Hem daarboven. Niet op een religieuze manier, begrijp me goed, maar als bondgenoten – als collega-zwervers zogezegd. Ik huldigde het standpunt dat *Hij* voor ons werkte, niet dat *wij* voor Hem werkten. Wat mij betreft was ik de aartsbisschop en enige volgeling van mijn eigen religie – een van belastingaanslagen gevrijwaarde liefdadigheidsorganisatie die zich enkel en alleen inzette voor Thomas Patrick Moran in Luilekkerland, Amerika. In vele opzichten gold dat hoe meer ik om me heen keek, hoe gelukkiger ik mezelf prees. Let wel, mijn manier van leven bracht met zich mee dat ik zo vaak op mijn goede gesternte heb moeten vertrouwen dat dat inmiddels wel uitgedoofd zal zijn.

Maar ik ben ervan overtuigd dat ik achtervolgd werd door problemen. Zoals die keer dat ik die vent in Chicago had beroofd. Om je de waarheid te zeggen, ik ben nog nooit iemand tegengekomen die erg enthousiast was over Chicago – behalve gangsters of schijnheilige politici. Het was er te koud, te vochtig en veel te corrupt naar mijn smaak. Je wist nooit in welke zak je liep te graaien, en in een stad waar elke zak vol zit met op onrechtmatige wijze verkregen geld, is dat een risico dat een weldenkend mens in mijn beroepsgroep beter niet kan nemen.

Ik was aan het werk in het Chicago and North-Western treinstation aan West Madison toen ik een forsgebouwde kerel zag die zijn schoenen liet poetsen. Ik wachtte tot hij zijn drie centen had betaald en toen hij van de schoenpoetser vandaan liep en in de menigte verdween, botste ik tegen hem aan. Met mijn handen taste ik zijn vest af en voelde een rol papier die zo dik was als een driedubbele tonijnsandwich. Zoals gewoonlijk inspecteerde ik snel zijn kleren: een extra lange, kamgaren overjas, satijngevoerd, drie zakken aan de buitenkant, een binnenzak, een vest met acht knopen, maar geen colbert en een shirt van javakatoen.

Het was een eenvoudig klusje, want zijn buik was bijna even groot als een kleine bestelwagen. Ik nam aan dat hij gewend was dat mensen tegen hem op botsten en dat hij me niet eens zou opmerken. De achterkant van zijn schedel was volkomen vierkant – ik weet niet of een onhandige kapper of slechte genen daarvan de oorzaak waren. Hij rook ook niet zo best; sterker nog, een beetje desinfecterende Lysol was geen overbodige luxe geweest. Ik lanceerde een enigszins overdreven niesbui over zijn linkerschouder, waarop hij onwillekeurig het gewicht van zijn lichaam een klein beetje naar de andere kant verplaatste. Ik liet mijn hand onder zijn vest glijden en schoof die behoedzaam in de richting van de geldbundel die uit zijn rechter binnenzak puilde. Met mijn voorhoofd tikte ik langzaam het achtereinde van zijn strooien hoed omhoog, net ver genoeg, zodat hij het zou merken en zijn hand zou optillen om de voorkant weer terug te duwen. In de luttele, bijna verwaarloosbare seconden dat zijn vlezige arm niet over zijn schat waakte, sloot ik mijn vingers – alleen mijn vingers, nooit mijn hele hand – stevig rond de papieren in zijn zak. Toen was de bundel verdwenen – hij vloog een fractie van een seconde door het zonlicht voordat hij in de duisternis van mijn zak verdween.

Regel nummer één in de langevingersbusiness is dat je de portemonnee zo snel mogelijk moet leeghalen en de rest weggooit. Daarom liep ik met mijn buit naar het herentoilet om het een en ander uit te zoeken. Tot mijn verbazing had ik helemaal geen portemonnee gestolen. Toen ik de bundel papier uit de lederen omslag haalde, viel mijn mond open van verbazing. In mijn handen lag een schitterende bijbel. Hij was behoorlijk oud: op de voorzijde was een gouden bloemblad aangebracht en het dikke, gele perkament kraakte toen ik het boekwerk opensloeg. De bladzijden waren overdekt met sierlijke, ornamentele letters, die waarschijnlijk zo'n duizend jaar geleden waren aangebracht door een stelletje Italiaanse monniken. Het was absoluut geen alledaagse bijbel en Dikbuik, van wie ik hem gejat had, leek me niet het type Vaticaanse missionaris. Deze bijbel was zo verfijnd, zo bijzonder en toch – zoals ik al snel zou ontdekken – zo fataal.

13

De eigenaar van een pandjeshuis aan Michigan Avenue liet het boek voorzichtig uit zijn lederen omhulsel glijden en sloeg behoedzaam de bladzijden om.

'Jezus christus!' zei hij.

'Wat is het?'

'Het is de bijbel van de *Unione Siciliana.*'

'Italiaans?' vroeg ik schouderophalend.

'O ja, heel erg. Op deze bijbel zweren de leden van de maffia hun trouw.'

Ik keek omhoog en zond een stil schietgebedje naar wie er ook aanwezig mocht zijn in de wolken boven de heen en weer zwaaiende lamp aan het plafond. Ik stelde me zo voor dat Petrus en zijn maatjes het in hun broek deden van het lachen vanwege mijn netelige situatie. Dapper probeerde ik de situatie in de hand te houden. 'En wat is de waarde?'

'Hij is uit de dertiende eeuw.'

'De dertiende eeuw?'

Hij knikte. 'Waarschijnlijk Vlaams, ik zou het moeten opzoeken.'

'Dat is oud.'

'Behoorlijk.' Op de een of andere manier wist ik waarop dit zou uitdraaien.

'Het hoort in een museum thuis. Daar komt het waarschijnlijk ook vandaan. De initialen zijn van zuiver goud.'

'Goud? Hoeveel?'

'Hoeveel wat?'

'Wat is het waard?'

'Een gigantisch bedrag. Een godsvermogen. Meer geld dan jíj je hele leven bij elkaar zult zien.' Hij keek me aan. 'Dat wil zeggen, als je nog een leven voor je hebt.' Daarop schoof hij het boek over de toonbank naar me toe alsof het een staaf dynamiet met een brandende lont was.

Eerst dacht ik dat ik de bijbel het beste in Lake Michigan kon gooien, maar dat zat me toch niet helemaal lekker, omdat het een religieus boek was en zo. En bovendien was het veel te waardevol om het te laten wegrotten in de modder van Lake Michigan. Ik keek omhoog naar Hoagie en zijn Baas en vroeg hun wat ik met dat verdomde – *excusez le mot* – ding moest doen. Ik dacht dat ik Hoagies stem hoorde zeggen: 'Geef het terug en verontschuldig je.' Ik dacht: Ja ja, ik loop gewoon naar het huis van Colosimo of naar het Four Deuces Café aan South Wabash, ik geef het boek aan de eerste de beste vent die Sal of Vinnie heet en zeg: 'Sorry jongens, misverstandje. Het spijt me dat ik het waardevolste voorwerp van jullie club heb gestolen – ik was eigenlijk op zoek naar je portemonnee. Wil je mijn verontschuldigingen overbrengen aan Mr. Colosimo en Johnny Torrio? Ik zal mijn hoofd vast op het tafelkleed naast deze schaal met gehaktballen neerleggen, zodat jullie mijn keel kunnen doorsnijden.' Zelfs Tommy Moran is niet zo stom. Ik schoof Hoagies suggestie terzijde als een van zijn minder briljante ideeën en wandelde in de richting van het meer. En terwijl ik zo liep te peinzen, bedacht ik dat de dingen nooit zo erg zijn als ze lijken, maar verdomd als het niet waar is, hoe meer je erover nadenkt, hoe erger ze worden.

Tegen de houten beschoeiing van de oever lag een ijslaag van minstens vijftien centimeter dik en omdat ik waarschijnlijk eeuwig zou branden in de hel, voelde het als de koudste plek op aarde. Misschien kon ik maar beter teruglopen naar mijn pension en een douche nemen; begrafenisondernemers werken graag met een schoon lijk. Ik zat op een ijzeren bankje en liet mijn gezicht zandstralen door de wind die over Lake Michigan kwam aansuizen als een stel gillende sirenen die onder het wateroppervlak waren verdwenen.

'Tommy,' zeiden de sirenen, 'het is helemaal niet hún bijbel. Ze hebben hem gestolen. Hij was van de Kerk, stomme naïeveling.' Dat vond ik het beste advies van de dag. Als het onweert, kun je beter de bliksem vangen dan je laten verkolen, dus nam ik hun raad ter harte.

Ik keerde de waterkant de rug toe en sloop twee blokken verderop naar binnen bij een grijs stenen gebouw dat St. Clare's werd genoemd. Ik stak mijn hand in het wijwater, sloeg een kruis en wachtte tot het biechthokje vrij was; ik geef toe dat ik wel een beetje nerveus was. Tenslotte was ik sinds mijn jeugd niet meer in een kerk geweest; de laatste keer, vele jaren geleden, was toen ik uit het raam van de sacristie van St. Mary's was gesprongen. Aan de muur hing een houten beeld van Jezus: het soort waar je niet langer dan een seconde naar kunt kijken – het soort waarbij bloed uit Zijn handen en voeten druppelt. Ik heb dat altijd enge beelden gevonden. Het was niet de een of andere vage afbeelding, maar 'Jeruzalem Jim' zelf. En Hij zou daar in al Zijn lijden tot het einde der tijden blijven hangen – een tijdsduur die ik toch al niet kon bevatten. 'INRI' stond eronder. '*Iesus Nazarenus Rex Iudaeorum*,' fluisterde ik zachtjes. Het was een herinnering uit mijn jeugd: Jezus van Nazareth, koning van de joden. Ik staarde naar het beeld en mijn blik viel op iets wat me altijd heeft dwarsgezeten: Jezus hoort Zijn ogen dicht te hebben, maar – misschien ligt het aan mij – als je lang genoeg kijkt, zie je dat Hij altijd tussen zijn wimpers door naar je gluurt... naar niemand anders in de kerk, alleen naar jóu. Op dat moment schuifelde een oude vrouw uit het biechthokje naar buiten en zenuwachtig nam ik haar plaats in.

De priester had een stem als een kettingzaag en een zwaar accent dat me herinnerde aan Vader Imielinski van de Saints Peter and Paul Church. Hij had ook een luidruchtige en vochtige hoest, het soort dat je naar je zakdoek deed grijpen. Misschien kwam het door de omgeving, maar ik werd plotseling bevangen door een aanval van katholiek schuldgevoel en merkte dat ik niet alleen die stomme geschiedenis over de bijbel van de maffia vertelde, maar in één moeite door ongeveer zevenduizend andere overtredingen opbiechtte en er vergeving voor vroeg. Ik legde uit dat ik niet zo vaak kwam biechten, maar ik denk dat hij dat al had geraden. Hij begon steeds heviger te hoesten en ik was ervan overtuigd dat hij me voor eeuwig zou vervloeken. Ik maakte het gemakkelijk voor hem, ik lepelde mijn hele miezerige leventje voor hem op, zonde voor zonde, staat voor staat. Ik deed het zelfs in alfabetische volgorde van Alabama tot Wyoming, alsof ik het telefoonboek voorlas of zoiets. En desondanks heb ik hele stukken overgeslagen – misschien een andere keer, bij een andere priester. Door het gaas zag ik de man in het halfduister onrustig heen en weer bewegen, alsof hij langzaam ten onder ging aan zijn eigen onverstoorbaarheid. Ik nam aan dat hij een zware astma-aanval had of zoiets, dus ging ik maar gewoon verder met het opsommen van mijn misdaden. Om je de waarheid te vertellen, ik begon er net lol in te krijgen toen de priester plotseling ophield met hoesten en met een vreselijke klap van zijn stoel viel.

'Vader? Vader, bent u daar nog?' Ik duwde mijn gezicht tegen het gaas, maar kon hem niet zien. 'Vader?'

Nog steeds geen antwoord. Ik stond op en schoof het rode gordijn aan zijn kant van het biechthokje opzij. Hij was op de vloer gevallen, zijn hand lag bij zijn keel en zijn waterige ogen waren hemelwaarts gekeerd. Ik maakte de knopen van zijn gewaad los, liet mijn hand naar binnen glijden en probeerde een hartslag te voelen. Ik hoorde mijn eigen hart luid kloppen, maar dat van hem maakte geen geluid, dus concludeerde ik dat hij na zijn hoestaanval een hartaanval had gehad – misschien als gevolg van mijn treurige levensverhaal. Ik knielde neer en duwde de mooie, zwartgouden *Unione Siciliana*-bijbel in de handen van de arme kerel en liep op mijn tenen naar de deur. Dat houten beeld van Jezus stond nog steeds naar me te gluren en nu zag ik dat er een bordje onder hing waarop stond: 'Jezus stierf voor úw zonden.' Dat 'úw' was met rood aangezet, waardoor ik me onmiddellijk verantwoordelijk voelde voor Zijn dood daarboven aan het kruis en voor het ongelukkige lot van de Poolse priester die met de gouden maffiabijbel in zijn hand in het biechthokje op de grond lag.

Ik maakte dat ik uit de stad wegkwam – zolang ik nog kon ademhalen door een hals die stevig genoeg was om er mijn stropdas om te strikken. Wat had ik in hemelsnaam in Chicago te zoeken? Het mag duidelijk zijn dat ik daar nooit meer ben geweest.

14

In april 1917 verklaarde dat leeghoofd van een president Wilson de oorlog aan Duitsland. Ik herinner me dat ik bij een donut- en koffiekraampje op de Kentucky Derby stond toen ik het hoorde. Duitsland? Waar lag dat in hemelsnaam? Ik was weleens in Germantown in Philadelphia geweest en in Germantown in Tennessee. In Amerika werd het meeste bier door Duitsers gebrouwen. De enige taal die ik heb horen spreken in Cincinnati was Duits, en dat konden toch niet allemaal spionnen van de Kaiser zijn, toch? En nu gingen we oorlog voeren tegen die mensen? Probeer dat maar eens te begrijpen.

Elk jaar sinds mijn veertiende trok ik vanwege de paardenrennen naar het zuiden, naar Louisville. Kentucky en Churchill Downs, waar de Derby werd verreden, is een uitgestrekt gebied en ik wist dat deze oorlogstoestanden serieus waren toen ik zag dat ze het weelderige groene binnenterrein hadden omgeploegd om er aardappels te poten. Aardappels? Snap je dat nou? Op Churchill Downs? Blijkbaar was de oogst in Idaho mislukt en had Louisville besloten zijn bijdrage aan de oorlogsinspanning te leveren door de heilige grond van Churchill om te ploegen. Het was een gebaar van goede wil, maar de oorlog was blijkbaar niet belangrijk genoeg om de rennen af te gelasten. Daar waren ze te slim voor, want zaken zijn zaken.

Ik hing wat rond bij het loket waar de gewonnen weddenschappen werden uitbetaald, op jacht naar slachtoffers. Een knol genaamd Omar Khayyam had de grote race op zijn sloffen gewonnen. De vlooienbaal waarop ik had gewed, was met vele neuslengtes verslagen. Ik had nooit veel geluk met wedden – niet dat dat er veel toe deed, want als mijn kleine inzetten van twee dollar niets opleverden, kon ik altijd een kerel beroven die wat meer had gewonnen.

Een vent met een zuidelijk uiterlijk, een breedgerande strooien hoed en een gezicht dat sterk deed denken aan de ingewanden van een varken, baande zich een weg naar beneden. Hij liep met verende, zelfbewuste tred en liet een aanzienlijke bundel geld door zijn vingers glijden. Man, die had een klapper gemaakt – echt iemand van wie je zeker wist dat hij zijn eerste zoon Omar zou noemen. Ik had hem meteen daar voor de stallen te grazen kunnen nemen, maar ik voelde me niet op mijn gemak – bijna alsof iemand me in de gaten hield.

Ik volgde meneer Varken de helling af, helemaal tot aan de overdekte tribune. Ondertussen bestudeerde ik zorgvuldig hoe hij zich bewoog en wat voor kleren hij droeg: een batisten shirt, een vlinderdasje van kunstzijde, een marineblauwe kamgaren blazer – twee rijen knopen, een split aan de achterzijde, in het midden opgewerkte zakken. Droeg hij een colbert, bretels? Hoe zat het met zijn broek? Die was van ongekeperd linnen, hing losjes om hem heen en was voorzien van lussen voor een riem. Hij had twee grote zakken aan de zijkant en een rechtsachter, die stevig gesloten was met een knoopje. Zijn schoenen waren albert oxfords die aan de zijkant met een veter werden gesloten. Als hij zijn biljetten daar zou opbergen, kon zelfs ik die vent niet beroven.

Ik versnelde mijn pas tot ik ter hoogte van zijn rechter elleboog liep. Ik kon het gewonnen geld duidelijk in zijn binnenzak zien zitten, maar wat was dat daar aan de rechterkant? Er zat een lichte bolling, die alleen ik kon zien. Een pistool? Nee, meneer Varken zag er absoluut niet uit als iemand met zo'n soort beroep. Wat was het dan? Mijn vingers jeukten en ik schoof mijn met talkpoeder gladgemaakte handen in mijn broekzakken.

Ik zag mijn kans schoon toen de man inhield om een *sarsaparilla* te kopen. Ik ging achter hem in de rij staan. Net op het moment dat ik de zoom van zijn colbert had opgetild, draaide het sproeterige, blinde meisje met vlammend rood krullend haar tot over haar schouders dat voor hem stond zich om en glimlachte naar ons beiden. Meneer Varken en ik tilden beleefd onze hoeden op zoals mensen doen tegenover een blinde. Alsof we wilden zeggen: 'Sorry m'vrouw, dat u blind bent en ik niet.' Mensen zijn vreemd wat dat betreft. Wat deed een blind meisje trouwens op een renbaan? Misschien kwam ze voor de sfeer; die kan heel opwindend zijn. En laten we eerlijk zijn, wie durft te beweren dat ze minder goed in staat is om een winnaar aan te wijzen dan de rest van ons sukkels op Churchill?

Voor de tweede keer tilde ik voorzichtig de zoom van meneer Varkens colbert op en onderzocht de binnenkant. Het was een mooi colbert, zoals ik al had gedacht – duur, kamgaren, gevoerd met een stof van uitstekende kwaliteit, waarschijnlijk Venetiaanse zijde. Terwijl ik mijn lichaam zo stil mogelijk hield, verplaatste ik mijn gewicht naar mijn linkerbeen en schoof ik mijn hand naar voren om langzaam en heel voorzichtig de voering van zijn colbert vast te pakken. Centimeter voor centimeter trokken mijn vingers de zijden voering in smalle plooien omhoog. Ik was nu zo dichtbij dat ik zijn ademhaling kon voelen – zijn hartslag was heel zacht en liep niet gelijk met de mijne – ik zag een druppel zweet uit zijn auberginerode haar naar beneden druppelen over zijn paars verbrande nek. Ik glimlachte toen ik me realiseerde dat meneer Varken tegen het roodharige meisje stond aan te rijden. Ik wachtte tot ze begon te schreeuwen, wat me prima zou uitkomen, omdat niets zo handig is om je uit de voeten te maken als een luidruchtige afleiding. Ik tastte verder naar zijn binnenzak naar wat duidelijk een dikke rol bankbiljetten was. Door de voering te kneden bewoog ik de bankbiljetten langzaam omhoog naar de opening, waar ik ze handig in mijn linkerhand liet vallen. Meneer Varken stond nu overduidelijk tegen het meisje voor hem te duwen, misschien had hij een stijve; het arme meisje kon elk moment gaan schreeuwen. Dan zou hij beschaamd achteruitdeinzen en kon ik de buit eenvoudig binnenhalen. Maar dat is niet wat er gebeurde. Wonderlijk genoeg ging hij door met wrijven en om de een of andere reden schreeuwde ze niet. Genoot ze er misschien net zo van als hij?

Mijn hart bonsde als de grote trom van het Leger des Heils terwijl ik mijn rechterhand langzaam en voorzichtig over het vochtige shirt liet glijden, over zijn borst, over zijn tepels, langs zijn strakgespannen bretels naar zijn andere zak en toen, plotseling, hield ik me doodstil. Ik had al heel wat vreemde dingen in de zakken van mensen aangetroffen, maar dit bracht me toch van mijn stuk. Terwijl ik mijn lichaam zo stijf hield als een steunpilaar in een mijnschacht ademde ik koortsachtig in via mijn neus. Nu was het mijn beurt om te zweten, de druppels parelden over mijn voorhoofd, het jeukte als een gek, maar met twee handen in het colbert van iemand anders kon ik onmogelijk krabben. Voor de eerste keer in mijn hele carrière als zakkenroller hield ik geen portemonnee in mijn hand, geen geldbundel, horloge, pen, chequeboekje, kam, pistool of bijbel, maar de hand van een ander menselijk wezen.

Mijn hart hield ongeveer vijf seconden op met pompen, want het was niet meneer Varkens hand, maar een slanke, vrouwelijke hand. En opeens realiseerde ik me waarom het meisje met de lege ogen en het vlammende rode haar niet had geschreeuwd. Ze speelde hetzelfde spelletje als ik. Hij stond tegen haar aan te rijden omdat zij zich tegen hem aan had gedrukt. De arme vent werd van twee kanten genaaid. Ik hield mijn hoofd koel, maar zij niet. Plotseling trok ze haar hand veel te snel terug en toen was het meneer Varkens beurt om te schreeuwen. Toen hij in de gaten kreeg wat er aan de hand was, greep ik de hand van het blinde meisje en begon ik te rennen.

Meneer Varken, die sterk en atletisch gebouwd was, had ons al na vijf meter ingehaald. Met één hand greep hij mijn schouder vast, terwijl hij met de andere een pluk haar van het meisje pakte en zo hard trok dat ze bijna gescalpeerd werd. We waren er gloeiend bij en ik stelde me al voor hoe de gevangenis van Louisville er vanbinnen uit zou zien toen meneer Varken vreemd genoeg languit op de betonnen vloer viel. Het bleek dat het blinde meisje een handlanger had: een ander blind meisje, misschien een zus, met hetzelfde knappe gezicht, hetzelfde rode haar en, vooral, dezelfde blinde ogen. Ze had haar blindenstok in de genitaliën van onze varkensachtige achtervolger geprikt, die dientengevolge met een pijnlijke grimas en een gebroken knieschijf of een andere, meer persoonlijke verwonding over de grond rolde.

Ik greep beide meiden bij de hand en baande me een weg door de menigte. Toen ik achteromkeek, zag ik dat we al door vijf of zes Pinkertons werden gevolgd. We bereikten het laagste punt van de helling en holden dwars door het omheinde vak van de bookmakers, waar duizenden gokkers bezig waren hun weddenschappen voor de volgende race te plaatsen. Toen mensen ons probeerden tegen te houden, wierp ik de geldbundel van meneer Varken in de lucht. Het was een oude, zij het nogal dure truc, maar het werkte altijd, want plotseling krioelde de menigte onder en over elkaar om een paar gratis flappen te pakken te krijgen – en wij maakten dat we wegkwamen.

Vijf kilometer verderop lagen we met zijn drieën op het zachte, groene gras aan de kant van een stil weggetje uitgeput te lachen. Ik had weleens over de blinde Mackintosh-tweeling Ada en Honey gehoord, maar totnogtoe hadden onze wegen, of, beter gezegd, onze handen elkaar nog nooit gekruist. We voelden ons verbonden door een zeldzame kameraadschap omdat we alledrie hetzelfde eerbare en eeuwenoude beroep uitoefenden en eventjes was het heerlijk om me eens anders te voelen dan ik me meestal voelde: volkomen alleen.

Ik vond de zusters onmiddellijk aardig. Natuurlijk, ze waren blind, maar daar merkte je de meeste tijd niets van. Niet dat ze de boel belazerden. Er waren een heleboel mensen die dat spelletje speelden – die net deden of ze blind waren – maar deze meiden waren helaas zo blind als een mol. Tenminste, Ada was volkomen blind, maar Honey droeg een bril met dikke jampotglazen waardoor ze een klein beetje kon zien. Ik had het gevoel dat deze twee grappige, sprankelende meiden geen moment leden onder hun handicap. En ze waren ook bepaald niet lelijk. Als je door je oogharen keek waren ze, nou ja, aantrekkelijk – ze hadden een mooi figuur, hoewel ze dat verborgen onder wijde kleding. Ada liet haar rode haar los over haar schouders vallen, terwijl Honey het hare in een modieuzere Franse knot droeg. Ze waren goedgekleed, maar niet overdreven opzichtig; wat men 'beschaafd' noemt – passend bij uiteenlopende sociale klassen en situaties. We besloten een poosje met z'n drietjes op te trekken.

15

We kregen een lift naar een stad genaamd Glasgow. De Mackintosh-meiden waren trots op hun Schotse afkomst en daarom trok de naam van de stad hen aan. Ik denk dat we zo'n 150 kilometer ten zuiden van Louisville waren toen de bestuurder van de met hooi beladen vrachtwagen ons afzette. Een bookmaker uit Churchill had me verteld dat er in deze omgeving mammoetgrotten waren gevonden. Ze hadden bijna 500 kilometer van het gangenstelsel in kaart had gebracht en die vent had gezegd dat er ongelooflijk veel mensen uit het hele land op afkwamen om dit natuurverschijnsel te aanschouwen. Ik wil niet beweren dat de geologische aspecten van deze onderaardse speling der natuur me nou zo boeiden – voor mij was het strikt zakelijk. Bovendien vonden Ada en Honey het wel een grappig idee dat niemand in die donkere gangen daar beneden een hand voor ogen zag, behalve zij.

We betaalden de toegangsprijs van tien cent per persoon en begonnen aan de lange afdaling in de aarde. De gidsen die ons door de doolhof van onderaardse gangen leidden, lichtten ons bij met reusachtige, op lange stokken bevestigde kerosinelampen. De rokerige, spookachtige schaduwen die over de muren van de grotten dansten, vormden het ideale decor voor mensen uit onze beroepsgroep om in te werken; een stuk of honderd toeristen die een uur lang door het halfduister wandelden en naar het plafond keken. Het was bijna te gemakkelijk. Samen met de zusters bewoog ik me soepeltjes door de menigte, terwijl de gidsen op de wonderen van moeder Natuur wezen. Een miljoen jaar geleden was het gesteente van deze berg van binnenuit weggespoeld en dat had een even grote leegte achtergelaten als in de zakken van de bezoekers nadat wij hun portemonnee hadden gerold. Voor de middag volgden we drie rondleidingen, die zo succesvol waren dat de voering van mijn jas zichtbaar uitpuilde van meer dan dertig portemonnees en portefeuilles. We stonden juist in de rij om onze tien cent voor een vierde rondleiding te betalen, toen Ada haar hoofd in haar nek wierp en de lucht opsnoof.

'O, o! Geen goed plan,' zei Honey. 'Dit ruikt niet goed.'

Ik stond op het punt om mijn tien centen neer te tellen, toen Honey over haar schouder naar achteren wees. 'We ruiken een smeris.'

Ze hadden gelijk. Bij de toegangspoort stond de sheriff van Glasgow geduldig te luisteren naar een hysterische vrouw die met haar armen zwaaide en naar haar tasje wees.

'Je hebt helemaal gelijk,' zei ik. 'Hou mijn arm vast.' Met een Mackintosh-zuster aan elke arm liep ik langzaam langs de sheriff, die beleefd aan zijn pet tikte toen hij Ada's blindenstok zag. Aan het eind van de stoffige en enigszins bochtige weg keek ik achterom of de auto van de sheriff uit het zicht was verdwenen.

'Oké. Laten we gaan,' fluisterde ik.

Ik hielp de tweeling door een gat in de houten schutting en we maakten dat we wegkwamen.

Twee uur later zaten Honey, Ada en ik midden in een aardbeienveld iets ten noorden van een klein stadje genaamd Red

Boiling Springs, een heel eind ten zuiden van Glasgow. We snuffelden door de lederen portemonnees en gooiden de inhoud op de grond. We hadden 27 dollar en 36 cent verdiend, die we na enig overleg in drieën deelden. Honey maakte met haar schoen een kuil in het zand en begroef de portemonnees en portefeuilles die ons anders onmiddellijk zouden verraden. We hadden ook een paar goedkope sieraden veroverd, die de zussen op mijn aandringen in hun zak staken, terwijl ik me ontfermde over een chic horloge aan een ketting.

In Scottsville hielden we stil bij een timmerman die doodkisten maakte. Naast zijn werk voor het begrafeniswezen had deze Guppie Tate een aantal nevenactiviteiten, en een van de minder bekende daarvan was het vervaardigen van wandelstokken. Honeys blindenstok was in Churchill in tweeën gebroken toen ze meneer Varken in zijn klokkenspel had geprikt. We moesten een poosje wachten tot de witte verf droog was en daarom nam Guppie ons mee naar zijn achtertuin om een van zijn belangrijker nevenactiviteiten te zien. Tussen lange rijen zwartgepolijste kistdeksels zagen we een likeurstokerij die druk in bedrijf was. Guppie opende een kruik en gaf ons toen een slok van zijn eigen brouwsel, dat hij *Sneaky Pete* noemde.

'Beste Whisky van Kentucky,' vertelde hij trots.

'Behoorlijk sterk,' zei ik met enige moeite. Ik had nog nauwelijks een slok genomen, maar achter in mijn keel stond de boel al in brand.

'Drank met ballen maakt je eerder aan het lallen,' zei hij, en wie waren wij om daartegen in te gaan?

Guppie leverde ons tegen een zacht prijsje een grote fles *Sneaky Pete* en verrichtte zijn goede daad voor die week door Honeys stok er gratis bij te leveren.

We liepen weer terug naar het aardbeienveld. Het was een zachte voorjaarsmiddag en terwijl ik diep inademde, vermengde de geur van de bloesem zich met de geuren van zweet en goedkope reukwatertjes. Om beurten namen we een slok uit de fles *Sneaky Pete* en we begonnen alledrie al aardig boven ons theewater te raken. Ada had aardbeien geplukt, die in mijn ogen nog lang niet rijp waren, maar met haar gevoelige vingers had ze er precies de zachte en sappige vroegrijpe exemplaren tussenuit gepikt.

Ik trok mijn shirt uit en Honey streelde zachtjes over mijn rug.

'Wauw, wat heb je daar een groot litteken, Tommy. Waar is dat van?'

'Brandwonden door vonken. Van toen ik als verstekeling met de trein reisde.' Ik zou het de rest van mijn leven niet meer kwijtraken. De afgeschraapte huid was vervangen door opvallend dik, blauw littekenweefsel. Ik maakte me er niet druk om, want hoewel ik er de rest van mijn leven aan vastzat, hoefde ik er in elk geval niet naar te kijken.

'Allemachtig,' zei Ada, terwijl ze zachtjes met haar vingers langs de randen gleed. 'Het voelt als een plattegrond van Texas.' Ze moesten allebei lachen en Ada kuste me voorzichtig ergens ter hoogte van Laredo.

Ik lag languit in de zon terwijl Honey aardbeien in mijn mond propte alsof ze een versnipperaar met stukken hout vulde. Ze zong een liedje, 'Let Me Call You Sweetheart.' Ik bedacht net dat ze een heel prettige stem had, toen ze zichzelf onderbrak om een straaltje aardbeiensap weg te likken dat over mijn wang naar beneden sijpelde. Door mijn halfgesloten ogen zag ik ondanks mezelf dat ze een tong had waarmee ze de verf van een huis zou kunnen likken. Ada trok haar jas uit en knoopte haar zijden blouse open tot aan haar middel. Honey trok haar topje uit en stapte in een vloeiende beweging uit haar kleurig gestreepte katoenen rok en begon vervolgens mijn broek los te knopen. Ze mochten dan misschien niet zo goed zien, op een mannenlichaam wisten ze de weg alsof ze hun eigen wegenkaart hadden. Honey slaagde er niet in om mijn broek over mijn laarzen te trekken. Ze bond haar haren boven op haar hoofd vast met een haarklem van schildpad, zette haar bril af en toog meteen aan het werk. Met die lange tong van haar begon ze mijn knuppel en ballen af te likken, terwijl Ada vanaf de andere kant aanviel. Toen ze haar rok optilde, verscheen er verrassend pikant ondergoed. Ze trok haar zijden onderbroekje uit, plaatste twee knieën aan weerszijden van mijn gezicht en liet zich zakken. Misschien kwam het doordat ik absoluut geen kant op kon, maar het was zonder meer een fantastische middag. Ik ben niet zo'n beflijster, maar die speciale combinatie van *Sneaky Pete* en aardbeiensap kan ik iedereen aanbevelen. Aan de onderkant van mijn lichaam bewoog Honey op en neer tussen mijn benen. Ze had haar grote, zachte lippen rond mijn fluit geplooid en zoog, trouw aan haar Schotse wortels, alsof ze de laatste mens op aarde was die de doedelzak bespeelde op Robbie Burns' verjaardag.

16

De zon daalde langzaam naar de einder en wierp lange schaduwen over de velden. We liepen over een lange, rechte zandweg die aan weerszijden werd omzoomd door dichte bosbessenstruiken, toen we achter ons een auto hoorden. Honey wist onmiddellijk dat het een politiewagen was en inderdaad, ze had gelijk. De meeste mensen zouden zich waarschijnlijk proberen te verbergen, maar wij hadden het gevoel dat we het beste gewoon konden doorlopen. Tenslotte kende niemand ons hier en trouwens, zodra mensen die knappe meiden met hun trieste handicap zagen, waren ze een en al voorkomendheid. De auto kwam dichterbij, we hielden alledrie onze adem in terwijl hij voorbijreed. Ik tikte aan mijn hoed, maar de jonge, magere hulpsheriff achter het stuur leek ons niet eens op te merken. Ongeveer anderhalve kilometer verderop werden we plotseling omringd door een zwerm van honderden vliegen.

'Ruikt niet goed,' zei Honey.

'Dood vlees,' zei Ada.

Ik zag een bord op een paal met de tekst 'Kroeger', en daarachter een erf dat werd doorsneden door een smalle beek. We liepen over de oude houten brug.

Toen we de boerderij naderden, zag ik het eerste dode beest, er gulpte nog steeds bloed uit zijn keel. We volgden het pad in de richting van de oude, uit planken en palen opgetrokken boerderij.

'Wat zie je?' vroeg Ada, die vliegen van zich afsloeg.

'Een dode koe,' zei ik. 'Drie dode koeien, misschien nog wel meer... en een muilezel.'

'Dood? Hoe zijn ze gestorven?'

'Ik weet het niet. Keel doorgesneden, zo te zien.'

'En kippen?' vroeg Honey. Ze wees naar een kippenkop waar ze met haar voet op was gaan staan.

'Ja, kippen,' zei ik. Het hele erf was bezaaid met tientallen dode dieren, hun afgehakte koppen volledig gescheiden van de nog naschokkende lichamen.

De jonge, puisterige en graatmagere hulpsheriff leek net zo geschokt als wij. Hij had natuurlijk tegen ons moeten zeggen dat we ons er niet mee moesten bemoeien of had zich moeten afvragen wat we daar eigenlijk deden, maar dat deed hij niet. Het leek of hij bijna blij was met het gezelschap. Een Mexicaanse kerel, misschien een boerenknecht, zat op de voorgalerij van de boerderij en huilde erbarmelijk. Hij werd getroost door een andere sheriff, die hem op de rug klopte. De hulpsheriff zag ons naderbij komen en begon zenuwachtig te praten, alsof we journalisten waren of om een verklaring vroegen.

'Ze zijn allemaal dood,' zei hij, en hij nam zijn hoed af. Er kwam een mager, smal gezicht tevoorschijn, met een loensend oog en een wit voorhoofd dat normaal gesproken door zijn Stetson bedekt werd. Hij zag eruit alsof hij doodsbang was en leek niet te weten hoe hij op de aanblik van die slachtpartij om ons heen moest reageren. En jeetje, wie kon hem dat kwalijk nemen?

'De oude Kroeger heeft zichzelf opgehangen in de schuur.

Waarschijnlijk heeft hij eerst zijn vrouw verdronken.' Hij knikte naar de zijkant van het huis, waar een paar vrouwenbenen uit een regenton staken. Vervolgens wees hij naar de binnenplaats. 'De halfbloeden liggen daarginds.'

We liepen naar de houten schuur, waar het me opviel dat de varkens op een wonderlijke manier bespat waren met bloed.

'Wie is het?' vroeg Ada.

'Jong meisje. Iemand heeft haar doodgeschoten. Veel bloed.' Mijn beschrijving kwam niet overeen met de werkelijkheid. In de varkenstrog lag een meisje van een jaar of achttien, een prachtig negermeisje met een lichte huid. Haar maag was weggeschoten en haar lichaam was bijna volledig in tweeën gereten. Haar jonge borsten waren duidelijk zichtbaar en ik volgde de lijn van haar lange nek tot aan het knappe gezicht, dat vreemd genoeg een zeer vredige uitdrukking had.

Ik volgde de beek, die achter de schuur langs liep, en zag op een kleine verhoging in het landschap vier witte kruisen op een rij staan. Ik boog me voorover naar het water en moest kotsen. Ada sloot zich bij me aan.

Honey staarde alleen maar voor zich uit, haar lege ogen dwaalden ergens in de verte.

'Wat is dat?' vroeg ze. Ik keek in de richting die ze aanwees. Geschokt. Ik probeerde een redelijk klinkende zin te formuleren, maar ik had het gevoel dat iemand op mijn zenuwen stond te kauwen en ze vervolgens uitspuugde.

'Het is... g-godverdomme een b-b-baby,' stamelde ik. In de beek, verstrikt in het lange gras dat op een modderbank groeide, lag het verdronken lijfje van een kleine zuigeling. Ik waadde het water in en trok de baby los uit het taaie gras dat hem in zijn greep hield. Het lijfje was zo klein – amper een week oud – en het minuscule hoofdje zwabberde in mijn handen. Ada snikte en trok haar kraag over haar mond. Honey stak haar armen uit en ik legde de baby zachtjes in haar handen. Toen ik naar de boerderij terugliep keek ik goed uit waar ik mijn voeten neerzette om niet op een onthoofd kippenlijf te stappen. Ik passeerde de in hun eigen bloed badende koeien en de muilezel, die met wijdopen, waterige ogen omhoog staarde alsof hij wilde vragen: 'Waarom ik?' De sheriff en zijn hulpje maakten aantekeningen in een vergeefse poging dit onbegrijpelijke tafereel vast te leggen. Het hulpje, nauwelijks twintig jaar oud, was heel wat zakelijker dan zijn zenuwachtige baas.

'Gaat u ergens naartoe?'

'We zijn gewoon aan het wandelen.'

'Wandelen?'

'Klinkt een beetje raar, hè?'

Het hulpje knikte. 'Wandel niet te ver. We willen graag een getuigenverklaring van u. Dat soort dingen.'

'Tuurlijk. Ik ben daar.' Ik wees naar de zandweg. Na een meter of twee draaide ik me om. 'Trouwens, ik denk dat u eens bij de beek moet gaan kijken.' Ik staarde naar mijn laarzen en schudde mijn hoofd, zodat ik niet hoefde te beschrijven wat we hadden gevonden.

Ik liep de stoffige weg af en na een minuut of vijf, misschien tien, keek ik achterom naar de boerderij van Kroeger, die al minstens achthonderd meter achter me lag. De vliegen zoemden nog steeds om me heen en terwijl ik ze van me afsloeg begon ik om de een of andere reden te rennen. Ik rende nog harder dan die knol van een Star Hawk, die afgelopen jaar tijdens de Derby op het laatste rechte stuk op George Smith had gejaagd. Ik rende alsof de dood me op de hielen zat. Ik vluchtte voor die teringvliegen die om mijn gezicht gonsden. Maar ik vluchtte vooral voor de spookachtige schaduwen van Kroegers waanzin.

Ik rende harder en harder, ik snakte naar adem en mijn mond vulde zich met vliegen. Ik trok mijn jas uit en sloeg wild om me heen alsof ik aan Sint-Vitusdans leed. Mijn geest dwarrelde rond in de hel van iemand anders' bestaan. Stel dat de oude Kroeger een minnares had gehad – het jonge meisje met de zachte koffie-met-melkkleurige huid die daar in de varkenstrog had gelegen met haar ingewanden verspreid over de vloer en haar bloedspatten op de lijven van vijftien varkens. Geen leuke manier om te sterven. Goed, dus ze was zijn geheime stoeipoes geweest, de troostende armen waar hij naartoe sloop als de oude mevrouw Kroeger voor haar vier kinderen bad, die aan difterie waren gestorven. Zijn vrouw had hem in bed de rug toegekeerd, elke avond opnieuw, en Koffie-met-Melk had die leegte bij de oude Kroeger opgevuld. Tot het moment dat ze de oude man vertelde dat ze zwanger was en hij haar nog sneller liet vallen dan een ezel zijn stront.

Ik stopte om even op adem te komen. Aan de overkant van de weg stond een hut die eruitzag alsof hij langgeleden was geplet door een gigantische voet. Het dak en de voorgevel waren in de tuin gevallen, schijnbaar zonder dat iemand daar iets van had gemerkt. Over de drempel van de vroegere voordeur gutste regenwater dat vanuit de gezwollen sloot door het huis stroomde. Omdat ze geen geld had om voedsel te kopen, was Koffie-met-Melk met het nageslacht van haar blanke baas op de arm naar de boerderij van Kroeger gelopen. De oude mevrouw Kroeger was niet zo blij geweest toen ze het negermeisje met het kind van haar echtgenoot op de arm in haar voortuin had zien staan. Ze had haar eigen vier kinderen begraven en begreep niet waarom dit smerige, gekleurde kind het wel had overleefd. Waarom moest hij hen allemaal zo'n pijn doen? Ze greep de antieke karabijn die altijd geladen bij de voordeur hing, liep naar buiten, richtte het wapen op Koffie-met-Melk en haalde de trekker over. De helft van Koffie-met-Melks ingewanden vloog in de richting van de varkensschuur, terwijl de rest van haar lichaam in de varkenstrog ineenzakte. De baby viel in de modder. De oude mevrouw Kroeger raapte het krijsende, doodsbange kind op en liep naar de beek. Kroeger rende achter haar aan, maar keek hulpeloos toe hoe ze de zuigeling in het water gooide. Buiten zichzelf van verdriet sleepte de oude man zijn vrouw aan haar voeten terug door de modderige tuin. Hij duwde haar hoofd in de regenton. Ze trapte nog een poosje wild om zich heen, maar binnen een minuut stopte haar lichaam met bewegen en liet Kroeger haar nek los. Hij ging terug naar het huis en kwam weer naar buiten met een slagersmes en een revolver. Daarmee slachtte hij elk arm dier dat hij in al die zware jaren met zoveel moeite in leven had weten te houden.

Ik bleef rennen. Ik dacht dat ik in de verte een vrachtwagen zag aankomen, maar misschien was het een fata morgana, zoals die Arabische jongens in de woestijn krijgen als ze te veel kamelenstront roken. Misschien had ik een verschrikkelijke nachtmerrie door die al te aangename middag en dat goedkope *Sneaky Pete*-spul. Misschien had ik het allemaal wel gedroomd. Maar het was evengoed mogelijk dat de oude Kroeger naar zijn schuur was gelopen, onderweg de keel van zijn geliefde muilezel had doorgesneden, om vervolgens het touw over de hoogste balk te gooien. En in dat geval was het touw na zijn reis over het dakspant weer omlaag gevallen.

Daarna had Kroeger het uiteinde vastgegrepen en was hij de houten ladder naar de hooizolder opgeklommen. Daar had hij de strop rond zijn nek gedaan – en was gesprongen.

17

Ik hield het rennen niet langer vol. Ik moest opnieuw overgeven en wankelde als een dronkelap over de weg. Een vrachtwagen vol tabaksbladeren kwam met gierende remmen op minder dan een meter van me tot stilstand.

'Gaat het, vriend?' vroeg de bestuurder, terwijl hij uit zijn cabine sprong om me overeind te helpen. Hij had een uitgemergeld gezicht, maar stevige boerenhanden en ik bedankte hem door nogmaals over te geven. Hij sprong achteruit om zijn schoenen te redden. 'Hé, vriend, wat heb jij gedronken?'

'Het spijt me. Aardbeien en *Sneaky Pete* gaan zeker niet goed samen.' Ik veegde het speeksel uit mijn gezicht, terwijl mijn nieuwe vriend vriendelijk en begrijpend naar me glimlachte.

'Waar ga je naartoe?' vroeg hij.

Ik hield mijn hand boven mijn ogen en keek tegen de laagstaande zon in de lange, rechte weg af. 'Ik weet het niet.'

'Ik ga tot Cynthiana. Je kunt wel meerijden als je wilt.'

'Cynthiana klinkt goed,' zei ik. Na wat ik zojuist had gezien, klonk alles beter dan waar we op dat moment waren.

Ik klom in de cabine en probeerde de slachtpartij op de boerderij van Kroeger uit mijn hoofd te zetten. Het speet me dat ik geen afscheid had genomen van de Mackintosh-meiden, maar ik wist zeker dat we elkaar ooit, onder het genot van een bak aardbeien en iets wat minder sterk was dan *Sneaky Pete* weer zouden spreken. Een allerlaatste vlieg zoemde rond in de cabine en landde vlak voor me op het dashboard. Met mijn hand sloeg ik hem dood.

De bestuurder was een tabaksboer genaamd Isaac. Hij vertelde dat hij op weg was naar een vergadering in Cynthiana.

'We denken erover een federatie op te richten,' vertelde hij.

'Echt waar? Wie?'

'Wij kleine boeren. Dat is de enige manier om de grote tabakstelers tegen te houden, anders maken ze ons kapot.'

Ik knikte goedkeurend, maar bleef naar de kaarsrechte weg staren, nog steeds worstelend met de beelden van het bloedbad bij Kroeger die door mijn hoofd dwarrelden. Isaac praatte op monotone toon verder over de prijs van tabak en ik begreep hem wel, maar eerlijk gezegd had ik nog nooit een boer ontmoet die niet klaagde.

'De prijzen zijn schandalig laag. Je kunt er niet van leven.'

'Dat is absoluut verkeerd,' meende ik.

'Er komt een vent uit North Dakota om met ons te praten.'

'Van de I.W.W., de internationale arbeidersorganisatie?'

'Wat?'

'Zo'n rooie vakbondsman?'

'Nee, niks van die socialistische onzin.'

'De Non-Partisan League dan, de onafhankelijke vakbond?' Isaac was verbaasd dat ik zo goed op de hoogte was.

'Die ja. Ken je ze?'

'Ik ben een keer in North Dakota op een van hun bijeenkomsten geweest.'

Hij glimlachte naar me alsof ik zijn wapenbroeder was.

Cynthiana was een apart plaatsje waar de gebouwen allemaal een gietijzeren voorgevel hadden. In een eettent aan het einde van Main Street stak een vent genaamd Shelby, van de Non-Partisan League, vanaf een provisorisch podium een vlammend betoog af over broederschap en hoe de kleine man die rijke kerels te slim af kan zijn. Geloof het maar niet, dacht ik, terwijl de verzamelde boeren hem luidkeels toejuichten. Ik jatte een tabakszak voor later, maar verder hadden deze kerels slechts dubbeltjes en kwartjes in hun overalls. Ik moet toegeven dat ik de geestdrift van deze boerenkinkels bewonderde. Ik had Shelby al eens eerder horen spreken en met zijn sociale standpunten was ik het in grote lijnen wel eens, hoewel alleen al het idee van iets georganiseerds me erg tegen de borst stuitte. De vergadering werd afgesloten met een gezamenlijk gezongen 'John Brown's Body':

Hij veroverde Harper's Ferry met zijn negentien getrouwen
Hij terroriseerde het oude Virginia tot het sidderde van angst
Ze hingen hem op als verrader, terwijl de menigte zelf de verrader was
Zijn geest leeft voort...

En op dat moment barstte de hel los.

Plotseling stormden er ongeveer twintig leden van de Nationale Garde naar binnen. Ze hadden de bajonetten op hun geweren geschoven en het was duidelijk dat ze, hoewel ze er enigszins onhandig mee omsprongen, van plan waren die te gebruiken. Een sergeant met een stierennek sleurde Shelby van het podium en kondigde aan dat ze ons arresteerden op grond van de Selective Service Act en dat we ons allemaal moesten melden voor militaire dienst. Omdat de meesten dat hoe dan ook binnen een week moesten doen, waren de verzamelde boeren ervan overtuigd dat het een truc was om hun bijeenkomst te verstoren. De overheid was de laatste tijd nogal zenuwachtig vanwege de anarchisten in Minneapolis, de communisten in Toledo, de socialisten in Detroit en de I.W.W. in Cleveland. Eigenlijk was het vreemd dat ze de Duitsers als de echte vijand beschouwden. Daar klopte niets van, maar op dat moment had het geen zin om er een bajonet in je kont voor te riskeren.

Ze smeten me in een vrachtwagen die al voor de helft gevuld was met kanonnenvlees, allemaal kerels die ze in de buurt hadden opgepikt. Ik zat naast een jonge knul met een helderrood, door scheurbuik aangetast gezicht wiens haar met plukken tegelijk uitviel. Hij wreef over zijn schouder, die pijnlijk leek te zijn.

'Gaat het?' vroeg ik.

'Die legerkerels zijn nogal ruw,' antwoordde hij. Ik sloeg mijn hand voor mijn mond om me te beschermen tegen zijn stinkende adem.

'Zo gaat het altijd als je een vent een uniform aantrekt,' zei ik. Hij knikte instemmend, terwijl hij zijn schouder stevig vasthield en een diepe zucht slaakte waardoor het in de hele vrachtwagen naar rottende kool stonk.

'Ik denk dat we de pineut zijn,' mompelde ik tussen mijn vingers door.

'Ik niet,' antwoordde hij.

'Jij niet?'

'Mooi niet. Ze hebben de verkeerde Kentucky-jongen gepakt.'

Met enige moeite viste hij een in een doek gewikkeld bundeltje uit zijn achterzak. Het bestond uit een aantal papieren, waaronder een registratieformulier van het leger.

'Zeventien,' verkondigde hij trots. Hij zwaaide zijn papieren voor mijn neus heen en weer en stopte ze vervolgens weer terug in de veilige broekzak. 'Het duurt nog ruim dertien maanden voordat ik überhaupt oud genoeg ben om me aan te melden.'

Deze aardappelvreter was zo zelfvoldaan dat ik zin had om hem in zijn gezicht te slaan. Maar hij begon plotseling te glimlachen en toonde daarbij een mond vol bruine, rottende tanden waar ik mijn knokkels niet aan wilde blootstellen. Hij vertelde dat hij in de Boonesboro-kerk aan het zingen was toen die kerels van het leger de mis onderbraken en alle jongemannen die oud genoeg waren hadden meegenomen. Hij hield zijn gezangenboek nog steeds in zijn hand en toonde me trots het voorblad. Het was een weelderige kleurengravure met zijn naam in sierlijk gekalligrafeerde letters. Hij was getekend door een vent genaamd de Bisschop van Jezus' Tabernakel van de Congregatie der Rechtschapenen. Onder aan de bladzijde, net onder zijn bruingele vingernagel, las ik: 'Reuben Hickey, geboren op 3 december 1901.'

'Jongen, jij hebt geluk. Volgens mij kun je de dienstplicht nog een jaar ontlopen. Godvergeten zwijn dat je bent.'

Reuben knikte en glimlachte opnieuw, waarbij zijn fietsenrek wederom zichtbaar werd. Ik voelde net een sprankje medelijden met dit ongeneeslijk lelijke kind ontkiemen, toen hij begon te praten over zijn kerk en hoe die zich wijdde aan de verborgen lessen van Jezus. Hij beweerde dat alle problemen in ons land werden veroorzaakt door de gekleurde mensen in de wereld. Ik had ertegen in kunnen gaan, maar wat had dat voor zin? De een of andere zuiderling had het evangelie verbasterd en Reubens hoofd volgestampt met rotzooi, en dat had zijn tanden waarschijnlijk doen rotten.

De vrachtwagen passeerde de ijzeren hekken van Fort Dantonville en door het achterraam zag ik lange rijen dienstplichtigen die in alle richtingen over het stoffige exercitieterrein slingerden. De korporaal van de Nationale Garde schreeuwde naar ons dat we moesten uitstappen:

'Eruit! Eruit! Eruit! Registratieformulieren liggen klaar. Schiet op! Eruit! Eruit!'

Reuben Hickey had nog steeds last van zijn schouder en daarom sloeg ik een arm om zijn middel.

'Wacht, ik help je. Leun maar op mij.'

De arme jongen kromp ineen van de pijn, terwijl ik met een licht schuldgevoel mijn hand in zijn slobberige jaszak liet glijden en hem verloste van zijn stoffen bundeltje en zijn gezangenboek. De mannen van de Nationale Garde schreeuwden dat we achter aan een van de lange rijen moesten aansluiten. Een soldaat pikte de arme Reuben ertussenuit, beval hem op te schieten en duwde hem in de richting van de langste rij. De Bisschop van Jezus' Tabernakel van de Congregatie der Rechtschapenen kon hem nu niet helpen.

De lucht was zwanger van de geur van spanningszweet terwijl we allemaal in dezelfde kronkelige rij naar onze voeten stonden te staren. In de kranten verschenen voortdurend van die vaderlandslievende foto's van gezonde jongemannen met vrolijk grijnzende gezichten die van hun tractoren klommen en hun begrijpende moeders, vrouwen en gelukkige kinderen vaarwel kusten. Maar eerlijk gezegd zag ik niet zoveel gelukkige glimlachen in deze rij. We staarden allemaal naar onze laarzen, schuifelden voorwaarts en schopten in het stof. Ik wilde er niets onder verwedden, natuurlijk niet, maar ik had het gevoel dat niemand op dat veld erg enthousiast was over het idee dat hij naar de slachtpartij daar in Frankrijk zou worden gestuurd. Ik keek naar hun gezichten – het waren heel gewone jongens die je in elk plaatsje in Amerika tegenkwam: de jongen van de levensmiddelenwinkel, de barkeeper, de hoefsmid, de rondtrekkende boerenknecht en het joch van de benzinepomp. De oorlog leek totaal niets voor ons.

Achter een houten tafel aan het andere einde van het veld bekeek een sergeant mijn geleende papieren. Hij controleerde de leeftijd, boog zijn hoofd en keek me zeer wantrouwend aan.

'Hoe oud ben je, Hickey?'

'Zeventien, meneer.'

'Je ziet er nogal jong uit voor je leeftijd, hè, Hickey?' Ik vond dat hij gelijk had, maar ik vermoedde dat hij het sarcastisch bedoelde.

'Barre tijden, meneer. Ik heb scheurbuik gehad en ik heb veel in de open lucht geslapen. Maar ik wil niet klagen, want het is Gods wil, meneer.'

Ik zag dat hij nog steeds niet overtuigd was. Snel schoof ik mijn gezangenboek op de tafel, draaide het om en wees op de plek waar stond: 'Geboren op 3 december 1901.' De autoriteit van een bisschop durfde hij niet in twijfel te trekken. 'Ik zie er een stuk jonger uit als ik me heb geschoren,' voegde ik er voor de zekerheid aan toe.

Hij ramde tweemaal een groot rood stempel op mijn formulier en gaf het aan me terug.

‘Meld je opnieuw in december 1918. Ingerukt. Volgende!’

Ik raapte mijn papieren bij elkaar en knipoogde naar de jongen achter me.

‘Maak je geen zorgen, man, met een beetje geluk is de oorlog met Kerstmis alweer voorbij.’

Ik liep terug langs de arme sukkels die hun registratieformulieren krampachtig vasthielden en begon me zelfs een beetje schuldig te voelen, tot ik bedacht dat de overheid de ware schuldige was. De enige reden waarom het gewone leger van de VS niet genoeg manschappen had, was omdat het zich de afgelopen jaren voornamelijk had beziggehouden met het tevergeefs door heel Mexico opjagen van die idiote Pancho Villa. En in tegenstelling tot Frankrijk, lag Mexico tenminste nog in onze achtertuin. Waar lag Frankrijk in godsnaam? Het enige Parijs waar de jonge Reuben Hickey ooit van had gehoord, was een stad ten zuiden van Cincinnati.

Ik ontmoette een vent op een vrachtwagen die naar Lexington reed, die het me allemaal kon uitleggen. Hij vertelde dat hij leraar was in Pikeville, in het oosten van Kentucky. Hij zei dat hij een houten been had en dat hij om die reden niet in dienst hoefde. Ik stond op het punt hem te feliciteren toen hij zei dat hij flink de pee in had en dat hij die kerel van het leger had gedwongen om hem toch te registreren. Hij stond te trappelen om ernaartoe te gaan en mensen neer te schieten. Meer om het gesprek gaande te houden dan omdat het me echt interesseerde, liet ik me ontvallen dat ik niet begreep wat de Amerikanen in hemelsnaam in Frankrijk te zoeken hadden.

‘We corrigeren de misstanden van zelfzuchtig despotisme,’ zei hij vinnig.

‘Is dat zo?’

'O ja. Ongetwijfeld. Neem maar van mij aan, die godvergeten lui zijn het kwáád, het zijn duivelse klootzakken. Nog erger dan... beesten.'

'De Fransen?'

'Nee, de Duitsers.'

'O, natuurlijk, de Duitsers?'

'Ben je debiel of zo?' snauwde hij.

Sommige mensen doen me werkelijk versteld staan. Hier zat een kerel die zich vrijwillig had aangemeld om zich achtduizend kilometer van zijn huis in Pikeville, in Kentucky, te laten bombarderen, mitrailleren, vergassen of te laten openrijten door een Duitse bajonet, en die noemde míj debiel? Ik begon kwaad te worden en daarom snauwde ik terug: 'Nee, ik ben niet debiel, Long John Silver, maar jij misschien wel. Wat denk je trouwens te kunnen bijdragen met dat kunstbeen? Koolzaad zaaien in niemandsland?'

Kunstbeen gaf me een gedetailleerde demonstratie van zijn bijdrage door zijn houten stomp met een ongelooflijke behendigheid omhoog te zwaaien en hem tegen de zijkant van mijn hoofd te slaan. Ik denk dat ik na de derde klap buiten westen raakte, waarna hij me uit de vrachtwagen moet hebben gekieperd.

Toen ik weer bijkwam lag ik in een greppel naast een weiland en zat ik onder de paardenmest. Ik hees mezelf overeind en liep in de richting van Lexington. Ik had verschrikkelijke hoofdpijn en ik was ervan overtuigd dat mijn schouder uit de kom was. Ik liep mank en stonk naar stront – maar ik was er in elk geval minder slecht aan toe dan die arme klootzakken in de loopgraven daarginds in Europa.

18

Mijn vriend Howie Papp fokte in Kentucky paarden voor de cavalerie van de tsaar. Hij was verschrikkelijk trots op zijn fantastische dieren, waarvan hij beweerde dat het de beste ter wereld waren. Toen vertelde iemand hem dat er in Rusland een revolutie had plaatsgevonden en dat ze de tsaar, de tsarina en al hun kinderen in juli 1918 hadden vermoord. Howie zei dat wat er daarginds ook gaande was, het absoluut niets met hem te maken had, en dat aan welke kant zijn paarden ook vochten, ze hoe dan ook een goed figuur zouden slaan. Maar later hoorde hij dat zijn paarden, nadat ze in Petrograd van de stoomboot waren gehaald, direct geslacht waren omdat iedereen omkwam van de honger.

Moraal: als je eenmaal begint met het eten van paarden, kun je daarna alleen elkaar nog verorberen.

Met Kerstmis was de oorlog nog niet voorbij, maar in november van het jaar daarop was dat dan eindelijk wel het geval, hoewel de meeste jongens pas een jaar later thuiskwamen. Sommigen van hen werden zelfs naar Rusland gestuurd.

Terwijl de oorlog zich voortsleepte en de moedige Amerikaanse infanteristen de Duitsers bij Meuse-Argonne versloegen, trok ik kriskras door Amerika en voegde ik nog een tiental staten toe aan mijn conto.

Ik had net de menigte bij de Niagara Falls onder handen genomen toen een of andere idiote Engelsman had geprobeerd de kolkende waterval over te zwemmen. Hij was verdronken en op het strand aangespoeld, en hoewel er verder niemand in een feeststemming was, eindigde ik straalbezopen in een obscure tent in de buurt van Fourth Street.

Ik liftte naar Buffalo en overnachtte bij de Calvary Mission van het Leger des Heils in Oneida Street. Ze hebben daar van die eikenhouten banken met spijlen in de rugleuning, waar je slechts één nacht op mocht slapen. Als je verdoofd was door een paar flinke borrels, waren de banken comfortabel genoeg, maar ze waren ook zo hard dat je je de volgende morgen, als je weer nuchter was, niet snel zou verslapen. Niet dat iemand ooit zin had om er lang te blijven. Sinds de algemene staking in Seattle pakte de overheid iedere kerel op die er verdacht uitzag en geen baan had, maar wel een hoofd vol meningen. Als je tegen de oorlog was, noemden ze je een socialist. Erger nog, als je protesteerde omdat je werkloos was of slecht betaald werd en je naam eindigde op 'itch' of 'ovsky', noemden ze je een bolsjewiek en zetten ze je het land uit, zelfs als je in Poughkeepsie geboren was. Soms werden deze jongens al in Wladiwostok aan wal gezet voordat hun families erover lazen in de krant. Nee, het was absoluut niet verstandig om daar al te lang te blijven hangen.

Om zes uur 's ochtends liet een sergeant van het Leger des Heils de groene canvas zonneschermen met een klap omhoogschieten, waardoor het verzengende zonlicht de kamer binnenviel. Met mijn slaperige, bloeddoorlopen ogen las ik de spreuken die zorgvuldig in prachtige letters op de muren van de missie waren geschilderd. 'Sterkedrank duikt op als een Egyptische engel des doods en vermoordt het schoonste kind van elke familie,' zei eentje. De volgende luidde: 'Er zijn drie dingen die nooit voorbijgaan: Geloof, Hoop en Liefde. En de grootste van deze is Liefde.' Ik glimlachte omdat iedereen weet dat er vier dingen zijn die nooit voorbijgaan: Geloof, Hoop, Liefde en een goed kamgaren pak. Een andere spreuk was: 'Hoe lang geleden is het sinds u uw moeder heeft geschreven?' Om de een of andere reden schudde die tekst me plotseling wakker, en een maand later, in de zomer van 1919, was ik weer terug in San Francisco.

Na mijn jarenlange zwerftocht wilde ik het een en ander uitleggen. Het klinkt idioot, ik weet het, maar diep in mijn hart heb ik altijd geloofd dat ik een goede zoon was en het idee dat mijn moeder misschien boos was geweest toen ik uit het raam van St. Mary's was geklommen, vond ik onverdraaglijk. Op de een of andere manier heb ik altijd gedacht dat als ik maar vijf minuten met haar zou kunnen praten, ze het wel zou begrijpen. Het klinkt misschien belachelijk, ik weet het, maar het feit dat ik zo plotseling ben vertrokken zonder zelfs maar afscheid te nemen of haar te vertellen wat ik van Sacramento vond, heeft me altijd dwarsgezeten. Trouwens, ik ben sindsdien vele keren in Sacramento geweest en hoewel ik blij was dat ik mijn schooljaren daar niet heb doorgebracht, is het geen beroerde stad.

Op de dag dat ik in San Francisco aankwam, was er juist een parade aan de gang om de teruggekeerde zonen van de stad te verwelkomen. Vanzelfsprekend waren de feestelijkheden niet voor ondergetekende bedoeld, maar voor de 363ste en

347ste divisie van de American Expeditionary Force, die uit Frankrijk waren teruggekeerd.

Geanimeerd marcheerden de infanteristen langs de enthousiaste inwoners van de stad. Er klonk muziek van militaire fanfares en overal hingen Amerikaanse vlaggen en vaandels. De jonge soldaten die de slachtpartijen bij Cantigny en Saint-Mihiel hadden overleefd, marcheerden trots gearmd met hun moeders, vaders, zusters, vrouwen en vriendinnen over Market Street terwijl ze 'Inky dinky parlez-vous' zongen.

Eén colonne bestond uit soldaten die het slachtoffer waren geworden van de Duitse gasbommen. Hun blinde ogen waren afgedekt met verband en ze hielden de schouder van degene voor zich vast terwijl ze voorzichtig voorbij schuifelden. City Hall, Union Square of de mist die vanaf de baai landinwaarts drijft zouden ze nooit meer zien.

Toen de parade was afgelopen, vertrok de menigte naar de bars en iedereen lachte en sloeg elkaar op de schouder. Ik keek naar de legergeweren die op een rijtje tegen de muren stonden, wat er in mijn ogen nogal gevaarlijk uitzag. Plotseling werd ik vastgegrepen door een vent die riep: 'Nate! Jij hier! Nate Raginsky!'

'Nee, je vergist je, ik ben Nate niet,' antwoordde ik.

De soldaat lachte, sloeg me zachtjes in mijn gezicht en woelde door mijn haar. 'Goeie ouwe Nate. Nog steeds dezelfde grapjas.'

Hij draaide me naar de rest van de bar en riep: 'Mensen, dit hier is Nate Raginsky, die in Fère-en-Tardenois die handgranaat naar die Duitsers met dat machinegeweer heeft gegooid. Hij heeft er een *Medal of Honor* voor gekregen. Deze kerel is een echte held.'

Iedereen juichte me toe, terwijl hij me omhelsde en zoende. Ik probeerde hem duidelijk te maken dat ik nog nooit een handgranaat had aangeraakt. Dat ik zelfs niet had meegedaan met de grote loterij die bepaalde wie er naar de oorlog zou worden gestuurd. Ik had dit land niet eens verlaten. Ik had zelfs nog nooit een handgranaat gezien, noch de loopgraven van Fère-en-Tardenois. Ik geloofde niet eens in de oorlog, erger nog, ik had gelogen om me eraan te onttrekken. Maar had zo'n schijtlaars als ik wel recht op een mening over de oorlog? Ik had er alleen maar over gelezen in de krant. Als alles eerlijk was verlopen, was ik ook naar Europa gestuurd. Dan had ik hoestend van het gas mijn verminkte maten door de modder gesleept. Waar was Reuben Hickey, de knul met het fietsenrekgebit uit Kentucky die in mijn plaats was gegaan? Is hij ooit naar Boonesboro teruggekeerd, naar zijn Tabernakel der Rechtschapenen? Of is hij in Frankrijk achtergebleven, ergens in een anoniem, inderhaast gedolven graf, al bijna vergaan, op dat verrotte gebit na?

De soldaat bleef mijn protesten negeren en uiteindelijk gaf ik toe. Het was veel gemakkelijker om zijn drankje te accepteren en me te laten voorstellen aan zijn moedige vriendjes en al zijn familieleden. Soms helpt het om niet zo zwaar te tillen aan je zelfrespect. Het maakt het makkelijker om met leugens te leven en verzacht de armoedige vernedering die dat tot gevolg heeft.

Na het derde drankje begon ik van mijn status als oorlogsheld te genieten, en hoewel mijn eigen moed niet bepaald indrukwekkend was, voelde ik me haast nederig naast deze heldhaftige kinderen die tegen alle verwachtingen in hun oude dag zouden beleven. We waren het er allemaal over eens dat het tijd werd om *sauerkraut* weer gewoon 'zuurkool' te noemen, en het was toch van de gekke dat we het woord 'hamburger' nog langer boycotten. Trouwens, niemand had dat ooit een 'vrijheidsbroodje' genoemd, zoals de krant ons had voorgeschreven. Ja, we waren het er allemaal over eens dat de Duitsers moedige soldaten waren en dat we aardig tegen hen moesten doen nu we hen hadden verslagen. Het klonk bijna alsof ze over een voetbalwedstrijd spraken tussen het leger en de Notre Dame, alsof er niemand was omgekomen, vergast, blind was geworden of verminkt. Maar zij hadden er tenminste nog aan meegedaan. Ik niet.

19

Ik vroeg wat rond in het huizenblok waar we vroeger hadden gewoond, aan Filbert Street. Mijn voeten klonken luid op de nieuwe ijzeren trap, die een grote verbetering was ten opzichte van het gammele, oude, houten geval dat ze na de aardbeving in elkaar hadden geflanst. Ik haalde diep adem en klopte aan bij ons oude appartement. Na een paar minuten werd er opengedaan door een onbekende met een plomp figuur die een lange onderbroek en bretels droeg.

'Hallo, ik ben Tommy.'

'Ja?'

'Ik heb hier vroeger gewoond.'

'O ja?'

'Ja, woont mijn moeder hier nog?'

'Moeder?'

'Mrs. Moran? Slany Moran? Maeve? Gracie?'

'Ik kan je jammer genoeg niet helpen, jongen, ik heb nog nooit van hen gehoord. Ze zijn waarschijnlijk al een tijd geleden vertrokken.'

Meneer Huber woonde nog steeds op de tweede verdieping en nadat ik mezelf had voorgesteld, omhelsde hij me enthousiast.

'Tommy! Kleine Tommy Moran!' schreeuwde hij. 'Kom binnen, kom binnen. Wel heb je ooit...'

Ik ging aan zijn keukentafel zitten terwijl hij een kop koffie inschonk. Hij vertelde dat hij gepensioneerd was en niet meer in de steenfabriek van Corona Heights werkte, maar dat hij nog steeds veel last had van zijn rug.

'En mevrouw Huber, hoe gaat het met haar?'

'Geen idee. Dat wijf is ervandoor gegaan.'

'Het spijt me dat te horen.' Ik had hem kunnen vertellen dat ik dat al had zien aankomen toen ik acht jaar oud was, maar ik wilde niet al te bijdehand overkomen.

'Nu ben ik alleen.'

'Dat is vervelend.'

'Ze zijn naar het noorden gegaan.'

'Mevrouw Huber?'

'Nee, je moeder en de meiden.'

'Waarheen?'

'Weet ik niet. De oude meneer Kittleman heeft een hartaanval gehad.'

'Echt waar?'

'Na zijn dood hebben ze zijn kledingwinkel gesloten. Toen kwamen de mensen van Singer de naaimachine van je moeder ophalen en daardoor kon ze niet meer werken. Dat was rot voor haar.'

'Dat geloof ik graag.'

'Op een dag kwamen ze langs en hebben ze dat ding zonder een woord te zeggen de trap af gedragen. Je moeder schopte en schreeuwde zo hard dat ze de politie moesten bellen.'

'Hemeltje.'

Dat was niet leuk om te horen. Wat had ze gedaan met het geld en de dingen die ik haar in de loop der jaren had gestuurd? Daar had ze minstens tien naaimachines van kunnen kopen.

'Op een dag stond Gracie voor mijn deur en vertelde dat ze zouden vertrekken om druiven te gaan plukken.'

'Druiven plukken?'

'Ergens in de buurt van Napa of Sonoma Valley.'

'Heeft u een adres?'

'Nee. Gracie heeft me een keer een kerstkaart gestuurd. Ik heb altijd een zwak gehad voor dat kind.'

'Ik ook.' Ik pakte mijn hoed en terwijl we elkaar omhelsden schoof ik zonder dat hij het merkte een biljet van twintig in zijn vestzak.

'Bedankt, meneer Huber, ik hoop dat het goed komt met uw rug.' Voor de lol rolde ik zijn polshorloge en toen ik het teruggaf moest hij zo hard lachen dat ik dacht dat ik een ambulance moest bellen. Terwijl ik de trap af holde hing hij over de leuning en riep me achterna: 'Wanneer stel je je kandidaat voor het presidentschap, Tommy?'

'Binnenkort, meneer Huber.'

'Ik kijk ernaar uit.'

Die goeie oude meneer Huber, altijd optimistisch.

Ik liep Kearny Street af en nam de tram bij Lotta's Fountain op Market Street tot aan de lus voor het Ferry Building. Daar kocht ik een kaartje en beklom de trap van de veerboot naar Vallejo.

Het was een mooie dag, het water van de baai was glad en slechts weinig passagiers trotseerden de zoute wind en de uitwerpselen van de meeuwen op het bovenste dek. Ik zat op een houten bank op de achtersteven en stak mijn neus in de wind om de frisse oceaanlucht op te snuiven. Halverwege de baai keek ik achterom en bedacht hoe fris, nieuw en schitterend de stad eruitzag. Hoge gebouwen schoten als paddestoelen uit de grond en de nieuwe skyline kwam me compleet onbekend voor.

Ik stelde me voor hoe Maeve en Gracie hier hadden gezeten, op weg naar de wijnstreek. Nadat alle Chinezen waren weggestuurd, was er meer dan genoeg werk en mensen kwamen overal vandaan om hun plaats in te nemen – zolang ze maar een sterke rug en vaardige handen hadden, niet klaagden en bereid waren druiven te plukken voor een stuiver per kist.

Ik beschermde mijn ogen tegen de zon, die ondanks de zilveren mist op de baai behoorlijk fel was, en bekeek de nieuwe gebouwen die aan de waterkant waren verrezen tot aan Meigg's Wharf, aan het einde van Taylor Street. Daar had vroeger het Thatcher Ice House gestaan, waar mijn vader had gewerkt. Ik herinner me nog de dag waarop hij ons vertelde dat Gracie naar het California Home for Feebleminded Children zou worden gestuurd. Alsof het zo was voorbestemd, stierf mijn vader de Kerstmis daarop, vlak voor de aardbeving, terwijl het Home for Feebleminded Children tijdens de Grote Brand in de as werd gelegd. Mijn kleine zusje ontsnapte dus aan een opname, en dat was maar goed ook, want als je het mij vraagt was het daar nog erger dan op het internaat voor weerspannige jongens in Sacramento waar ze mij heen wilden sturen. Ik herinnerde me hoe mijn vader zich over de kachel in de hoek van ons appartement boog om zijn rode, rauwe, eeuwig koude handen te warmen, terwijl Maeve en ik zijn keiharde voeten warm wreven. Allemachtig, alleen al om die reden zou ik nooit van mijn leven willen werken.

Ik staarde in het water van de baai en zag hoe de veerboot olie in het witte, schuimende kielzog spuwde. De begrafenis van mijn vader was een sobere aangelegenheid geweest, alleen mijn moeder, Maeve, Gracie, meneer en mevrouw Huber en mijn vaders beste vriend, Félim. Op het moment dat de begrafenisondernemers de kist in de grond lieten zakken, fluisterde Félim uit zijn mondhoek naar mijn moeder: 'Pat was me nog 80 dollar schuldig, Slany.'

'O ja?' mompelde ze door haar vochtige zakdoek.

'Ik krijg nog 80 dollar van hem,' zei hij, met nadruk op de tegenwoordige tijd om aan te geven dat de schuld nog steeds openstond. Maar voor dat soort dingen was mijn moeder totaal ongevoelig.

'Maar wij hebben geen 80 dollar, Félim.'

'Wat hebben jullie dan wel?'

'Niets. Na de begrafenis hebben we nog 7 dollar en we moeten ook nog 28 dollar huur betalen. Trouwens, we vroegen ons af of jij, als zijn beste vriend, misschien kans zag om ons dat geld te lenen.'

'Maar ik krijg nog 80 dollar van Pat!' hield hij vol.

'En ik denk dat dat altijd zo zal blijven, Félim.' Vervolgens deed ze een stap naar voren om wat aarde in het graf te gooien.

Ik heb dat altijd een fantastische actie gevonden van mijn moeder.

Naast me op de veerboot wuifde een oude, zwetende kerel met een hangsnor zichzelf koelte toe met zijn panamahoed. Verderop zat zijn vrouw. Ze had een hooghartige uitdrukking op haar gezicht en in haar handen lag een handgemaakte, rundleren portemonnee met zo'n gemakkelijk te openen slot. Ze droeg een wijde, velours jas met een gebreide boord en manchetten, en een hoed die aan minstens tien vogels het leven had gekost. Ik sloot mijn ogen en genoot van de warme zon op mijn gezicht; ik had geen zin in werk. Plotseling dacht de zwetende vent dat hij een vis zag en boog hij zich zonder omhaal over me heen. Ik kon bijna niet geloven dat ik zoveel geluk had.

'Wauw, moet je die steur zien! Die weegt minstens 35 kilo.'

De dame met de hoed met tien vogels keek over de rand van de veerboot en glimlachte.

'Kom eens hier, Betty,' riep hij naar zijn tengere dochter. Maar die toonde zich nog minder geïnteresseerd in het onderwaterleven dan haar moeder. Ze had lange pijpenkrullen en droeg een van die modieuze uniformen waarmee ze zo aan een missverkiezing voor kinderen zou kunnen meedoen en waardoor je de neiging kreeg om haar je kaartje te laten zien. De Oude Zweter boog zich nog verder voorover om zijn steur beter te kunnen zien toen hij plotseling scherp inademde. Ik zat net met mijn beide handen in zijn jaszak toen hij plotseling voorover in mijn armen viel, morsdood. Omdat ik zijn portemonnee al in mijn hand had, duurde het een paar minuten voor ik iets durfde te zeggen. Ik kon me niet bewegen – de dode man was loodzwaar en ik voelde zijn koude, klamme gezicht tegen mijn wang.

'M'vrouw? Ik denk dat uw echtgenoot een hartaanval heeft.'

Mevrouw Tienvogels wierp me een hooghartige blik toe en toen mijn woorden tot de berg van veren waren doorgedrongen, begon ze te schreeuwen. Ik was volkomen hulpeloos, ik zat daar met die dode man in mijn armen en zijn portemonnee muurvast tussen mijn vingers geklemd.

Het leek minstens een week te duren voordat we in Vallejo afmeerden. De politie klom aan boord, tilde de dode man uit mijn armen en probeerde de hysterische mevrouw Tienvogels te kalmeren. Betty, de jonge miss, staarde me aan alsof ik als enige verantwoordelijk was voor haar vaders verscheiden en begon, waarschijnlijk omdat ik zijn portemonnee nog steeds in mijn hand had, nog harder te krijsen dan haar moeder. Ik sprong van boord en maakte dat ik wegkwam.

20

Er bestond ooit een circusnummer genaamd Zacchini, 'de menselijke kanonskogel'. Voor dat nummer klom Idelbrando Zacchini in een kanon en werd vervolgens met een luide knal met een snelheid van 150 kilometer per uur bijna 30 meter weggeschoten. Het publiek applaudisseerde enthousiast. Het nummer was zo succesvol dat circussen van over de hele wereld Zacchini begonnen te imiteren, wat 30 menselijke kanonskogels het leven kostte omdat ze helaas niet over de talenten van de oude Idelbrando beschikten.

Moraal: vliegen is makkelijk. In het net landen is het moeilijke gedeelte.

De remise van de trammaatschappij wemelde van de politieagenten. Daarom verstopte ik me in een wagen met zes grijze Percheron-paarden ervoor die Franse eikenhouten fusten naar een wijnmakerij in de omgeving moest brengen. Op het kruispunt van een plaatsje genaamd Yountville sprong ik er af en omdat ik geen idee had waar mijn moeder woonde, begon ik gewoon over de smalle paden tussen de wijngaarden te lopen. De hemel was helderblauw, tussen de wijnstokken wemelde het van de oranje en gele klaprozen en boven mijn hoofd vloog een zwerm grasmussen.

De mensen die op de velden werkten, leken overal vandaan te komen, en meer dan een uur lang kon ik niemand vinden die Engels sprak, laat staan iemand die zich een stevige Ierse vrouw genaamd Slany Moran herinnerde die twee dochters op sleeptouw had genomen. Ik had geen idee hoe ik er alleen al achter kon komen of ze nog bij elkaar waren. Misschien hadden de nonnen de lieve Gracie naar Albuquerque gestuurd. En Maeve kon wel in een klooster in Donegal of Uruguay of god weet waar zitten. Toen ik klein was, stelde ik me vaak voor dat ze werd ontvoerd en dat iemand haar met een schoener naar Nieuw-Zeeland of Australië bracht, of waar dan ook aan de andere kant van de wereld. Maar op dat moment hoopte ik intens dat ze aan de andere kant van de eerstvolgende heuvel was.

Ik moet toegeven dat het landschap absoluut schitterend was. Ik had het gevoel dat ik mijn hele leven had doorgebracht tussen dichte mensenmenigten in drukke steden en dat de afschuwelijke stank van straatvuil, slechte adem, lichaamsgeur en hondenstront het enige was wat ik kende. Ik moest een sigaret opsteken om mijn longen eraan te herinneren dat ik nog steeds op dezelfde planeet woonde als voorheen.

Over de velden hoorde ik flarden muziek – een schril, vreemd geluid. Ik liep ernaartoe, waarbij ik me voorzichtig een weg baande tussen de wijnstokken. Ik zag dat er een soort feest aan de gang was. De mensen waren allemaal op hun paasbest gekleed en dansten op de muziek van een bouzouki-achtige band die nog vreemdere klanken produceerde dan de Grieken. Om je de waarheid te zeggen, ik was nooit dol geweest op feesten omdat ik meestal zo veel dronk dat ik niet meer op mijn benen kon staan. Maar deze mensen leken zich uitstekend te vermaken en eerlijk is eerlijk, de lange rij jassen die aan de palen hingen, zag er ook niet onaantrekkelijk uit. Maar toen werd ik afgeleid. Nee, dat is te zwak uitgedrukt. Ik heb wel wat ervaring met aardbevingen en dit was een tien op de Schaal van Rossi-Forel – veel heviger dan de beving van 1906, voor mijn gevoel.

De eerste keer dat ik Effie zag, was ze omringd door minstens vier kerels die allemaal met haar dansten. Ze had donker, kastanjebruin haar dat in een wrong in haar nek hing en droeg een dunne, vrolijk bedrukte schort die opwaaide toen ze in het rond wervelde. Vanaf de plek waar ik stond, zag ze er zo schitterend uit als een meisje er maar uit kon zien – of misschien kwam het doordat de besnorde pompoenhoofden die met haar dansten zulke ongure tronies hadden dat zij er sowieso gunstig tegen afstak – maar ik geloof niet dat dat het geval was.

Nou ben ik, zoals ik al eerder vertelde, van nature een einzelgänger. Ik verkeerde het liefst in gezelschap van een paar drankjes – soms een paar te veel –, drie of vier dikke portemonnees en misschien een gouden horloge van goede kwaliteit. Voor mij was een sociaal leven iets wat andere mensen hadden terwijl ik mijn werk deed. Dus ik kan je niet vertellen hoezeer ik mezelf verbaasde toen ik plotseling mijn jas uittrok en daar begon te springen en te swingen alsof ik een enigszins verlate muzikant was die bij een of andere gestoorde bouzoukidansgroep hoorde.

In eerste instantie danste ik niet met Effie, omdat het leek of iedereen aandacht aan haar besteedde, zelfs de slungelige plaatselijke priester, en je weet hoe ik over priesters denk. Maar weldra was het mijn beurt en het daaropvolgende uur dansten we samen. Misschien waren het niet meer dan een paar minuten, maar zoals je ongetwijfeld al hebt begrepen, maakte ze nogal veel indruk op me.

Toen de band een welverdiende pauze nam, stelde Effie me voor aan haar moeder, een knappe vrouw met een vriendelijke glimlach. Hoewel ze me warm de hand schudde, werd haar aandacht enigszins afgeleid door de toestand waarin haar echtgenoot verkeerde; hij leek me straalbezopen. De oude man had een klein hoofd, een gezicht zo rood als Kenoshagraniet, grijzend haar en reusachtige, borstelige wenkbrauwen die zo dik waren dat het leek of er vogels in nestelden. Effies moeder vond dat hij naar huis moest en wilde daarom dat hij begon met afscheid nemen. Na een lange smeekbede – en tot mijn grote opluchting – mocht Effie nog wat langer blijven, op voorwaarde dat haar vriendin Irène haar een lift naar huis zou geven. Haar pa schudde me de hand in de veronderstelling dat ik bij de band hoorde en complimenteerde me met mijn bouzoukispel.

Effie en ik wandelden langs de beek die de wijngaard omzoomde. Het klinkt misschien een beetje stom, maar ik stak mijn hand uit en stelde mezelf voor.

'Tommy Moran.'

Ze nam mijn hand, schudde die en glimlachte lief. Ik denk dat ze mijn beleefde gebaar wel waardeerde.

'Effie Kazarian… Effie komt van Euphemia.'

'Dat is mooi. Jullie komen uit…?'

'Armenië.'

Jonge, wat voelde ik me dom. Onwetendheid is de grootste zonde, zoals Hoagie altijd zei. Híj zou zeker hebben geweten waar Armenië lag, kende waarschijnlijk zelfs een paar belangrijke woorden van de taal, maar ík wist absoluut niets, ik bedoel, Armenië? Waar ligt Armenië in hemelsnaam? Ik had *Gullivers reizen* van kaft tot kaft gelezen, van oceaan tot oceaan, en ik kende Lilliputters en Glubbdubdrib en zelfs het Land van Houyhnhnms, maar ik wist niet wat het verschil was tussen Armenië en Melk of Magnesium. Ik had Hoagies advies over het vermijden van onwetendheid ter harte genomen, maar het probleem is: hoe meer je weet, des te beter weet je hoeveel je niet weet. Heb je dat nooit gemerkt? Daarom hebben slimme mensen het zo zwaar. Ze zijn knap genoeg om te weten dat ze nooit knap genoeg kunnen zijn. Neem maar van mij aan dat stom zijn de kortste weg is naar tevredenheid.

'Nou ja, mijn vader is Armeniër, mijn moeder komt uit Italië,' kwam Effie me te hulp.

Italië was makkelijker. Ik kende Colosimo's Café, Florestano's Famous Fettuccini en zelfs intelligentere zaken als Michelangelo, Rossini en een paar regels uit *Romeo en Julia*, die op dat moment misschien wel indruk op haar hadden gemaakt, maar ik liet ze maar zitten. Ze zeggen dat mensen die niets zeggen het slimste zijn, dus hield ik mijn mond dicht en knikte.

'En, woon je hier in de buurt?' vroeg ze.

'Nee, ik ben alleen op bezoek. Ik ben op zoek naar mijn familie... mijn moeder en zusters.'

'Wonen ze hier in de vallei?'

'Misschien. Ik weet het niet zeker, om je de waarheid te zeggen heb ik ze al een tijdje niet meer gezien. Ik ben van huis weggegaan en daarna zijn we elkaar min of meer uit het oog verloren.'

'Hadden jullie ruzie?'

'Niet echt... ik ben zes jaar geleden gewoon vertrokken.'

'Hoe heten ze? Misschien ken ik ze.'

'Slany Moran... dat is mijn moeder. Mijn zusters heten Gracie en Maeve.'

Effie schudde haar hoofd.

'Dus je woont in San Francisco?'

'O nee, ik heb overal gewoond... dat komt door mijn werk.' Mijn hemel, kon ik me nog stommer voordoen? Ik klonk als een vertegenwoordiger van Pepsi-Cola of JL Kraft.

'En wat voor werk doe je dan?'

Ik wist dat dit zou komen en een honderdste van een seconde overwoog ik om gewoon de waarheid te vertellen. 'Ik vis...'

Wat wilde ik zeggen? Ik vis in de zakken van andere mensen? Waarom viste ik geen zalm in de rivier de Hood, in Oregon?

'Ik vis de zonneschijn van de vleugels van een vlinder...'

Ze glimlachte en ik had het gevoel dat ze onder de indruk was. Voor het eerst in meer dan een uur dacht ik dat ze me misschien toch hoger inschatte dan een idioot uit een gekkenhuis voor bouzoukimuzikanten. Ik kon het natuurlijk niet bewijzen, behalve dat haar glimlach een halve seconde langer duurde dan nodig was en ze haar hand plotseling op de mijne legde.

'Ik ben goochelaar,' hoorde ik mezelf zeggen.

'Goochelaar?'

'Klopt, goochelaar.' Om de een of andere duistere reden fascineerde dat haar en ik kon geen kant meer op.

'Zoals in een circus?'

'Soms in een circus.'

'Variété?'

Ik knikte. 'Variété. Basketbalwedstrijden, politieke manifestaties, renbanen.' Ik probeerde plaatsen te bedenken waar ik geen portemonnee had gestolen. Ik haalde mijn schouders op. 'Overal waar mensen zijn.'

Ze was wel een beetje onder de indruk, maar nog niet helemaal overtuigd. 'Ik geloof er niets van.'

Ik plukte haar horloge, dat ik kort tevoren van haar pols had geschoven, uit haar oor. En terwijl ze verbijsterd omlaag keek, greep ik de gelegenheid aan om haar te kussen. Mijn lippen raakten haar zachte huid, zo dicht bij haar lippen, en mijn hart ging tekeer als een muilezel in een te kleine stal. Effie scheen het niet te merken, ze zat alleen maar naar haar horloge te staren.

'Hoe deed je dat?'

Ik haalde een zilveren dollar uit mijn zak en gaf hem aan haar. 'Een splinternieuwe zilveren dollar.' Ik bekeek hem wat nauwkeuriger. 'Uit 1919. Aan het einde van de avond heb ik hem weer terug. Dus verberg hem goed.'

'Verbergen?'

'Niet in de schuur, op je lichaam. Waar dan ook. Maar alsjeblieft niet in je schoen, want dat is moeilijk, zelfs voor mij.'

Zelfs toen we weer terugliepen naar het feest was Effie nog steeds onder de indruk van mijn verdachte vingervlugheid. Ik weet niet waarom, maar ik denk dat ze haar hele leven op deze heuvel had doorgebracht, omringd door keurige mensen en alles wat God had uitgedeeld aan vriendelijkheid, aardse schoonheid en dingen waarvan ik vroeger dacht dat het grote flauwekul was. De duistere kanten van de mens, die ik ongetwijfeld vertegenwoordigde, leken ver weg en vreemd, misschien zelfs een beetje amusant, voor deze knappe achttienjarige.

Toen het donker begon te worden, had ik minstens zes

portemonnees in Effies rugzak laten glijden. Ik liep ontzettend stoer te doen en zij giechelde om mijn onverstoorbare brutaliteit. Het kwam geen moment in haar op dat wat ik deed niet eerlijk was. Ze dacht waarschijnlijk dat het een leuk geintje was voor op een feestje en dat ik van plan was om de portemonnees terug te geven. Dus keek ik machteloos toe toen ze dat inderdaad deed.

Irène behoorde tot een welgestelde familie en had haar eigen tweedeurs T-Fordje. Effie klampte zich aan me vast toen de excentrieke jongedame en haar zuster Edith luid schreeuwend over de smalle weggetjes tussen de wijngaarden naar beneden scheurden. Het rode stof vloog in een dichte wolk achter ons aan. De drie meiden waren lichtelijk aangeschoten door de wijn, en dat was nog zachtjes uitgedrukt.

De zusters zetten ons af aan de poort van een kleine wijnmakerij. Op een bordje aan de omheining stond: 'Eichelberger-Monticule. Eigenaar A.G. Kazarian'. Ik klom uit de auto en was blij dat ik nog leefde. Effie, die Irènes manier van rijden gewend was, sloeg een kruis terwijl ze de als idioten giechelende zusters uitzwaaide. Toen het Fordje door het rode stof was opgeslokt, nam Effie mijn hand en bracht me via een smal, slingerend pad naar de top van de heuvel.

We lieten ons tussen de hyacinten en gele klaprozen vallen en kusten elkaar. Langzaam trok ik de dunne plooien van haar onderrok van crêpe de Chine omhoog. Maar het was geen rok, het was een van die eendelige, zijden hemdbroeken waar zelfs ik moeilijk in kon komen. Toen ik mijn hand over haar dij omhoog schoof, stopte ze met kussen en duwde mijn hand weg.

'Niet doen. Je moet die dingen niet overhaasten, Tommy.'

'Weet ik,' zei ik. 'Het kost zes maanden om een Pierce-Arrow in elkaar te zetten.' Het was een stompzinnige opmerking. Waarom ik op dit moment een regel uit een advertentie voor een chique auto in mijn hoofd had, was me een raadsel. Waarschijnlijk was ik dronken van verliefdheid. Trouwens, ik had net zo goed kunnen zeggen dat ik nu nog meer op de kleintjes lette, ze had toch wel om me gelachen.

Ik hield de zilveren dollar die ze boven in haar kous had verstopt omhoog en liet die tussen mijn vingers ronddraaien, zodat hij schitterde in het maanlicht. Effie glimlachte en keek naar me alsof ze wilde zeggen: 'Is er dan niets veilig als jij in de buurt bent?' In elk geval hoopte ik dat ze dat dacht, omdat mijn hand zo hoog op haar dij had gelegen.

Ik begon me juist voor te bereiden op steile heuvels en een lange wandeling terug naar huis, toen ze zich plotseling met geopende mond over me heen boog en haar jurk van zich afstroopte. Ik trok haar hemdbroek uit en zij knoopte mijn broek open. Ik keek omhoog naar de hemel en werd duizelig bij de aanblik van die gitzwarte oceaan, bodemloos en eindeloos, vol schitterende, mysterieuze en onbereikbare sterrenstelsels.

Effie holde naar huis en ik begon de heuvel af te lopen. Ze had gezegd dat we elkaar de volgende dag na de middag bij het benzinestation op de kruising van Yountville zouden ontmoeten. De rode bank met spijlen, had ze gezegd. Hoe kon ik die over het hoofd zien? Om vijf uur. Hoe zou ik ook maar een seconde te laat kunnen komen?

Terwijl ik van de steile heuvel liep, keek ik over de lommerrijke wijngaarden naar het vage grijs van de zonsopgang. Toen Effie en ik in de wijngaard lagen te vrijen wisten we het nog niet, maar de komende oogst en persing zouden de laatste zijn voor de Drooglegging. Ik vervolgde mijn weg over de rode zandweg naar de bodem van de vallei.

21

Ik was zes jaar en vijf maanden uit San Francisco weg geweest en ik kwam één dag te laat terug.

Effie had me de naam van een koppelbaas uit Sonoma gegeven die misschien wist waar mijn moeder en zusters waren. De man had me een adres in Agua Caliente gegeven. Ik liep ernaartoe over een stoffige weg, die aan beide zijden werd omzoomd door bloeiende perenboomgaarden en de mooie naam Sunnyside droeg.

Toen ik het huis naderde, kwam Gracie op me afgestormd en omhelsde me stevig. Ze was een aantrekkelijke jonge vrouw geworden. Ze was zo mager als de greep van een pikhouweel en haar stroblonde haar was nu netjes kortgeknipt. Maar haar ogen waren nog even groen als in mijn herinnering – het soort ogen dat permanent in de verte leek te staren, alsof ze bananenschillen of iets dergelijks had gerookt. Zoals ik al verwacht had, gedroeg mijn zuster Maeve zich even gastvrij als een gepantserde wagen met een geschutskoepel. Ze was even groot als mijn moeder en begroette me warm, maar zonder overdreven affectie. Ze wreef haar wang tegen de mijne alsof ik geen zoen waard was. Ze gaf me een zakdoek die ik voor mijn mond moest houden en bracht me naar de voorkamer, waar mijn moeder in een open kist in een hoek van het vertrek lag, gestorven aan de Spaanse griep.

Ik knielde neer en begon te trillen als een bord gelatinepudding terwijl ik stotterend de armzaligste excuses mompelde.

'Het spijt me verschrikkelijk, mam. Het spijt me dat ik hier niet op tijd was.' Man, wat klonk dat belachelijk. 'Het spijt me dat je zo hard moest werken. Het spijt me dat ik niet ben gebleven tot ik oud genoeg was om geld in het laatje te brengen zoals ik had moeten doen. Het spijt me dat ik zo'n slechte zoon was. Het spijt me dat ik zo'n lamlendige broer was voor Maeve en Gracie. Het spijt me dat ik zo'n verschrikkelijke etter was dat je zo snel mogelijk van me af wilde.'

Ik begon nog harder te trillen, zenuwachtig stak ik mijn hand uit en greep mijn moeders arm om mezelf in evenwicht te houden. De boomstam-armen uit mijn herinnering waren nu nauwelijks dikker dan een bezemsteel en zo koud als een in de sneeuw achtergelaten spade. Haar stijve, knokige vingers kromden zich rond een rozenkrans die over de plooien van haar gesteven schort lag uitgespreid. Ik staarde naar haar bleke, dode gezicht. Luisterde ze? Of was ze hier ver vandaan, op weg naar waar goede katholieken naartoe schijnen te gaan met hun van tevoren betaalde kaartje voor het paradijs? Ik keek naar haar gesloten ogen en haar dunne, paarse lippen. Haar dagen als naaister waren voorbij en daarom stond de bril met de dikke glazen niet op haar neus. De drie verticale lijnen op haar voorhoofd die ik altijd voor me zag, hadden gezelschap gekregen van vele andere, maar op de een of andere manier was haar frons verdwenen. Haar dunne haar was met veel zorg over haar bijna kale hoofd geborsteld, dat ze altijd had bedekt met een hoed.

Het was zo'n vertrouwd gezicht. Ik kende het net zo goed als mijn eigen gezicht. We hadden dezelfde scherpe Geronimo-neus en verfrommelde oren, maar haar gezicht was dood. Om de een of andere reden was het trillen gestopt.

Mijn woorden haalden uiteraard niets uit. Misschien dat ík me er een klein beetje beter door voelde, maar mijn moeder had er absoluut niets aan. Elk gesprek met haar moest wachten tot ik me bij haar in het hiernamaals had gevoegd – aangenomen dat ik, wat nogal onwaarschijnlijk is, in dezelfde afdeling voor goede mensen zou worden ingedeeld als waarnaar zij ongetwijfeld onderweg was.

Terwijl ik daar op mijn knieën lag, voelde ik me plotseling kalm worden. Ik fluisterde nog één ding: 'Het spijt me dat ik nooit heb gezegd dat ik van je hou.'

Ik staarde naar mijn voeten terwijl we over het knerpende grind naar de begraafplaats liepen, die zich op een helling boven de Valley of the Moon bevond. Voor me liepen mijn twee zusters, arm in arm. Hoewel ik maar enkele decimeters van hen verwijderd was, leek het op dat moment minstens tien kilometer. Ik wilde naast hen lopen, ik wilde hen dicht tegen me aan houden en hun verdriet delen, maar het was alsof het alleen hún moeder was die we begroeven.

Tjonge jonge, het is treurig als je je verwanten alleen op begrafenissen ziet. Ik realiseerde me dat ik naar mijn moeders grafkist stond te staren omdat het geen handgemaakt exemplaar was, zoals de glanzende kisten die ik had gezien in de achtertuin van Guppie Tate. Die kisten waren door een liefdevolle hand gebouwd van het fijnste zwarte kersenhout uit Kentucky. Mijn moeders grafkist daarentegen zag eruit als iets waar tomaten in hadden gezeten; toen de mannen van de begrafenisonderneming de kist van hun schouders lieten zakken, hoorde je de spijkers bijna uit het hout springen. Er zaten zo veel splinters in het grof geschaafde Amerikaans grenen dat ze zorgvuldig moesten zoeken naar een plek om de kist vast te houden.

De priester mompelde iets in het Latijn. Ze zeggen dat gebeden in het Latijn worden uitgesproken omdat de hele wereld ze dan kan begrijpen, ongeacht de eigen taal. Maar in werkelijkheid begrijpt de hele wereld er op die manier natuurlijk niets van. Nu ben ik niet zo'n kei in bidden, maar ik heb altijd het idee gehad dat als het nodig was, ik wel op één lijn zat met God, qua conversatie. Man, wat was ik kwaad op Hem, maar ik had behoefte aan een gebed, wat voor gebed dan ook – woorden uit de bijbel om hardop te zeggen om mijn moeder naar een prettige plek daarboven te begeleiden. Dat wordt immers van zonen verwacht, nietwaar? Ik wachtte tot de priester klaar was met zijn gebed, schraapte mijn keel en stapte naar voren. Ik ontweek de blik van Maeve. Maar hoezeer ik ook mijn best deed, er schoot me niets te binnen dat ergens op sloeg. Moeder Maria, Mattheus, Marcus, Lucas, Johannes, Mozes en de heilige Paulus – wat zei de heilige Paulus in godsnaam? Hij had zo allemachtig veel gezegd en dat was allemaal in mijn kop gestampt toen ik op de Salesian School zat. Waarom was het me nu allemaal ontschoten? Ik wist dat mijn moeder op een paar mooie woorden rekende, want ze kende haar gebeden, tientallen, kilometers lang. Ik keek naar Gracie en glimlachte toen me iets te binnen schoot. Moeder moet die godvergeten bijbel voor minstens de helft uit haar hoofd hebben gekend. Er hadden toch minstens een paar regels op een plankje in mijn hoofd moeten achterblijven? In plaats daarvan citeerde ik een gedicht van die Emily-dame: 'En toen hoorde ik hoe ze een kist optilden, en het knarste door mijn ziel.'

Plotseling verhief ik mijn stem alsof ik paus Benedictus zelf was op het Sint-Pietersplein of ergens anders:

'Het knarst door mijn ziel,
Het knarst door mijn ziel,
Het knarst door mijn ziel.'

Maeve en Gracie keken me aan alsof ik gek was. Ik balde mijn handen tot vuisten, mijn knokkels zagen helemaal wit toen ze de kist in de grond lieten zakken, in de flank van die stoffige heuvel. Een hand streelde de mijne. Het was die van Gracie. Ze opende mijn vuist en vlocht haar vingers door de mijne. Ik tilde mijn hoofd op en keek naar haar. Zo'n aantrekkelijk meisje, met dezelfde wijdopen ogen die me mijn hele leven zijn bijgebleven. Mijn gezicht vertrok en ik begon te huilen. Gracie streelde de zijkant en fluisterde: 'Waar ben je geweest, Tommy? Je bent zo lang weg geweest.'

'Ik weet niet wat ik moet zeggen, Gracie. Hoe gaat het met je? Gaat het goed? Ik hou van je.' Ik veegde mijn ooghoeken droog met mijn mouw en stamelde als een straalbezopen aap. 'Gracie, wees niet boos op me. Ik weet dat je me nodig had. Ik was er niet. Ik was nergens.'

Ze boog naar me toe en wreef haar neus tegen de mijne.

'Eskimo's,' fluisterde ze.

'Eskimo's,' antwoordde ik.

'En bedankt voor de sieraden en het geld dat je ons hebt gestuurd.'

Ik haalde mijn schouders op alsof ik wilde zeggen: 'Graag gedaan.' Ik werd afgeleid door de luide ploffen waarmee mijn moeders grafkist onder scheppen zand verdween.

'Ben je rijk, Tommy?'

Ik schudde mijn hoofd en stak mijn versleten manchetten omhoog.

'Moeder vond het niet goed dat we er ook maar iets van hielden. Ze zei dat je het waarschijnlijk had gestolen. Was dat waar?'

Ik knikte.

'Ik moest het van moeder meenemen als ik ging biechten in de Saints Peter and Paul Church. Dan zei ik: "Vader, mijn broer heeft ons deze sieraden en dit geld gestuurd. Hij is rijk, want hij is een belangrijke man in het oosten." Ze kenden jou natuurlijk. De priester antwoordde dat ik de spullen moest achterlaten in een doos op de plank en zei dat hij voor je zou bidden.'

Ik kan me best voorstellen dat de priester geen vragen stelde. Ze vonden onze hele familie knettergek, en trouwens, ze waren waarschijnlijk dankbaar voor alle giften, waar ze ook vandaan kwamen. Ik bleef Gracie aanstaren. Ze haalde een zakdoek tevoorschijn en bette mijn wangen.

'Dat was waarschijnlijk het beste wat je kon doen,' zei ik.

Gracie glimlachte. 'O, maar ik heb het niet allemaal weggegeven. Meestal hield ik wel een paar dingen achter zonder het aan moeder te vertellen.'

'O, Gracie.'

Ze stroopte haar mouw op, waardoor een mooi gouden horloge zichtbaar werd. 'Herinner je je nog dat je me deze hebt gestuurd?'

Ik knikte en glimlachte. 'Ja zeker, dat weet ik nog.' Ik herinnerde me dat ik hem had verstuurd, maar ik wist absoluut niet meer waar of van wie ik hem had gestolen – ik had zo veel gejat dat het in de duistere kelders van mijn geheugen een grote warboel was geworden.

Ik trok haar tegen me aan en gaf haar een knuffel. Over Gracies schouder zag ik dat Maeve naar ons stond te kijken. Ik glimlachte naar haar en ze reageerde met een blik als een ijsberg, zo groot en koud dat hij een oceaanstomer tot zinken zou hebben gebracht. Goeie ouwe Maeve, ze was nooit te beroerd om me in de steek te laten. Ze draaide haar hoofd weg en keek achterom naar de grafdelvers, die bijna klaar waren met het dichtgooien van het gat. Plotseling staakten ze hun werk en wezen naar de top van de heuvel, waar uit een wolk van rood stof een hele rij auto's tevoorschijn kwam, gevolgd door een overvalwagen van de politie. De begrafenismensen keken leunend op hun spades toe hoe de wagens met piepende remmen tot stilstand kwamen op nog geen zes meter van mijn moeders graf. Er stapten zes politieagenten uit, gevolgd door Betty, de jonge miss, en haar moeder met de hoed, mevrouw Tienvogels, wier recentelijk overleden echtgenoot in mijn armen had gelegen. Betty wees in mijn richting en begon te krijsen.

Ik maakte dat ik wegkwam. Ik stopte niet om me af te vragen hoe ze wisten dat ik daar was; misschien kwamen ze niet eens voor mij, de dief met het hangende ooglid, maar voor alle zekerheid maakte ik dat ik wegkwam. Het was mijn tweede natuur en ik denk dat een heleboel mensen die net zo'n leven leiden als ik dezelfde neiging zouden hebben, het soort mensen wier portret in alle Amerikaanse politiebureaus aan de muur hangt.

Ik keek over mijn schouder en zag hoe de politieauto door de wijngaarden achter me aan ploegde. De ruimte tussen de struiken werd steeds smaller en uiteindelijk was de auto gedwongen te stoppen. Misschien waren de kostbare druivenstruiken te waardevol om te beschadigen of misschien wilden de smerissen niet dat hun laarzen vies werden. Toen ik de top van de tweede heuvel had bereikt, gaven mijn longen het op. Ik gaf over in de greppel en keek achterom. Vaarwel, moeder. Vaarwel, Maeve. Het spijt me dat ik zo'n lamlendige nietsnut ben geworden. Vaarwel, lieve Gracie. Ik keek omhoog naar de bergkam van de Sonoma-Napa Mountains, waar Effie aan de andere kant op me zou wachten.

Als je voor iets op de vlucht bent, is de weg terug een heel stuk langer.

22

Ik had gedacht dat als ik op een trein zou springen en mijn neus een paar dagen niet in de stad zou laten zien, het allemaal wel zou overwaaien. En dat ik daarna rustig weer kon terugkeren. Maar ik had geen rekening gehouden met wat er toen gebeurde. 'Ellende komt nooit alleen of met z'n tweeën,' zei die Shakespeare-vent al, 'het komt met bakken tegelijk.' Misschien dat hij het wat mooier heeft geformuleerd, dat weet ik niet meer precies.

Op het rangeerterrein van de remise in Oakland was een van die Southern Pacific 'Big Boys' die door twee locomotieven worden getrokken, bezig met water tanken. Er zaten nog een stuk of twaalf armoedzaaiers zoals ik te wachten op een lift. We hurkten met zijn allen in de duisternis om niet te worden opgemerkt door de spoorwegpolitie. Vlak bij mij in de buurt zaten een jong stel en een grote, zwarte kerel. De neger stelde zich voor als Mose en de broodmagere, blanke jongen heette Dexter. Deze boerenjongen had een kromme rug en stonk nog erger dan een vaas dode lelies in een rouwkapel. Naast hem knielde zijn jonge vrouw, die een jaar of zeventien moet zijn geweest en die een iele, in een deken gewikkelde baby in haar armen hield. Dexter wilde haar kennelijk niet voorstellen en zij leek al helemaal niet geïnteresseerd in een gesprek. Haar gezicht deed vermoeden dat haar moeder met haar neef was getrouwd – het was het soort gezicht dat al van jongs af aan niets anders te eten had gekregen dan apenootjes van een Amerikaanse notenboom. Grote Mose streelde zachtjes over het hoofdje van de baby met de bedoeling hem stil te houden.

'Waar gaan jullie naartoe?' fluisterde ik.

'Fresno. Hopelijk kunnen we daar werk vinden in de aardappels,' zei Mose. 'En jij?'

'Ja, Fresno. Fresno klinkt goed. Het maakt me niet zoveel uit, om je de waarheid te zeggen.' Mose glimlachte naar me alsof hij begreep dat ik ergens voor op de vlucht was. In mijn pak met de dubbele rij knopen zag ik er, ondanks de versleten manchetten, niet bepaald uit alsof ik van plan was aardappels te gaan rooien.

De trein sidderde en de reusachtige stalen wielen kwamen ratelend in beweging. Stoom spoot sissend tussen de spaken door toen plotseling een stuk of twaalf schaduwen naar de gesloten goederenwagons begonnen te rennen. Ik hielp Dexter met zijn bagage, terwijl Mose met zijn mes het slot openbrak en Dexters vrouw en baby in een wagon tilde. De locomotief maakte steeds meer vaart, waardoor de gesloten goederenwagon van ons weg begon te rijden. Snel grepen we de handgreep van de volgende wagon. Dexter klom op het dak terwijl ik mijn arm uitstak voor Mose, die zichzelf naar boven werkte door zich met zijn voet af te zetten tegen de onderste trede van de stalen ladder. Terwijl we de remise verlieten, hielden we ons alledrie stevig vast aan de houten latten die over de lengte over het dak liepen. De trein maakte een zwieper toen hij een bocht nam. Ik sloeg mijn riem rond een lat en gespte die vast, zodat ik niet van het dak zou worden geslingerd. De daaropvolgende tien minuten zaten we met zijn drieën roerloos op het dak. Toen trok Mose zichzelf omhoog tot hij op zijn knieën zat.

'O, shit,' zei hij. 'Daar heb je die verdomde spoorwegpolitie.'

Ik keek achterom en zag een agent die over het dak van de volgende wagon dichterbij kwam. Onder zijn ene arm droeg hij zo'n .12 Browning en met de andere hield hij zich vast aan het smalle looppad terwijl hij door de rook van de locomotief naar ons toe kwam kruipen.

'Dex, nee! Doe dat ding weg!' schreeuwde Mose.

Ik draaide me om en zag dat de magere knul een mes tevoorschijn had gehaald. Die stomme idioot stond daar met zijn gespannen, magere lichaam, kromgebogen als een kattenrug. Wat ging er in hem om? Misschien was het instinct – een soort dierlijke reactie, zoals in je broek schijten – omdat zijn vrouw en baby in de wagon onder ons zaten? Hij had net zo goed zijn plasser tevoorschijn kunnen halen om naar de agent te pissen, dat was even effectief geweest als dat stompzinnige mes van hem. De smeris raakte de knul voluit in zijn borst, de helft van zijn maag werd weggeslagen voor hij in zijn geheel van het dak van de trein verdween. Ik probeerde wanhopig mijn riem los te maken, maar de agent sprong naar onze wagon en sloeg me in mijn gezicht met de kolf van zijn geweer. Mijn kaak werd verbrijzeld en mijn mond scheurde open. Op dat moment sloeg Mose zijn dikke armen om het hoofd van de smeris en brak zijn nek. Het duurde niet meer dan een seconde en klonk als het breken van een goedkope chocoladereep. Daarna wierp hij hem handig van het dak.

Mose liet me voorzichtig in de wagon zakken, waar ik op de balen Spreckel's suiker ineenzeeg als een lege jutezak. Dexters vrouw zat in elkaar gedoken tegenover me in de hoek. Ze had zichzelf in de bordpapieren bekleding gewikkeld die ze had losgetrokken van de muren van de vrachtwagon. Je zou verwachten dat ze iets zou zeggen – 'Waar is Dex? Wat was dat voor schot? Is alles goed met Dex?' – maar ze zei geen stom woord; ze klampte zich vast aan haar baby in zijn dekentje en zweeg. Ze staarde me aan met die angstige apenootogen. Mose trok de kurk uit een fles goedkope jajem die hij in zijn bagage had en druppelde de sterkedrank voorzichtig in mijn openhangende mond. Het deed verschrikkelijk veel pijn en smaakte naar de lak van een grafkist. Ik probeerde hem te bedanken, maar mijn onderlip bleek ergens op mijn kin te bungelen en het klonk alsof ik Cherokee sprak: 'Dai-k-j-j-je.'

'Drink het maar gewoon op. Het komt allemaal wel in orde, vriend,' zei Mose.

Ik hoestte en proestte toen het goedje door mijn keel brandde. Ik hoopte vurig dat hij gelijk had, want op dat moment leek een armeluisgraf op het land van de pottenbakker me heel wat dichterbij dan Fresno.

Effie, wat dacht je toen je daar om vijf uur stond te wachten op de rode bank aan het kruispunt in Yountville? Wat dacht je toen ik niet kwam opdagen? Eventjes maar had ik haar in mijn armen gehouden, als een portemonnee aan een ketting – zachtjes, langzaam, bijna te pakken, bijna van mij, bijna een leven… stuntelaar. Zoals het meisje dat met een knal in rook opgaat tijdens een goocheltruc, was ze plotseling verdwenen. In de tijd dat ik onderweg was had ik al heel wat dromen nagejaagd, en als er al iets goeds van had kunnen komen, had ik het nog niet gevonden. Het leek wel of ik nooit snel genoeg liep.

De twee locomotieven voor de Southern Pacific Big Boy kwamen nu goed op gang en vraten heel wat kilometers in de

Californische nacht. Het geluid van de wielen op de rails klonk me allesbehalve romantisch in de oren. Mijn gebroken kaak schoof weer op zijn plaats en de wagon vulde zich met de geur van roet; de inferieure drank deed mijn hoofd tollen en alle flauwekuldromen gingen ogenblikkelijk ten onder in de wanordelijke bende van de realiteit. Roet, rook, zwart.

Een jaar later ontwaakte ik op een veld in Paducah, of Wapello of Thunderbolt, of zoiets. En ik was opnieuw alleen.

23

In september 1923 stond Jack Dempsey in de Polo Grounds in New York tegenover de Argentijn Luis Angel Firpo, 'De Wilde Stier van de Pampa'. Dempsey sloeg Firpo in de eerste ronde zeven keer tegen het canvas, om ten slotte een klap te ontvangen die hem finaal uit de ring slingerde. Jack klom binnen de tijd terug tussen de touwen en sloeg Firpo in de tweede ronde knock-out.

Moraal: soms doet het er niet toe of je uit de ring gemept wordt. Waar het om gaat, is dat je de moed hebt om er weer in te klimmen.

De volgende jaren zijn gehuld in een waas van benzinedamp, rokende treinen en White Snake-gin. Het ene moment werd mijn gezicht gezandstraald tijdens een storm in Kansas, het andere moment waste ik mijn gezicht met een handvol sneeuw in Wisconsin. Ik was constant onderweg.

De Drooglegging, dat nobele experiment, die overwinning van het christendom die was bedoeld om ons te bevrijden van het kwaad van de gifbeker, was een grote mislukking. Het verpestte de dromen van mensen en misvormde hun normen, zodat niemand nog wist wat het verschil tussen goed en kwaad was, laat staan dat iemand zich ervoor interesseerde.

De maatregel veranderde eerzame burgers in criminelen, moeders in hoeren en het hele land in roodneuzige alcoholisten – en ik deed daar enthousiast aan mee. Plotseling had ik honderdduizenden wapenbroeders, want iedereen overtrad de wet.

Maar wij Amerikanen hadden geluk; wij hadden alleen maar plezier. In Europa gingen ze gebukt onder knettergekke kerels als Mussolini en Stalin, die iedereen de keel doorsneden. Hier hadden we Jelly Roll Morton, de Turkey Trot en de Hootchy-Kootchy. Natuurlijk, er waren ook gangsters, maar wat betekenden een paar met kogels doorzeefde lichamen in een greppel in de buurt van Yonker als je er een ruime hoeveelheid illegale drank voor terugkreeg? En trouwens, onze gangsters vermoordden vooral elkaar.

Sterke drankjes met namen als Happy Sally, Old Stingo en Dixie Bell waren de nieuwe helden van ons land – evenals Jack Dempsey, Knute Rockne en Babe Ruth.

Toen die schoft van een senator Volstead uit Minnesota zijn stompzinnige wet indiende, was het de bedoeling dat het hele land volledig alcoholvrij zou worden. Natuurlijk lukte dat voor geen meter. Ze hadden meer kans als ze probeerden de Atlantische Oceaan droog te deppen met een vloeiroller van het postkantoor.

Wie wil er nu een bij zijn en nippen aan
Zoete honing van een bloem
Als je een vlieg kunt zijn en met je hoofd vooruit
In een goede cocktail kunt landen?

Zeg tegen mensen dat ze iets niet mogen hebben, en ze willen het des te gretiger. Dus dook het hele land 'met zijn hoofd vooruit in een goede cocktail.' Vrouwen kregen stemrecht en lieten hun kapsel meteen inkorten tot een jongenskoppie, ze lieten hun borsten hangen, verlaagden hun tailles, kortten hun rokken in en lieten hun kousen zakken. Tjonge jonge, dat waren nog eens wilde tijden. Maar om je de waarheid te zeggen, het ging langs me heen als een goederentrein uit Wyoming, doordat ik het grootste deel van de tijd straalbezopen in een of ander verlopen clandestien kroegje rondhing. Zelfs die verdomde charleston heb ik nooit geleerd, terwijl het hele land 'Omhoog op je tenen en omlaag op je hielen' zong. Iedereen wierp zijn jas van zich af en danste de hele nacht door. Mensen sloegen elkaar lachend op hun kont, schudden met hun knieën en lachten als een fotomodel op een tandpastareclame. Mijn interesse gold voornamelijk het onderdeel 'jassen van zich af werpen.' Want als het feest op gang kwam, ging ik mijn gang met de jassen. Als mijn handen maar niet zo zouden trillen.

Zoals zoveel mensen in deze periode trok ik van stad naar stad – mijn collega's was ik steeds een jaszak en de politie was ik een deur voor – in de voetsporen van een grote groep rondtrekkende mensen. Ik was een haai met één tand die speelde in een school haringen. Meestal werd ik wakker in een of ander klein dorpje, nam een douche, poederde mijn handen, knipte en vijlde mijn nagels, haalde mijn broek – altijd met een keurige vouw – onder mijn matras vandaan, ontbeet met koude koffie en een sigaret en liep naar buiten, op zoek naar een nieuwe voorraad geld waarmee ik in de volgende illegale kroeg terechtkon. Daar werd ik dan precies dronken genoeg om gemakkelijk te kunnen slapen in weer een ander van vlooien vergeven pension waar een kamer 25 cent kostte en een bed 10 cent extra. Jarenlang deed ik weinig anders dan koffiedrinken in nietszeggende plaatsjes en aan 'echte Franse champagne' nippen die uit Cincinnati kwam.

Ik liftte met goederenwagons mee, volgde de rails en liep over eindeloos lange, stoffige wegen die zich uitstrekten tot de verre horizon van dit reusachtige, levenslustige maar wonderlijk ontredderde land. Geluk betekende voor mij niet meer dan een rustpauze in het leven – een korte adempauze op weg naar een volgende hinderlaag. Misschien dacht ik dat mijn miserabele leven een doel had, maar in werkelijkheid zwalkte ik van oceaan naar oceaan, van plaats naar plaats, van hier naar nergens, als een muskiet in stilstaand water. Ik hoorde nergens thuis, omdat het op de een of andere manier niet mijn land was en, hoezeer ik die domkoppen in Washington ook verafschuwde, in feite was dat natuurlijk de schuld van die domkoppen die op die domkoppen gestemd hadden. Daar hoorde ik zeker niet bij, want ik stemde nooit, ik had nooit een loonstrookje in mijn zak en ik betaalde om de dooie donder zeker geen belasting. Ik had geen vervoermiddel, badkuip of visvijver. Ik had geen vrouw, geen kinderen, zelfs geen vaste vriendin. Waarom? Waarom was ik van Effie weggelopen, terwijl ik haar gezicht nog altijd voor me zag? Ik zocht haar in elke menigte, op elk aanplakbiljet, in elke schaduw, in elke wolk. Hoe zou ze haar leven hebben ingericht in de tijd dat ik maar wat ronddwaalde? Ze zou zeker niet de rest van haar leven op die rode bank op me blijven wachten. En elke keer dat ik aan Effie dacht, dacht ik aan mijn twee zusters, die ik had achtergelaten op die heuvel in Californië. Hoe ging het met hen? Telkens als ik mijn ogen sloot, staarden Gracies wilde ogen me aan. In Canada wreef ik zelfs neuzen met een echte eskimo. Dat zou Gracie leuk hebben gevonden. Ieder blond kind deed me aan haar denken, dan stond ik stil om haar voor één of tien cent aan snoep te geven. Zoals die keer op Coney Island.

De eerste keer dat ik op Coney Island kwam, was voor de oorlog, toen het er wemelde van de rijke mensen die zichzelf op de kermis koelte toewuifden met hun dollars terwijl ze in de rij stonden voor de 'Reis naar de Maan'. Nu was alles anders. Ze hadden de protserige badhuisjes langs het strand afgebroken en een nieuw wandelpad aangelegd, zodat iedereen nu op het strand kon komen. Ze hadden zelfs een metrolijn aangelegd vanuit Manhattan, zodat de 500.000 mensen die daar in woonkazernes woonden en zich in fabrieken uit de naad werkten, de stad konden ontvluchten. Ik zag hoe ze elkaar in de oceaan nat spatten en lagen te zonnebaden op het door vrachtwagens aangevoerde kunstmatige zand. De helft van deze gasten sprak amper een woord Engels: ze kwamen rechtstreeks van Ellis Island, waar de meeste immigranten aan land kwamen, naar Coney Island.

Ik liep over Surf Avenue, kocht een *sarsaparilla* bij Paddy Shea's en stopte een stuiver in een pianola. Destijds kostte alles op Coney Island een stuiver, of het nu om een ritje op de Thunderbolt Switchback Railway ging of om Laurello, de enige man ter wereld die zijn hoofd helemaal kon ronddraaien. Nadat ik een eindje over het Riegelmann Wandelpad had geslenterd, realiseerde ik me dat ik op het verkeerde spoor zat. Wat deed ik hier, met mijn handen in de zakken van arme mensen, waar ik alleen wat kleingeld zou vinden?

Ik ging met mijn *sarsaparilla* op een bankje zitten, trok mijn jas uit, knoopte mijn shirt los en staarde over het strand naar de gigantische massa New Yorkers die zich daar vermaakte. Ik sloot mijn ogen tegen de felle zon.

'Bent u alleen, meneer?'

Ik opende mijn ogen en zag een klein, blond kind in een rood-wit gestreept badpak dat naar me stond te staren.

'Wat zeg je?' vroeg ik.

'Bent u alleen?' herhaalde ze.

'Dat klopt.'

'Waarom bent u alleen?'

'Ik weet het niet. Ik denk dat het komt doordat ik hier niemand ken.'

'Niemand?'

'Nee.'

'Heb je geen mama en papa?'

'Nee.'

'Dat is jammer.' Ze staarde me aan alsof ik in een rariteitenkabinet thuishoorde.

'Heb je zin om met mij en mijn broers te komen spelen?'

'Nee, ik zit hier goed.'

'Heb je zelfs geen hot dog gehad?' Als dit kind volwassen was, zou ze waarschijnlijk lid worden van het Leger des Heils.

'Nog niet. Misschien straks. Heb jíj al een hot dog gehad?' vroeg ik haar.

'Nee. Ze kosten vijf cent en mijn moeder koopt er om beurten een voor mij en voor mijn broers. Ik heb de mijne vorige week gehad.'

'Echt waar?'

'Deze week is mijn kleine broertje aan de beurt.'

'Hoeveel broers heb je?'

'Vier.'

'Dus het duurt nog wel even voor je weer een hot dog krijgt?'

'Nog drie zondagen en dan ben ik weer aan de beurt.'

'Wil je een hot dog?'

'Ja.'

'Die van Feltman of die van Nathan?'

'Die van Nathan, die kosten een stuiver. Die van Feltman kosten tien cent.'

'Ze zeggen dat die van Feltman beter zijn.'

'Die van Nathan zijn ook goed,' zei ze.

'Kan ik u een hot dog aanbieden?' vroeg ik overdreven beleefd.

'Ja, alstublieft.'

Ik trok mijn veters los, deed mijn schoenen uit en haalde de inlegzool omhoog. Ze stond me nog steeds aan te kijken alsof ik knettergek was.

'Heb je Laurello weleens gezien, de man met het ronddraaiende hoofd?' vroeg ik.

'Nee. Maar ik heb wel over hem gehoord.'

'Heb je ooit de getatoeëerde man gezien, of Bonita en haar vechtende leeuwen?'

'Nee.'

Ik haalde vijftig dollar uit mijn schoen en gaf het geld aan haar. 'Geef dat maar aan je moeder.' Ze keek me verbijsterd aan, nu helemaal overtuigd dat ik gek was.

'Ik denk dat dat te veel is voor een hot dog,' zei ze.

'Het is wel goed. Geef het maar allemaal aan je moeder.'

'Bedankt, meneer. Gaat u nu een hot dog kopen?'

'Ja.'

'Dag meneer.'

'Dag Gracie.'

'Mijn naam is Lily.'

'O ja, dag Lily.'

Ze rende over de houten trap naar het strand met een

vaart alsof ze deel uitmaakte van het Amerikaanse olympische atletiekteam.

Ik wandelde naar Steeplechase Park en maakte een ritje in de draaimolen. Op het metrostation kocht ik een krant, een kaartje naar New York en at de rest van mijn hot dog op. Lily had gelijk; die van Nathan smaken goed – en ze kosten maar vijf cent.

In de trein opende ik de krant en zag een grote, vette kop: VALENTINO IS DOOD. Arme oude Rudolph, ik mocht die vent wel. Een meisje in Calipatria had me eens verteld dat ik een beetje op hem leek, maar ik denk dat ze me gewoon in de maling nam. De krant vertelde dat er geruchten de ronde deden dat Rudy was vergiftigd door een jaloerse minnaar of vermoord door gangsters, maar waarschijnlijk was hij bezweken aan buikvliesontsteking en longontsteking. Ik las dat Rudy's fans verdoofd waren van verdriet. Dat klonk me als muziek in de oren. 'Verdoofd' is goed voor de zaken en daarom besloot ik erop af te gaan.

Ik denk dat er minstens dertigduizend mensen voor Campbell's Funeral Chapel aan Broadway stonden te wachten. De begrafenisondernemers hadden Valentino's lichaam opgedoft zodat de fans er een laatste blik op konden werpen. Hij lag opgebaard in uitgaanskleding en zijn gezicht was even levensecht als de pop van een buikspreker. Ik herinner me dat ik in de *Chicago Tribune* had gelezen dat Rudy homoseksueel was – 'een roze watje' noemde de *Trib* hem. Probeer dat die hysterische vrouwen die daar in hun zakdoekjes staan te snikken maar eens aan hun verstand te peuteren.

Tegen de muur stond een rijtje rouwkransen, waarvan er eentje mijn aandacht trok. De tekst op het lint luidde: '*Ciao,*

Rudy. Il suo amico. Guiseppe Masseria.' Van die naam zou iedereen de bibbers krijgen. Masseria was Joe 'The Boss' – de hoogste pief van de plaatselijke maffia. Misschien was Rudy dan toch niet zo verwijfd als veel mensen schenen te denken? In zijn begindagen was Masseria befaamd om zijn talent kogels te ontwijken, maar sinds hij de hele organisatie van New York tot Pittsburgh had overgenomen, was hij vooral bekend vanwege de kogels die de andere kant op vlogen. Zijn vijanden noemden hem ook wel Joe 'The Glutton', oftewel de Veelvraat; zijn belangrijkste passies waren moorden en eten. Hij had eens een kerel laten neersteken terwijl hij met de man zat te dineren. De dode vent zat in elkaar gezakt in zijn stoel en bloedde hevig uit de wond in zijn buik waar het mes nog uit stak, terwijl Joe 'The Boss' rustig zijn inktvis opat.

In de begrafeniskapel stonden een stuk of tien breedgeschouderde zwarthemden Rudy's kist te bewaken terwijl de mensen voorbijliepen. Aan de zijkant stond een reusachtige rouwkrans van Mussolini waarop stond: 'Het beste – Benito.' Ik vond dat net zo onecht als een biljet van drie dollar; wie zou daar in hemelsnaam intrappen? Geloof jij dat Mussolini ooit 'Het beste' zou zeggen? Ik bedoel, wat hij ook zou zeggen, het zou om te beginnen in het Italiaans zijn, denk je niet? Hoe het ook zij, op een gegeven moment verschenen er een stuk of honderd antifascisten in de straat die begonnen te schreeuwen en zo. Dat konden Rudy's fans niet waarderen, want die kenden het verschil niet tussen fascisme en socialisme. Het begon te regenen en toen brak er opeens een gigantische rel uit.

Ik baande me een weg door de menigte om een paar kleine, lederen pakketjes te jatten, toen de bereden politie besloot een charge uit te voeren. Overal op de stoep lagen schreeuwende vrouwen en degenen die niet onder de voet waren gelopen, werden platgedrukt. Het weerspiegelende raam van Campbell brak en grote scherven vielen tussen de menigte. Overal was bloed. De mensen lagen boven op elkaar in de regen, ik hielp een paar angstige vrouwen die zich onder de lichamen uit probeerden te worstelen.

Het is toch krankzinnig als vrouwen worden doodgedrukt, antifascisten en fascisten elkaar in elkaar slaan en de politie iedereen afrost? En dat allemaal vanwege een buikspreekpop die ooit een verdomde filmster was. Wat was er in godsnaam aan de hand met dit land?

24

Ik was verdwaald tussen miljoenen andere wanhopige zielen. Veel te lang had iedereen blind en als een kip zonder kop rondgehold, pikkend naar de ongrijpbare dollars die in hun richting werden geworpen. Maar nu waren we als volk de weg kwijtgeraakt en wisten we niet waar we het moesten zoeken. Het land had zo gulzig van de welvaart gedronken dat men erin begon te stikken. Het enige wat nog belangrijk was, was geld, en geld verdienen werd de nieuwe religie. Mensen gingen op hun knieën om de grote god te aanbidden – hebzucht.

Het leek of iedereen met een of ander dubieus handeltje bezig was. Ik heb een keer een vent gezien die aan zijn haar een Studebaker voorttrok en een andere kerel die op zijn hoofd kon trappenlopen. Hij kon twaalf treden naar boven maar slechts negen naar beneden. Ik denk dat hij minstens een hele fles Bromo-Quinine nodig had om die hoofdpijn kwijt te raken. Mensen deden echt bijna alles voor geld. Neem nou mijn vriend Soapy Marx.

Gedurende een korte periode verdiende ik niet onaardig door samen te werken met Soapy, een jongen die ik in Minneapolis had ontmoet. Hij was buitengewoon slim, beschikte over diploma's en hij had een wonderbaarlijk medicijn uitgevonden dat hij Marmello noemde. De kwaal waartegen Marmello zo wonderbaarlijk goed hielp, was afhankelijk van de maand of het seizoen en van de stad die we te grazen namen. Oorspronkelijk zei hij dat het uitstekend hielp tegen overgewicht, en je kunt je niet voorstellen hoe gemakkelijk het was om die tientonners van hun geld af te helpen. In werkelijkheid was Marmello gewoon een mengseltje van zuiveringszout, een beetje druivensap en een geheim ingrediënt waarvan Soapy zwoer dat hij het had gekregen van een blinde zigeunerin uit Minsk.

Na een bijzonder libidineuze nacht met een meid genaamd Romola in een hoerenkast in Jefferson, Missouri, had Soapy een openbaring gekregen. Bij toeval – en vraag me niet hoe hij erachter kwam – ontdekte hij dat Marmello ook als afrodisiacum werkte als je het op je geslachtsdelen smeerde. Prompt herdoopte Soapy het elixer tot Romola, naar zijn bedgenote, en klom in elke clandestiene kroeg op de tafel om te verkondigen dat 'Romola opnieuw en met verve een vreugdevolle bevrediging zal schenken, het ritme en de hevige emoties van fysiek genot.' En wie ben ik om te beweren dat het niet werkte?

Trouwens, ik heb het zelf een keer geprobeerd met een meid die ik in Wetumpka, in Alabama, had ontmoet. Ik lag net met haar benen over mijn schouders en bedacht dat die oude Soapy misschien echt iets had gevonden, toen de deur openvloog en een beer van een vent een dertig centimeter lang Navajo-jachtmes op mijn keel zette. Hij zei dat hij haar echtgenoot was en eiste mijn geld. Anders, zo dreigde hij, zou hij al mijn ledematen afsnijden – te beginnen met mijn geslachtsdeel, dat, dankzij Soapy's Romola, gênant prominent aanwezig was. Het was natuurlijk doorgestoken kaart en de dame zat in het complot, hoewel ze overdreven verrast deed en haar longen uit haar lijf schreeuwde alsof ze de filmster Florence Lawrence was. Ik had weleens over die oude vossenstreek horen praten, maar dat was de enige keer dat het me zelf overkwam. Ik stond de inhoud van mijn portemonnee met alle plezier af, waarop de briesende 'echtgenoot' zijn 'vrouw' de kamer uit sleurde. Op de een of andere manier leek het me een eerlijke ruil. Ik was erin getrapt, net als al die sukkels die Soapy's elixer hadden gekocht.

Echt waar, iedereen was aan het rommelen. Het was de enige manier waarop de mensen zich wisten te gedragen toen het leek of de wereld gek was geworden en niemand nog in iets of iemand geloofde. Behalve misschien in de prijs van de aandelen van Bethlehem Steel of American Can. Iedereen handelde op de beurs – iedere liftboy, taxichauffeur, naaister, secretaresse en politieagent op straat keek uit naar de eerstvolgende uitkering van zijn dividend. Tijdens een scheerbeurt van vijf cent stond de kapper te babbelen over de prijs van General Motors en Texaco.

Toen Wall Street onderuitging, was ik absoluut niet verbaasd.

Min of meer uit gewoonte bleef ik die kerels in hun kasjmier pakken van minstens honderd dollar en hun opzichtige Parijse shirts uitkleden, maar de inhoud van hun portemonnee was meestal niet eens voldoende om schoenpoets van te kopen. Het verontrustte me dat deze grote heren iets wisten wat wij sukkels niet wisten, want ze hadden geen Amerikaanse bankbiljetten meer bij zich.

Een tijdlang verzamelde ik dasspelden – misschien wel de gemakkelijkste buit die je kunt bedenken. Zachtjes liet ik mijn hand over de borst van een kerel dwalen om vervolgens, alleen met mijn vingertoppen, zijn met een edelsteen ingelegde dasspeld los te trekken. Soms was het een diamant, soms een robijn, maar hij was altijd waardevol.

Giacomo Facciola, de eigenaar van de grootste lommerd van Philadelphia, was mijn favoriete heler. Op een dag ergens begin 1929 knoopte ik een zijden zakdoek open om een stuk of tien dasspelden te laten zien. Hij pakte ze een voor een op en bekeek ze nauwkeurig in het licht van het kale peertje dat boven zijn toonbank bungelde. Hij droeg permanent een vergrootglas in zijn rechteroog en dat bracht hem zo uit zijn evenwicht dat hij met zijn linkeroog vanuit een hoek naar je keek, zoals een duif, en je de neiging kreeg om hetzelfde te doen. Hij schudde afwijzend zijn hoofd. 'Glas,' zei hij.

'Giacomo, hou me niet voor de gek.'

'Ik heet Jack,' zei hij.

Om de dooie donder niet. Ik wist dat hij het verafschuwde als mensen hem Giacomo noemden. Ik pestte hem er al jaren mee. 'Maar Giacomo is echt je naam,' bracht ik hem in herinnering.

'Dan heb ik het gevoel dat ik nog steeds een salamivreter ben. Ik wil niet meer bij die salamivreters horen, ik wil niet meer worden uitgescholden voor rund, of voor spaghettivreter. Ik wil een Jack zijn, oké?'

'Oké.' Er viel een stilte. 'Maar hoe je ook heet, je hoort nog steeds bij de salamivreters.'

'Ja, en dit is nog steeds helemaal van glas.'

'Dat is onmogelijk.'

'Wat ik hierdoor zie, is wat mogelijk is.' Hij tikte op zijn vergrootglas.

'Wat bedoel je, glas?'

'Glas, zoals in de vensters.'

'Waarom?'

'Waarom? Omdat het stinkt.'

'Stinkt?'

'Dit land stinkt, Tommy. Het stinkt als een beerput. Heb je de klap niet gehoord? Ik wel. Wij horen het altijd als eerste. Dat is het voorrecht en de vloek van onze armoedige beroepen. Je zit met je handen in de broekzakken van Amerika, Tommy, dat geeft je een unieke kijk op de zaak. Misschien zouden we nu allebei het beste met pensioen kunnen gaan.'

'Hoe bedoel je?'

'Ik heb dit eerder meegemaakt, Tommy, ik ben pandjesbaas. Ik verdien mijn brood aan mensen die stom genoeg zijn om meer uit te geven dan ze verdienen. Maar vroeg of laat staat het hele land in de rij voor mijn winkel.'

'Waarom?'

'Omdat iedereen leeft van fictief geld. Zelfs Babe Ruth verdient meer dan de president. De werkelijkheid is dat het land in een recessie verkeert, maar niemand besteedt daar enige aandacht aan.'

'Dat is niet best, Giacomo.'

'Het is Jack. En dat is absoluut een feit, Tommy, want je hoort het uit de eerste hand. Je moet niet geloven wat er in de kranten staat. Luister niet naar de onzin die je hoort als je in zo'n grote leren stoel zit en een illegale martini drinkt in die verfijnde herenclubs waar jij je slag slaat. Geloof niet in elke nieuwe dansrage, geloof alleen in wat je níet vindt in de portemonnees van je slachtoffers.'

Giacomo Facciola had adviseur moeten zijn van die donut in het Witte Huis, want vanuit zijn stoffige winkel in Philly zag hij de hele catastrofe al aankomen lang voordat de poppen in oktober 1929 in Wall Street aan het dansen waren.

Toen de bazen en de voorheen steenrijke beurshandelaren afscheidsbriefjes begonnen te schrijven aan hun liefjes en .38 kogels in hun hersens begonnen te jagen, was ik niet verbaasd, en ik maakte me geen moment zorgen. Maar toen het personeel van deze kerels, de liftjongens en de secretaresses, hen in de hel gezelschap begon te houden door vanaf de veertigste verdieping uit het raam te springen, waardoor hun hoofd op de granieten stoep landde en hun hersens zes meter in de rondte spatten, werd ik ongerust. Ik realiseerde me dat Jack, vroeger bekend als Giacomo, het uiterst nauwkeurig had voorspeld. Want als de rijke kerels, die door hun hebzucht als eerste verantwoordelijk waren voor deze problemen, hun aandelen uit het raam smeten, net als hun levens, waar moesten wij simpele zielen van de straat dan nog op hopen? Op dat moment bedacht ik iets wat me op de been hield: oké, het is misschien gevaarlijk om vallende lichamen te ontwijken, maar als ik vanuit mijn standpunt hier beneden omhoogkijk, zijn mijn kansen om te overleven heel wat groter dan die van die arme kerel die vanaf de zesenveertigste verdieping naar beneden is gesprongen. Het maakt niet uit wie je bent; brood valt altijd met de beboterde zijde op de grond.

Op dat moment besloot ik te stoppen met drinken.

25

De zaken liepen zo slecht dat ik van één diefstal meestal niet meer dan een kop koffie kon betalen. En het kwam vaak voor dat ik meer geld terugstopte dan ik eruit had gehaald. Het is niet erg om arm te zijn, maar het is verschrikkelijk om honger te hebben. Ik was niet zo bijzonder – geloof me, de beurskrach had het hele land in de misère gestort, en net als iedereen hield ik nog maar net mijn hoofd boven water, hopend dat het in de volgende stad beter zou gaan dan in de vorige.

Tegen Kerstmis 1929 gingen er steeds meer bedrijven failliet, was het aantal zelfmoorden sterk gestegen en stonden vier miljoen eenvoudige arbeiders, die wel eenvoudig waren, maar niet arbeidden, gedesillusioneerd in de rij voor de gaarkeuken, hun zielen murw geslagen door mislukking en schaamte.

Dus, als onkruid dat nooit vergaat, belandde ik opnieuw in San Francisco. Toen ik bij Third en Townsend van de trein sprong, wemelde het daar van mensen die de andere kant op gingen – verschoppelingen en zwervers, het wrakhout van een vastgelopen maatschappij. De meesten spraken zelfs geen Engels. Ze vochten om aan boord van een trein te komen of voor een plek in een bus naar een andere plaats met een exotische naam: Chicago, Philadelphia, Milwaukee, Dallas, Minneapolis of St. Louis. Ze wisten niet dat ze allemaal op weg waren naar de zoveelste depressiestad. Want in die tijd was het overal in Amerika precies hetzelfde: waar je je kompas ook op richtte, de naald wees altijd naar de nul. Ik zag geen enkel teken dat het land bezig was zich uit de put van de depressie omhoog te werken. Iedereen hield zijn ogen nog steeds stijf dicht in de hoop dat hij zou ontwaken in een lang beloofde Amerikaanse droom, maar dat zou niet gebeuren – niet zolang dat dikke varken van een Hoover achter zijn bureau in het Witte Huis zat.

Een week eerder was ik in Santa Cruz gesnapt toen ik in een tweederangs tent genaamd Skoozie Allen's Dance House bezig was de portemonnee van een kerel te jatten. Het was een van de vreemdste dingen die me ooit is overkomen in mijn tijd als zakkenroller. Ik was net vanaf de straat bij deze tent naar binnen gelopen, op zoek naar een illegale bar, die ik met mijn deskundige neus natuurlijk ook vond. Misschien kwam het door de duisternis of misschien was het de zelfgestookte alcohol die ze Jake noemden, maar in elk geval moet ik een beetje onzorgvuldig zijn geweest. Ik had geprobeerd minder te drinken omdat ik er zulke trillende tengels van had gekregen. Bovendien hadden ze dat Jake-drankje van Jamaicaanse gember gemaakt, en in de folders die de mensen van de Anti-Saloon League uitdeelden, stond dat je daar blind en verlamd van kon raken. Iedereen zei echter dat je minstens een heel vat in je donder moest hebben voordat zoiets zou gebeuren. En trouwens, als we allemaal zo blind waren, hoe kwam het dan dat we die foldertjes konden lezen?

Ik stond aan het eind van de bar en doorzocht de achterzak van een magere, gladgeschoren kerel met een kaal hoofd dat zo glansde dat je het als scheerspiegel zou kunnen gebruiken. Vreemd genoeg wist ik dat hij voelde dat ik hem aanraakte. Misschien was hij extra gevoelig rond zijn achterwerk, of anders had de alcohol me een beetje onhandig gemaakt, maar hij wist beslist dat ik mijn hand in zijn zak had. Normaal zou het doelwit in dit soort situaties moord en brand schreeuwen en zou ik me als een haas uit de voeten maken voor de portiers me in de kraag konden grijpen, maar deze kerel draaide zich alleen maar naar me toe en glimlachte. Hij had bolle, rode wangen, alsof hij op golfballen stond te sabbelen, en een bezwete bovenlip met een brede spleet tussen zijn tanden, dus had ik kunnen weten dat hij niet te vertrouwen was. Hoe dan ook, voor ik wist wat er gebeurde kneep hij met zijn hand hard in mijn ballen. Ik dacht dat hij een van die kontneukende schandknapen was over wie je zoveel hoorde, dus was het deze keer mijn beurt om te schreeuwen. Hij bleef maar glimlachen en kneep nu zo hard in mijn jongeheer dat de tranen me in de ogen sprongen en ik me een beetje duizelig begon te voelen. Ik duwde zijn portemonnee in zijn mond, waardoor hij mijn klokkenspel moest loslaten. Maar ook toen bleef dat alcoholhoofd nog glimlachen.

Zijn zweterige grijns was het laatste wat ik me herinner, want toen ik bijkwam, lag ik geboeid in de laadruimte van een overvalwagen van een sheriff uit Santa Cruz.

Toen ik mijn verhaal aan de rechter vertelde, moest hij lachen en gaf me zeven dagen wegens landloperij. Ik denk dat hij medelijden met me had.

En zo kwam ik opnieuw in Frisco terecht, wat, zo bleek, voorbestemd was, want daar vond ik Effie terug.

26

Bij een honkbalwedstrijd bedraagt de afstand tussen de werper en de slagman ongeveer 18 meter. Als de werper een knuckleball *gooit met een snelheid van 130 kilometer per uur, heeft de slagman ongeveer vijftienduizendste van een seconde de tijd om te reageren. Een* knuckleball *wordt niet eens zo hard gegooid en zelfs niet met de knokkels, maar met de vingertoppen, en dat maakt hem onvoorspelbaar.*

Moraal nr. 1: sommige dingen komen zo hard op je af dat je er misschien goed aan doet ze maar voorbij te laten gaan.

Moraal nr. 2: soms weet niemand waar die verdomde bal naartoe gaat. Ook de werper niet.

We liepen elkaar min of meer per ongeluk tegen het lijf. Nu ja, eigenlijk was het tíjdens een ongeluk. Ik sprong van de kabeltram in Washington Street nadat ik een stel portemonnees had gejat, toen ik een prachtige meid zag. Zoals gewoonlijk maakte ik snel een foto van haar met het toestel in mijn hoofd. Ze droeg een enigszins ouderwetse, lange wollen jas met een enkele rij knopen, opgestikte zakken en afgebiesde zomen. Ik vond haar pumps met een hielbandje erg leuk, hoewel het langgeleden was dat ik die in de catalogus had zien staan. Aan haar jas moeten een paar knopen hebben ontbroken, want hij waaide steeds open. Ik kon de dunne stof van haar crèmekleurige rok zien en een mooie satijnen blouse met een kraag en manchetten van Venetiaanse kant. Ze had een jutetas in haar hand en leek min of meer boven de zonnige stoep te zweven, alsof ze onzichtbare rolschaatsen droeg – een van die zwierige loopjes die 'seks' fluisterden maar 'pas op!' schreeuwden.

Eerst dacht ik dat ze een model was van een tandpastareclame, want ze kwam me bekend voor. Maar plotseling drong het tot me door: ik kénde haar, het was Effie. En tegelijkertijd drong er iets tot haar door. Het was een patserige, tomaatrode Studebaker met open dak, om precies te zijn. De auto kwam juist op het moment dat Effie de stoeprand verliet de hoek om rijden en het leek of ze er in trance recht op afliep. Knal! Overal slipten auto's en mensen begonnen de bestuurder uit te schelden, een dikke vent met een uitpuilende buik en een maag vol illegale alcohol. Ik rende de straat op en knielde naast Effie neer terwijl de nieuwsgierige en hitsige massa samendromde.

'Raak haar niet aan, man.'

'Wat een hoop bloed.'

'Ze is ernstig gewond.'

'Mooie benen.'

'Kan iemand iets over haar kruis leggen?'

'Heeft iemand de politie gebeld?'

'Allemachtig, moet je dat bloed zien.'

'Een ambulance?'

'Heeft ze iets gebroken? Dat is zeker een hoop bloed.'

Op het eerste gezicht leek ze inderdaad zwaargewond. De stof van haar crèmekleurige rok en de linnen panty met

Engels borduurwerk waren doorweekt met bloed. Ik trok haar rok omlaag over haar knieën en tastte gewoontegetrouw met mijn andere hand in de jutetas. Daar voelde ik glasscherven. Ik gluurde naar binnen en zag drie gebroken wijnflessen. Op dat moment kwam Effie weer bij kennis, ze knipperde met haar oogleden. Een vrouw van een naburige schoenwinkel tilde Effies hoofd op en gaf haar wat water te drinken. Een andere vrouw, met een gezicht als een watermeloen, veegde het bloed van Effies wangen.

'Gaat het, liefje? Je bloedt behoorlijk. Beweeg maar niet, anders bloed je nog dood. We hebben hier een dokter nodig, mensen, kan iemand er een roepen?'

'Ben je zwanger, liefje?'

'Nee, nee, dat ben ik niet. Het is...' Effie negeerde de vrouw en hees zichzelf overeind tot ze op haar knieën zat. 'Het is geen bloed,' zei Effie, en ze gaf het glas terug.

'Geen bloed?' zei de Watermeloenvrouw. 'Wat is het dan in hemelsnaam wel?'

'Het is wijn,' antwoordde ik.

Op dat moment draaide ze haar hoofd om en zag wie ik was. Tjonge jonge, wat was ze verbijsterd, alsof ze gestorven was en zich in de hel bevond. Hoe het ook zij, ze ging opnieuw van haar stokje.

Effie zat op een krakkemikkige stoel in de hoek van een verlopen tent genaamd Izzy's Café. In die hoek stond een kleine wastafel met een spiegel erboven en ik was bezig met een natte handdoek haar voorhoofd te deppen. Op de voorgevel stond dat dit een café was, maar achter het smerige, fluwelen gordijn achter in de zaak zag ik een metalen deur die overduidelijk toegang gaf tot een illegale *root-and-toot*. De serveerster gaf Effie een kop koffie waar ze een glaasje sterkedrank doorheen goot. Ik had gelijk; dit was geen koffiehuis.

'Is ze in orde?' Toen ik me omgedraaid had, zag ik een agent die in het schemerduister achter een halfhoog gordijn zat. Elke tent waar illegaal drank werd verkocht, had een smeris als deze. Iemand die onder diensttijd in een hoekje gratis bonen met kool en cornedbeef kwam eten en dat maaltje wegspoelde met een kan bier. En dat allemaal op kosten van het huis.

'Ja, ze is oké, bedankt. Alleen wat blauwe plekken, en ze is geschrokken,' antwoordde ik.

De smeris stond op, dronk zijn bierglas leeg, liep de deur uit en vervolgde zijn ronde alsof wij en de tent waar we zaten niet bestonden.

Toen Effie haar benen een beetje spreidde, zag ik dat ze een gat in haar kousen had van waaruit een ladder omhoogliep, helemaal tot aan de duisternis van haar ondergoed. Gezien het feit dat de Studebaker haar harder had aangepakt dan Dempsey dat Franse watje van een Carpentier in 1921, zat ze er opvallend fris bij. Ik popelde om te horen hoe het met haar ging. Langzaam dronk ze haar kopje leeg.

'Tommy, ben jij het echt?'

'Jawel.'

'Wauw, dat is lang geleden.'

Ik haalde instemmend mijn schouders op. Het is niet zo gemakkelijk om je te verexcuseren als je tien jaar te laat bent voor een afspraakje.

'Ik heb gewacht,' zei ze zachtjes.

'Bij de benzinepomp?'

'Op de rode bank.'

'Het spijt me.'

'De eerste dag heb ik drie uur gewacht. De volgende dag twee uur. En de dag daarna een uur.'

Ik schudde mijn hoofd. Hoe vaak kun je zeggen dat het je spijt? Man, ik voelde me zo'n schlemiel. Het bloeden van haar lip was gestopt.

'Een maand lang ben ik elke week naar de benzinepomp teruggegaan. Weet je wat ik steeds tegen mezelf bleef zeggen?' Ze glimlachte bij de herinnering.

Ik schudde mijn hoofd, nee.

'Ik bleef tegen mezelf zeggen dat het zes maanden kost om een Pierce-Arrow in elkaar te zetten. Weet je nog dat je dat zei?' Ik glimlachte en knikte om mijn stompzinnige opmerking over een auto die zo belangrijk voor haar was geworden.

'Maar zes maanden veranderden in achttien maanden, en er verscheen geen Pierce-Arrow aan de horizon.' Ze lachte om haar eigen grapje. Ik vond het nogal triest.

Effie keek me diep in de ogen en streelde mijn wang. 'Waar was je in hemelsnaam, Tommy?'

Ik haalde gelaten mijn schouders op. 'Noem maar een stad.'

Ze schudde haar hoofd en probeerde een onwaarschijnlijke plek te verzinnen. 'Tuscaloosa.'

'Alabama. Ja, ken ik goed.'

'Ben je in Alabama geweest?'

'En in Mississippi, Iowa, Wyoming, Ohio en Arizona.' Ik had nog wel verder kunnen gaan, maar volstond met mijn hoofd te schudden. 'Zo'n beetje overal. En jij?'

'Ik?'

'Ben je getrouwd?'

'Nee.' Ze liet haar hoofd op haar borst zakken en glimlachte, na een poosje vroeg ze: 'En jij?'

'Nee,' ik glimlachte, ik voelde me, nou ja, optimistisch gestemd. Het enige waarnaar ik kon kijken was de ladder in haar kous die aan de binnenkant van haar dijbeen omhoog kroop. Ik was al halverwege de hemel toen ze me de doodssteek gaf.

'Maar ik heb een dochter.' Ze hield haar hoofd nog steeds gebogen terwijl ze dat zei, ze schoof haar kous recht over haar voet en trok haar schoen aan. Ik dacht dat ze dat deed omdat ze mijn reactie niet wilde zien, of misschien was het realistischer om te denken dat ze wilde doen alsof het haar niet interesseerde.

'En de vader?' Ik vroeg het op een toon alsof ik informeerde hoe het weer de laatste tijd was geweest, maar in werkelijkheid waren alle honken bezet en had ze me zojuist een handgranaat toegeworpen waarmee ik geacht werd een homerun te slaan. Effie zweeg. Ze boog zich over de witte wastafel en gooide water in haar gezicht.

'Die is ervandoor gegaan.' Ze keek me via de spiegel aan, nog steeds veinzend dat het haar niet interesseerde. Ze hield haar hoofd schuin en trok aan een oor vol water.

'Is hij 'm gesmeerd?' vroeg ik.

'Wat?'

'Met de noorderzon vertrokken?'

Ze glimlachte. 'Zoiets ja.'

'Hij is niet meer in de buurt?'

'Nee, hij is weg.'

'Hoe oud is ze, je dochter?'

Ze keek me aan en begreep waaraan ik dacht. Ze glimlachte en schudde haar hoofd, nee. 'Ze is zeven. Maak je niet ongerust, ze is láng na jouw vertrek geboren.'

'Het spijt me.'

'Hoeft niet. Het is een prachtige meid.'

Zo kwam ik natuurlijk niet verder, dus liet ik het onderwerp maar voor wat het was. 'En je vader en moeder?'

'Mijn moeder is gestorven, tbc. Maar pa is nog springlevend, behalve dat het niet zo gemakkelijk is sinds de Drooglegging. De wijnhandel loopt niet meer zo goed als vroeger... we konden niet anders dan inkrimpen... een beetje ontmoedigend, maar we draaien nog steeds. We hebben de meeste arbeiders moeten ontslaan. De wijngaarden die niet door ongedierte zijn verwoest, houden we in leven met een paar gebeden en een hoop werk. Hoe is het met jou? Waar ben jij terechtgekomen?'

'O, nergens, absoluut nergens. Onrust in de benen. Altijd rondgetrokken. Het ene been voor het andere... dat is mijn werk.' Opnieuw haalde ik mijn schouders op, moedeloos en niet in staat mijn dubieuze bestaan te beschrijven.

Effie keek me niet-begrijpend aan. 'Wat voor werk doe je dan?'

'Ik ben een dief.'

Ze maakte haar ogen los van de spiegel en keek me rechtstreeks aan. 'Een dief?'

'Een dief.'

'Wat voor soort dief?'

'Het soort dat dingen steelt.'

'O, Tommy, je bent niets veranderd.'

Ik dacht van wel. Toen we elkaar langgeleden in de wijngaard voor het eerst hadden ontmoet, had ik haar verteld dat ik een goochelaar was. Misschien had ze de waarheid toen al begrepen. Of misschien hadden we allebei onze onschuld verloren.

'Nee, dat ben ik niet,' antwoordde ik. Ik streelde de zijkant van haar gezicht en gleed zachtjes met mijn hand over haar wang. Ze pakte hem beet en kuste hem.

'Ik heb echt op je gewacht, weet je dat?'

'Het spijt me echt. Het was niet mijn schuld... nou ja, niet helemaal.'

Ze keek me wantrouwend aan. 'O nee?'

'Ik ging naar de begrafenis van mijn moeder en toen kwam de politie.'

'Waarom?'

'Ze zochten me. Niets belangrijks. Gewoon het zoveelste geval van pech in al die jaren dat de gevangenis om de hoek lag.'

'Moest je naar gevangenis?'

Ik knikte. 'Ja.'

'Je had me moeten schrijven.'

'Je hebt gelijk.' Ik boog mijn hoofd. 'Ik heb veel aan je gedacht,' bracht ik nogal zwak uit.

'En ik aan jou,' antwoordde ze, en ze kuste me op mijn voorhoofd.

Lange tijd had ik het gevoel gehad dat degene die aan mijn touwtjes trok, degene die over me moest waken, een pauze had genomen en was vergeten om na de lunch terug te komen. Maar nu begon het er beter uit te zien – misschien had Hoagie een goed woordje voor me gedaan.

We liepen over Washington Square, niet ver van de plek waar ik voor de aardbeving met mijn moeder en zussen had gewoond. Ik herkende het bijna niet meer terug, doordat alle gebouwen nieuw waren. Na 1906 hadden heel wat bouwbedrijven in San Francisco bakken met geld verdiend, om dat vervolgens allemaal weer te verliezen toen Wall Street instortte. Overal waar je keek stonden halfvoltooide gebouwen met dichtgetimmerde deuren waarop berichten over faillissementen waren aangeplakt.

En stond zelfs een spiksplinternieuwe Saints Peter and Paul Church, die veel groter was dan het opgekalefaterde bouwsel dat ik me herinnerde. Het had niet één, maar twee schitterende torens. Ik probeerde de Italiaanse inscriptie aan de voorkant van de kerk te lezen: '*La gloria di colui che tutto muove...*'

Effie hielp me met vertalen: 'De Glorie van Hem die alle dingen in beweging zet...'

'Inclusief de kerk,' antwoordde ik.

'Hoe bedoel je?'

'Hij stond vroeger helemaal aan het einde van dit blok.'

Aan Columbus Street vonden we een kleine winkel met modieuze dameskleding, waar ik Effie mee naar binnen sleepte. Een aantrekkelijke assistent ontfermde zich over haar en uiteindelijk koos Effie een robijnrode, lichtzijden rok en een blouse met een mousselinen kraagje en een rij donkerbruine knoopjes die als druppeltjes aan de voorkant omlaag vielen. Ik denk dat ze bijna elke jurk in de winkel heeft gepast en ik weet zeker dat alle jurken haar fantastisch stonden. Ik trok een vilten hoed van een haak. Effie propte haar lange, bruine haren eronder en bekeek zichzelf van alle kanten in de spiegel. Ik had het gevoel dat de assistent al in weken niets meer had verkocht en dat hij daarom zo ongewoon behulpzaam was. Hij probeerde nog net niet onze schoenen te likken. Toen ik het juiste aantal biljetten uittelde om te betalen, maakte hij een opmerking over mijn portemonnee.

'O, wat een schitterende portemonnee. Is het krokodil? Waar heeft u die vandaan? Hij ziet er Frans uit.'

‘Nee, gewoon hiervandaan, uit ons eigenste San Francisco.’

‘O, waar precies?’

‘Eh... in de kabeltram ter hoogte van Washington Street.’

‘Nou plaagt u me.’

Effie trok het gordijn van het kleedhokje open en gebaarde dat ik onmiddellijk mijn kop moest houden. Vervolgens propte ze de met wijn bevlekte jurk in haar jutetas. Ik liet vijftig cent achter op de toonbank.

‘Dank u wel voor uw vriendelijkheid. Mijn vrouw en ik waarderen het zeer.’

Ik opende de deur met het geëtste glas en onder het gerinkel van de bel erboven schreed een in robijnrood geklede Effie op haar onzichtbare rolschaatsen naar het trottoir.

27

In mijn jeugd stonden de trottoirs langs Kearny Street na de druivenoogst in september en oktober van voor tot achter vol met zelfgemaakte wijnpersen en druivenkisten. Het leek of iedere Italiaanse kerel in San Francisco zijn eigen wijn maakte. Ik was dol op Italianen – ze lachten voortdurend, terwijl wij Ieren altijd boven ons bier zaten te snikken. Alle Italiaanse liedjes klonken vrolijk en romantisch, terwijl die van ons gewoon triest klonken; soms dacht ik dat wij Ieren het nog het meest naar ons zin hadden tijdens een begrafenis. Ik heb dat nooit helemaal begrepen. Waxy Doyle, de barkeeper van de Red Rooster aan Montgomery Street, beweerde dat het allemaal het gevolg was van de reis naar Amerika. Toen de grote golf Italianen per stoomschip uit Napels, Genua en Palermo naar Amerika vertrok, duurde de reis maar tien dagen. Vijftig jaar eerder, toen de Ieren vanwege de grote hongersnood de Atlantische Oceaan overstaken, duurde diezelfde reis, als je geluk had, veertig dagen – en dat bepaalde het grote verschil tussen ons. Toen de Italianen van de boot stapten, konden ze meteen hun worstjes en flessen rode wijn tevoorschijn halen om koning Umberto's verjaardag te vieren. De Ieren daarentegen stonden nog steeds over te geven van de lange reis uit Cork. En in mijn ogen doen ze dat nog steeds.

Als je Italiaan was, of zelfs als je dat niet was, klopte het hart van San Francisco in Abruzzinni's kruidenierswinkel aan Columbus, in North Beach. De winkel puilde uit van kippen, vis, balen macaroni, kruiken olijfolie, reusachtige kazen en dertig soorten brood. Het was waarschijnlijk ook de lawaaierigste plek van de stad. De eeuwige Italiaanse kakofonie golfde heen en weer tussen de gerookte hammen en de hompen salami die aan het plafond hingen en waarvan sommige zo groot waren als de reddingsboeien op de veerboot.

Mevrouw Abruzzinni was Effies tante, en Effies nichten – Patrizia en Rosa – waren haar beste vriendinnen. Effie was op weg naar de winkel toen het alcoholhoofd in de Studebaker tegen haar op botste. En ik werd uitgenodigd voor het avondeten.

De vertrekken boven de winkel waren al even chaotisch als de heksenketel beneden. Op de trap lagen verscheidene balen *fagioli*-bonen van honderd pond per stuk, terwijl in de woonkamer met ijs afgedekte kratten met teksten als *provola affumicata* en *ricotta tutta crema* zes hoog stonden opgestapeld. Het was niet te zeggen waar de winkel van de Abruzzinni's eindigde en waar hun woning begon.

Omdat de Abruzzinni's slechts één familie waren, moesten ze op zijn minst vijf grootmoeders en nog veel meer ooms op leeftijd hebben geadopteerd. Aan een aparte tafel propte een groepje luidruchtige Italiaans-Amerikaanse kinderen zich vol met eten dat om de paar minuten werd aangevuld.

Midden op de lange tafel stond een rij wijnflessen zonder etiket, de schouders glinsterden als de harnassen van een leger onverschrokken Romeinse soldaten – de oude Abruzzinni had overduidelijk goede connecties. Hij schonk elk glas ruim vol, hoewel waarschijnlijk wat voorzichtiger dan voor de Drooglegging.

Ik zat ingeklemd tussen Effie en een oude tante, die me de hele tijd vroeg of ik de truc met het kwartje voor haar wilde doen – dat ik het muntstuk door mijn vingers liet glijden en dat soort dingen. Het was niet bijzonder, een soort oefening die wij kruimeldieven deden om onze ogen scherp te houden, onze vingers lenig en oom Artritis buiten de deur te houden. Ik was zo stom geweest de oude dame deze truc te laten zien, gecombineerd met een andere, waar het kwartje verdween en weer tevoorschijn kwam uit haar salami. Ze was door het dolle heen. Het was alsof ik een kind van vijf voor de eerste keer een goocheltruc liet zien. Het gevolg van deze tachtigjarige aanbidster was dat ik lange tijd geen aandacht aan Effie kon schenken. Ze was verwikkeld in een intieme omhelzing met Rosa's echtgenoot, Guido Brunazzi, die me, hoewel hij nogal klein van stuk was, het soort man leek dat vrouwen in hun kont kneep. Om je de waarheid te zeggen, naar mijn smaak was hij iets te dicht in haar buurt. Ze toonde hem zelfs een reusachtige bloeduitstorting die ze had overgehouden aan het auto-ongeluk, en daarvoor moest ze haar jurk hoger optrekken dan gepast was in gemengd gezelschap, vond ik. Hoewel ik moet toegeven dat het me weer herinnerde aan het feit dat ze prachtige benen had, zelfs als die zich dichter bij die valse oogjes van Guido Brunazzi bevonden dan bij de mijne.

Effie had hem aan me voorgesteld. Hij had me een slap handje gegeven en met zijn wortelneus irritant aan me gesnuffeld, alsof ik naar mislukking rook. Het was een onaangename man en Effie fluisterde naar me dat ik voorzichtig moest zijn, omdat hij een gangster uit New York was die hierheen was gestuurd om met de lokale alcoholproducent en -smokkelaar Frankie Stutz samen te werken. Ik zag dat hij onder zijn met een ceintuur gesloten colbert een pistool droeg.

Effie moet hebben gemerkt dat ik me een beetje alleen voelde, want terwijl ze me prees als haar Sir Galahad die haar op straat had gered, kneep ze me zachtjes in de rug van mijn hand. Ik nam het applaus dat op haar verhaal volgde schouderophalend en zogenaamd bescheiden afwerend in ontvangst en nam de gelegenheid te baat om haar hand vast te pakken. Ze sprak rustig verder met haar tafelgenoten en streelde ondertussen met haar duim over mijn vingertoppen. Tastzin. O, jongen, alles draait om tastzin.

Effie leunde voorover en fluisterde: 'Je doet het geweldig.'

Uit haar mond klonk het alsof ik een gek was die een dag verlof had gekregen van de een of andere instelling – een opvanghuis voor eenzamen, mislukkelingen en sociaal onbekwamen. Ik glimlachte en bedankte haar voor deze ogenblikken van vrijheid: 'Dat is mooi.'

Ze zeggen dat het enige wat je iemand nooit kunt afpakken datgene is wat binnen in hem zit. Volgens mij is dat in de meeste gevallen waar. In mijn beroep kan ik bijna alles stelen uit bijna elk soort zak of pak en van bijna iedereen. Maar Effie overtrof me daarin en lapte alle regels aan haar laars. Die avond verhing ze de bordjes – ze groef door tot ze iets te pakken had wat heel diep binnen in me zat. We toastten en keken elkaar net lang genoeg aan om het voor ons tweeën bijzonder te maken, maar niet zo lang dat iemand anders het zou opmerken.

Nu moet ik eerlijk toegeven dat naarmate ik ouder werd, mijn liefde voor Italiaanse muziek steeds minder werd. Laat ik het zo zeggen: waarom moeten die Italianen altijd dezelfde drie of vier draaiorgeldeuntjes spelen terwijl ze zoveel andere melodieën hebben die je nooit hoort? Goede muzikanten net zo goed. En ik heb het niet alleen over deuntjes uit het variété; het geldt ook voor grote kerels als Verdi en Rossini. De oude Abruzzinni was een uitzondering. Zijn platencollectie moet de grootste aan deze kant van Milaan zijn geweest: hij was compleet bezeten van muziek en wist er veel van, zeker als je bedenkt dat hij het grootste deel van de dag *prosciutto* stond te snijden. De oude Abruzzinni had zelfs zijn winkel gesloten toen Caruso in 1921 stierf.

Er stond een foto op de schoorsteenmantel waarop de winkel was versierd met zwarte rouwlinten, die vanuit elke hoek in grote halve cirkels tegen de voorgevel en de vette salami's bungelden. Voor de oude man was dat de beste manier geweest om Caruso de laatste eer te bewijzen.

Steeds opnieuw wond hij zijn Victrola op en draaide plaat na plaat. Ik denk dat hij me wel aardig begon te vinden, omdat ik probeerde elke melodie te benoemen zodra hij de plaat met zijn mouw had schoongeveegd en de naald voorzichtig had laten zakken.

'Oké, daar gaat-ie, Tommy,' zei hij.

'"Button Up Your Overcoat"! riep ik, en '"Husha-Bye My Baby".'

'Makkie. Oké, hier komt een moeilijke.'

'Eh... eh... "Mi chiamano Mimi".' Die was helemaal niet moeilijk. Talloze nachten had ik tussen het chique operapubliek op de pauze staan wachten, op het moment dat ik hun zakken kon leeghalen. Ik had de tijd gedood door het een en ander uit mijn hoofd te leren.

'Ja, maar wie?' gilde de oude man.

'Puccini?' opperde ik, hopend dat hij me niet ging vragen hoe de sopraan heette, wat hij natuurlijk prompt deed.

'Natuurlijk is het van Puccini,' zei hij. 'Maar wie zingt er?'

'Nellie Melba?' gokte ik. De oude man trok een gezicht

alsof hij een kruik zure bommen had doorgeslikt en vervolgde met 'Mammy', wat natuurlijk weer een heel stuk makkelijker was. Effies uitgebreide familie applaudisseerde op alles wat ik zei. En echt waar, de oude Abruzzinni zou zo zijn eigen platenwinkel kunnen beginnen, zoveel platen had hij. Van Luisa Tetrazzini tot de Rhythm Boys, van *Carmen* tot 'K-K-K Katy', hij had ze allemaal. Er werd verteld dat zijn verarmde klanten na de beurskrach van 1929 soms twaalf platen tegelijk ruilden voor een half pond *scamorza*-kaas.

Zoals altijd werd Effie omringd door aanbidders en moest ik mijn beurt afwachten om met haar te kunnen dansen. Met tegenzin danste ik met de oude tantes en, vreemd genoeg, met een paar ooms, waarbij mijn complete gebrek aan ritmegevoel nauwelijks opviel.

Effie klom op een stoel en onthulde met luide stem wat zij vriendelijk omschreef als mijn 'goocheltrucs'. Gegeneerd volgde ik haar bevel op om de horloges en portemonnees die ik de hele avond had verzameld, terug te geven. Natuurlijk had ik dat anders ook wel gedaan.

Iedereen toonde zich buitengewoon onder de indruk van mijn feesttrucjes en niemand dacht ook maar een moment aan de meer praktische toepassing van mijn dubieuze talent in de buitenwereld, misschien uitgezonderd Guido Brunazzi, die me over zijn wortelneus op zijn minst wantrouwend aankeek. Zijn blik beviel me allesbehalve, en niet alleen omdat hij een oogje op Effie had. Rosa kroop tegen Guido aan, en ten slotte werd zijn aandacht van Effie afgeleid door twee dikke kinderen die van alle kanten over hem heen klommen. Patrizia en Rosa's jongere broer Joey sleepten me naar de dansvloer en duwden Effie in mijn richting. Ik mocht die kleine Joey wel.

Tevergeefs probeerden Effie en Patrizia me de grondbeginselen van een of andere dans bij te brengen.

'Begin op de bal van je voet, buig je knieën, duw je heupen naar buiten, laat je schouders niet naar voren zakken, recht je rug!' brulde Effie.

'Buig-stap, stap terug, beweeg voorwaarts,' gilde Patrizia.

'Buig-stap, trap, stap, dubbele trap,' ik deed braaf wat ze zeiden. Kleine Joey lag helemaal dubbel van het lachen om mijn klungelige pogingen, want het was duidelijk dat ik geen Fred Astaire was. Tjonge jonge, wat was ik een sukkel – veel te laat begonnen – maar Effie hield vriendelijk vol tot we als laatste de dansvloer verlieten.

We liepen samen door de steeg aan de achterzijde van de winkel van de Abruzzinni's. Ze had afgesproken dat ze die nacht bij Patrizia zou blijven en mevrouw Abruzzinni had een bed voor haar opgemaakt. Toen we elkaar goedenacht wensten, stamelde ik wat, schoof met mijn schoen en staarde naar de wijnvlek op mijn manchet. Effie leunde voorover en liet een kus in mijn richting drijven. De kus was ontegenzeggelijk aan het drijven – twee, drie seconden, niet meer. Toen ze zich omdraaide om weg te lopen had ik nog steeds haar portemonnee in mijn hand en, hoewel ik een beetje onwennig was wat betreft de liefde, trok ik haar naar me toe en kuste haar nog éénmaal; deze keer een stuk doelbewuster. Toen mijn linkerhand de holte van haar rug streelde, voelde ik geen korset. Met dezelfde soepele vingerbeweging waarmee ik normaliter manchetknopen van oude mannetjes verdonkeremaande, opende ik twee donkerbruine knoopjes op Effies blouse. De ontstane opening was precies groot genoeg om mijn hand naar binnen te laten glijden en zachtjes streelde ik de band van crêpe de Chine die haar borsten bedekte. Ik voelde hoe ze dieper ging ademhalen toen ze zich plotseling realiseerde hoever ik in haar ondergoed was doorgedrongen. Ze zuchtte hoorbaar toen mijn vingers in een van haar intiemere kledingstukken gleden, zich rond haar borst sloten en haar tepel begonnen te kneden.

Toen onze tongen elkaar raakten, trok ik met mijn rechterhand haar rok omhoog en volgde de lijn van haar zijden kousen en het zachte vlees aan de binnenkant van haar dij. Mijn hand gleed nog verder omhoog in het niemandsland van haar satijnen panty. Eventjes opende Effie haar ogen toen het tot haar doordrong dat de vijand voor de poort stond. Vervolgens liet ze haar oogleden langzaam zakken, wat ik opvatte als een signaal om door te gaan. Ik trok de losse panty's omlaag en ze opende haar dijen. Ze haakte haar linkerbeen om me heen en toen was ik binnen in haar en bewogen onze lichamen voor- en achteruit. 'Omhoog op je hakken, omlaag op je tenen.' Ik voelde me geen mislukkeling meer. Ik duwde haar tegen de houten luiken en ze begroef haar nagels diep in mijn schouder. Het duurde niet langer dan de beving van 1906, of dan de lange seconden waarin Gene Tunney zich herstelde nadat Jack D. hem in 1907 tegen het canvas had geslagen. Maar voor mij leek het zo lang dat ik, toen ik mijn ogen opende, had kunnen zweren dat de depressie voorbij was.

Effie liep terug naar de Abruzzinni's en ik keek haar na, elke stap. Ze stond stil. 'O, dat was ik nog vergeten.' Ze liep terug en rommelde in haar tas. 'Geloof je in wonderen?' vroeg ze.

'Nee, ik reken op ze.'

'Sluit je ogen.'

Ik gehoorzaamde en kon horen dat ze wegliep. Ik hoefde niet te kijken wat er in mijn hand lag. Ik kon het voelen. Met mijn duim wreef ik over het oppervlak. Het was een zilveren dollar. Uit het jaar 1919. Het was dezelfde zilveren dollar die ik haar had gegeven toen we al die jaren terug tussen de gele klaprozen hadden gelegen.

28

Opgewekt liep ik verder en floot een vrolijk charleston-deuntje: 'Up on your heels, down on your toes.' Man, ik voelde me fantastisch, misschien zou ik hier nog weleens goed in kunnen worden.

Ik tastte in mijn zak naar lucifers, stak een Lucky Strike aan en liep een paar blokken verder. Aan de overkant van de straat, bij Kearny, zag ik Farruggio's, of eigenlijk, zoals het groen-gele bord vermeldde, 'The Farruggio's Sausage and Table Meat Company', die door heel Noord-Californië moet hebben geleverd. Hun wereldberoemde salami werd op traditionele wijze gemaakt van het beste varkensvlees, dat in varkensdarmen verpakt en gerookt maandenlang hing te rijpen. Sommigen beweerden dat Farruggio's salami nog beter smaakte dan de salami uit Italië, waarin zoals bekend nog weleens een ezel terechtkwam.

Het vlees werd afgeleverd in grote houten vaten en was afkomstig uit het slachthuis in Hunter's Point, waar Sammy Liu en ik een zomer hadden gewerkt voor vijftig cent per dag. Sammy verzamelde de afgedankte ingewanden van de dieren – de darmen van de varkens, de magen van de koeien en de ballen van de paarden – en verkocht ze in Chinatown. Als je Sammy vroeg waarom ze die troep aten, antwoordde hij altijd: 'Je krijgt er een stijve van.' Met zo'n verkooppraatje kon er natuurlijk niets misgaan. Als je in staat was een paardenlul te verkopen, kon je alles aan de man brengen.

Op het moment dat ik moest glimlachen om de herinnering aan mijn oude maatje Sammy reed een Plymouth Sedan me met grote vaart voorbij, waardoor er smerig regenwater op mijn broek spatte. Terwijl ik de pijpen droogwreef, viel mijn blik op de oude Rex-bioscoop in het steegje aan de kant van Angelotti's schoenenwinkel. De voorkant was niet breder dan de kassa waar de gigantische mevrouw Peggano altijd had gezeten. Ze paste zo precies in het hokje dat het eruitzag alsof ze de kassa om haar heen hadden gebouwd. Als kinderen stonden we vaak te wachten tot ze wegdoezelde en dan doken we onder haar raam door en slopen naar binnen. Ik heb vaak het idee gehad dat ze helemaal niet sliep, dat ze een paar arme kinderen gewoon een plezier deed. Aan het einde van de gang verbreedde die zich tot een reusachtige zaal. In die broeierige ruimte was er altijd wel een vent zo druk bezig om zijn hand onder het rokje van zijn vriendin te schuiven dat hij vergat om aan zijn portemonnee te denken, hoewel Sammy altijd meer aandacht had voor de films. Ik herinner me dat we *Alkali Ike's Auto* hebben gezien en *The Musketeers of Pig Alley* – we waren dol op die Gish-meiden. Sammy ging voor Lillian, maar midden in de nacht in mijn bed viel ik stiekem voor Dorothy.

Naast de Rex ging met veel gerammel een ijzeren schuifdeur open, waarna er een stelletje verscheen. Uit de wonderlijke route die ze in de richting van het trottoir aflegden, bleek duidelijk dat ze met hun neus in de poeder hadden gezeten. De vrouw had kort haar, een kort rokje, opgerolde kousen, bepoederde knieën en zag eruit als een hoer, en daarom nam ik aan dat er achter de schuifdeur een bar annex illegaal gokkantoor verborgen was. Voor het raam van Folino's Barber

Shop stond ik stil om mijn das recht te trekken. Ik bedacht dat terwijl het hele land in een depressie verkeerde, de handel in seks, sterkedrank, drugs en gokken welig tierde, terwijl al het andere over de kop ging. Ik knikte mijn observatie goedkeurend toe toen er plotseling een hevige explosie plaatsvond die me zonder omwegen tegen Folino's houten luiken smeet. Ik hees mezelf overeind, terwijl mijn oren suisden als de sirenes van tien brandweerwagens. Misschien waren het wel echte brandweerwagens. Ik speurde de straat af naar waar de gevel van Farruggio's worstfabriek had gestaan. De hele voorkant van het gebouw was opgeblazen en de straat was bezaaid met stukken worst. Het leek of het salami had geregend. Mensen dromden samen om naar de schade te kijken en ik voegde me bij hen. Onder mijn voeten sopte en knarste het vlees. Knarste? Ik keek omlaag. Gebroken flessen. Wijnflessen. Ik raapte een afgerukte flessenhals op en rook aan de binnenzijde van de kurk. Ik ben geen kenner, maar het leek me een zeer goede wijn. Tussen de miljoenen worsten moeten minstens enkele duizenden flessen in scherven zijn gevallen. De menigte voor Farruggio's groeide verder uit toen de klanten van de illegale bar naar buiten waren gekomen. Blijkbaar keek men liever naar de schade dan naar het goedkope cabaret. Ik jatte twee niet onaardige zakhorloges, drie portemonnees, een mooie lederen sigarenhouder en een goedkoop poederdoosje en begaf me op weg naar Broadway.

Op de hoek met Columbus Street stopte ik bij een restaurant voor een kop koffie. Ik had nog steeds suizende oren en voelde me een beetje verward. Of dat nu door Effie kwam of door de ontploffing van Farruggio's, wist ik niet. De knul achter de toonbank was erg vriendelijk en gaf me een Bromo tegen de hoofdpijn.

'Ken ik jou niet?' vroeg hij.

'Nee, dat geloof ik niet.'

'Zat jij niet op de Salesian School bij de Saints Paul and Peter Church aan Filbert Street?'

'Ja, langgeleden.'

'Ik herkende je al. Het komt door dat hangende ooglid.'

'Ja, dat is nogal een handicap'

'Omdat je er niet mee kunt zien?'

'Nee, omdat iedereen me steeds herkent.'

'Het spijt me, ik wilde niet onbeleefd zijn... omdat het een handicap is en zo.'

'O nee, het is geen handicap... wist je bijvoorbeeld dat Beethoven doof was, Milton blind, en dat Sarah Bernhardt maar één been had?'

'Had Sarah Bernhardt maar één been?' Blijkbaar zeiden de andere namen hem niets.

'Inderdaad.'

'Dat wist ik niet,' zei hij, en hij wenste dat hij nooit over mijn oog was begonnen.

'Ze had er absoluut geen last van. Ze sprong op het toneel als Long John Silver.'

Hij lachte en veranderde van onderwerp. 'Heb je die explosie gehoord?'

'Ja, wat was dat?' Vanwege de inhoud van mijn zakken kon ik deze ober in geen geval aan zijn neus hangen dat ik vlak in de buurt stond toen het gebeurde. Twee brandweersirenes snerpten door de straat, waarop de jongen achter de toonbank een lange fluittoon liet ontsnappen.

'Ze zeggen dat ze de worstfabriek hebben opgeblazen,' zei hij, terwijl hij mijn koffie bijvulde.

'Wie?'

'Die gekke Italianen. Het begon in New York. Ze proberen elkaar allemaal af te maken.'

'Ja, dat las ik in de krant.'

'Weet je, het is die kerel van Marzipano die zich met bruut geweld in het wereldje probeert te dringen ten koste van die andere vent, Mass... er... Mass en nog iets.'

'Masseria,' hielp ik hem.

'Weet je er dan iets van?'

'Alleen wat ik in de kranten lees.'

Ik was niet van plan om nog verder bij te dragen aan deze conversatie. Ik moest steeds aan Effie denken en bovendien suisde mijn hoofd nog harder dan een brandalarm – en er was net een politiewagen voor de lunchroom gestopt. Als ik in een spraakzamere bui was geweest, had ik de jongen van de lunchroom kunnen vertellen dat marsepein iets is waarmee je een cake garneerde en dat Salvatore Maranzano niet zo zoet was en eerder geneigd om je met beton te versieren. De grote baas op Sicilië had hem hierheen gestuurd om de zaakjes van Joe 'The Boss' Masseria over te nemen. Gevolg was dat de Italianen elkaar al anderhalf jaar lang afslachtten tussen New York en Chicago.

'Vijftig moorden tot nu toe, zeggen ze,' kwetterde de ober.

'Ik heb een tip voor je,' antwoordde ik 'Mijd Italiaanse restaurants en herenkappers.'

Hij lachte: 'Daar heb je helemaal gelijk in.'

'Bedankt voor de Bromo.'

Ik gaf hem vijf cent fooi en hield de deur open voor de smeris. Met goede manieren kom je een heel eind bij die lui.

29

Het is waar dat ik een permanente omgang met het andere geslacht altijd heb vermeden – of misschien ben ik dichter bij de waarheid als ik stel dat ze niet in míj geïnteresseerd waren. Steeds als het woord 'hallo' zich dreigde te ontwikkelen tot 'waarom blijf je niet een poosje?' ging ik er sneller vandoor dan het zand op een kale helling tijdens een zware regenbui. Voor mij was liefde altijd zoiets als een touw dat ze naar een te water geraakte man wierpen: een touw dat een strop om je nek zou vormen en je zou wurgen op het moment dat je de woorden 'ik hou van je' uitsprak. Maar deze keer, zo hield ik mezelf voor, zou het anders worden.

Toen ik de volgende dag bij de winkel van de Abruzzinni's kwam, was de dagelijkse heksenketel al in volle gang. Ik probeerde Patrizia's of Rosa's aandacht te trekken over de hoofden van enkele bijzonder veeleisende dames heen die me met een klap van hun boodschappentas hadden kunnen doden.

'Ze is weg,' schreeuwde Patrizia zo hard als ze kon, terwijl ze hammen naar oom Nando wierp, die drie meter verderop stond.

'Ik dacht dat ze tot morgen zou blijven?'

'Er is iets tussen gekomen,' zei Rosa.

Ik voelde me misselijk worden. Hoe had ik haar kunnen

missen? Van pure ellende haalde ik mijn hand van de portemonnee van de dame die voor me in de rij stond. En trouwens, ik was toch niet zo'n lamstraal geworden die portemonnees met anderhalve dollar erin van oude dametjes in Abruzzinni's kruidenierswinkel moest stelen? Wat een klotestreek. Ik zwaaide naar Rosa en Patrizia en maakte aanstalten om te vertrekken.

'Bedankt.'

'Tommy, waar ga je heen?' vroeg Patrizia.

'Ga je naar haar toe?' schreeuwde Rosa.

'Zal ik dat doen? Wat denk je?'

'Natuurlijk, ik denk van wel. Ze verwacht je.'

'Ze...?'

'Word nou eens wakker, Tommy... Ze vindt je leuk!'

'Echt waar?'

'Absoluut, ben je gek geworden of zo?' Ik stond van het goede nieuws te genieten toen Rosa's gezicht plotseling tot een grimas vertrok en ze nog harder schreeuwde, ditmaal naar haar jongere broer.

'Joey! Waar heb jij uitgehangen? We hebben nog wat *mortadella* nodig van de binnenplaats.' Ze wendde zich weer tot mij. 'Ga naar haar toe, Tommy, ze zou heel boos zijn als je het niet deed. Ze staat waarschijnlijk al voor je te koken. Weet je waar je heen moet?'

'Nee. Het is langgeleden dat ik er ben geweest.'

Rosa schreef iets op een papieren zakje, dat vervolgens door een tiental handen werd doorgegeven.

Een oude vrouw met een kornetmuts, die zich met haar ellebogen een weg over de met zaagsel bestoven vloer had gebaand en zich voor mijn neus in de rij had gedrongen, was opeens niet meer zo geïnteresseerd in het veroveren van een zak macaroni, maar des te meer in mijn gesprek met Rosa. Ze draaide zich om en fluisterde: 'Ik denk dat je naar haar toe moet gaan.'

'U heeft gelijk.' Ik knikte en greep haar arm met een vertrouwelijkheid die nogal misplaatst was, alsof ze een verloren gewaande tante was die ik twintig jaar lang twee keer per week had gesproken, in plaats van een vreemde. Ik gaf haar horloge aan haar terug. Het was nog een mooie ook; oud goud, uit Palermo waarschijnlijk. Ze gespte het weer om haar pols.

'Mijn god, heb ik die laten vallen? Hartelijk dank, lieverd. Je bent een eerlijk mens.' Ze gaf een tikje tegen de zijkant van mijn gezicht. 'Nu, ga naar je vriendin.'

Ik beklom de trappen van mijn derderangs logement om mijn spullen op te halen. De veerboot naar Vallejo vertrok om twaalf uur; genoeg tijd voor een kappersbezoek, een scheerbeurt en om iemand te zoeken die mijn schoenen wilde poetsen. Binnen een paar uur kon ik bij Effie zijn. Terwijl ik in mijn zak naar de sleutel zocht, zag ik dat die zijn functie had verloren, aangezien mijn kamerdeur met veel geweld was opengetrapt. Ik duwde hem verder open en zag een paar opzichtige, glanzende rijglaarzen die het lopende uiteinde vormden van een bijzonder lange man die uitgestrekt op mijn bed lag. Hij zag eruit als een familielid van Big Mike Abrahams, de vent die die Chinese komiek in het Dwyer Theater had onthoofd toen ik jong was. Met iets meer lichaamshaar was hij ook een goede publiekstrekker geweest in de dierentuin van San Francisco. Hij had mijn geheime bergplaats, een oude schoenendoos, al doorzocht. Alleen een dief wist hoe een andere dief dacht, en deze had de losse plank onder het linoleum zonder veel moeite gevonden. Toen ik binnenkwam, was hij in een van de portemonnees aan het snuffelen. De vent had wonderlijk rode wangen en een platgeslagen neus die eruitzag of hij een ernstige botsing had gehad met een honkbalknuppel. Hij blies zijn wangen op, keek me aan en glimlachte. Het was zo'n soort glimlach die er nooit echt vriendelijk uitzag, en door zijn vroegere ontmoeting met een honkbalknuppel was zijn uitspraak zoals verwacht nasaal, alsof iemand een paar ovenwanten in zijn neusgaten had gepropt.

'Mooie portemonnee.'

'Zeker.'

'Krokodil?'

'Ik denk slangenhuid.'

'O ja. Je hebt gelijk... slangenhuid. Aardig.' Terwijl hij de portemonnee in zijn zak stak, hees hij zichzelf overeind en liep naar de toilettafel. Hij keerde de schoenendoos ondersteboven en de inhoud stuiterde alle kanten op. Toen greep hij een gouden horloge aan een ketting en schudde die stevig door elkaar tot het gevoelige mechaniek hem met een tik tevredenstelde. Omdat zijn neus bijna helemaal dichtzat, ademde hij luidruchtig tussen zijn tanden door. Hij hield het uurwerk omhoog en liet het aan de gouden ketting bungelen.

'Weet je van wie dit horloge is?'

Ik schudde mijn hoofd. 'Nee.' Ik pijnigde mijn hersens om te bedenken wiens zak ik met mijn domme kop had gerold.

'Het is niet van jou, toch?' Wat een stomme vraag; ik had nog nooit iets bezeten dat daarvoor niet van iemand anders was geweest, maar ik had geen zin in een discussie. En hoe het ook zij, ik denk niet dat hij bijzonder geïnteresseerd was in een discussie over de theorie dat de wet voor negen tiende over bezit ging. Dus schudde ik opnieuw mijn hoofd.

'Nee.'

'Dit horloge is van Oakie Doolan. Je weet toch wel wie Oakie is, hè?'

Opnieuw schudde ik mijn hoofd, nee. Ik loog een beetje, want ik had wel over Oakie gehoord, maar ik had hem nog nooit ontmoet. En daar had ik ook helemaal geen behoefte aan. Het was een knettergekke, gedegenereerde moordenaar uit Russian Hill, boodschappenjongen van dranksmokkelaar Frankie Stutz. Langzamerhand begon het tot me door te dringen.

'O, je móet Oakie kennen.'

'Is dat zo?'

'Hij is mijn baas. Hij is belangrijk, verdomd belangrijk.'

In werkelijkheid was Frankie Stutz de belangrijke man in San Francisco en kon Oakie amper in zijn schaduw staan. Frankie stond op zijn beurt in de moordzuchtige schaduw van willekeurig welke Italiaan die het in New York voor het zeggen had, maar op dat moment verkeerde ik niet in de positie om mijn gast te corrigeren – een gigantische klootzak die nu precies voor de uitgang stond waardoor ik anders misschien had kunnen vluchten. Daarom probeerde ik mijn antwoorden zo nederig mogelijk te houden.

'Luister, ik ben gewoon een simpele zakkenroller. Ik ken helemaal geen grote jongens.' Mijn openhartigheid maakte niet de minste indruk.

'Oakie is verschrikkelijk kwaad op je. Dit horloge is nog van zijn pa geweest. Hij zegt dat het alles was wat zijn ouweheer bij zich had toen hij in Hoboken van de boot kwam.'

Hij dacht toch niet dat zo'n verhaal me ontroerde? Ik kreeg nog eerder tranen in mijn ogen van een ui. Oakies ouweheer had het waarschijnlijk van een of andere sukkel uit

Litouwen of waar dan ook gepikt toen hij op de boot zat, en waarschijnlijk op weinig zachtzinnige wijze, want iemand die een gouden horloge bezat, hoefde Ierland, waar ze zelfs geen aardappels meer hadden, niet zo nodig te verlaten.

Opnieuw schudde hij het uurwerk flink door elkaar en hield het tegen zijn oor. 'Als horloge heb je er niet zoveel aan, het gaat om de sentimentele waarde, snap je. Iemand heeft je herkend bij Farruggio's. Jij bent die zakkenwasser met het hangende ooglid.'

Ja, dat was ik. Mijn hangende ooglid was mijn noodlot, mijn Coca-Cola-merkje, mijn Kaïnsteken.

Ze zeggen dat het voor een dief het makkelijkst is om een andere dief te beroven. Voor mij zou het niet de eerste keer zijn. Maar deze keer deed het meer pijn dan anders omdat Mr. Gorilla me plotseling keihard in mijn maag stompte. In de vechtsport zouden ze dit waarschijnlijk een stoot onder de gordel noemen, want eerlijk is eerlijk, iets lager en hij had mijn ballen vermorzeld. Kortom, het deed behoorlijk veel pijn en het kostte me moeite om weer op adem te komen, alsof iemand een schep zand in mijn keel had gegooid. En dat allemaal door één enkele klap. Maar dit was een grote vent en ik wist uit ervaring dat klappen die je in het echte leven opvangt veel pijnlijker zijn dan ze in de films lijken. Ik dacht dat ik niet meer pijn kon verdragen, maar ik vergiste me. Ik viel op mijn knieën en keek met een wazig hoofd toe hoe hij met zijn kalfslederen veterlaars met stalen neus, zware zool en Goodyearrand hard op mijn hand stampte. Ik schreeuwde toen ik de botten hoorde breken, en nog harder toen hij het een tweede keer deed. Toen hij mijn vermorzelde hand opraapte, flapperde hij die voor zijn ogen heen en weer als een natte handschoen. Zorgvuldig bekeek hij het resultaat van zijn werk. Hij rook aan de met talk bepoederde vingers. 'Je ruikt lekker. Een beetje meisjesachtig,' zei de Gorilla glimlachend. Hij liet mijn hand vallen, blies zijn rode wangen opnieuw op en lachte toen ik het uitschreeuwde van de pijn.

'Zo, misschien leert je dat om wat minder in andermans zakken te snuffelen.' Met schommelende tred daalde hij de trap van het logement af, nog steeds lachend.

Ik keek naar mijn mishandelde, onbruikbare hand. Ik kon mij hand niet aanraken en hij trilde onophoudelijk. Mijn maag brandde als een bak vol hete kolen, maar het ergste van alles was dat mijn rechterhand volkomen gevoelloos was geworden en als een lap vlees onder aan mijn arm bungelde. Ik wankelde de gang door en de trap af, waarbij ik me aan de leuning vastklampte als een verlopen dronkaard.

Eenmaal op straat werd ik verblind door het licht. Alles leek volkomen kleurloos. Ik kneep mijn ogen tot spleetjes om mijn hoofd helder te maken en tastte met mijn goede hand naar mijn zonnebril. 'Ik heb nog steeds één goede hand,' herhaalde ik steeds opnieuw. 'Ik heb nog steeds één goede hand. Ik heb nog steeds één goede hand.' Met mijn strafblad en het aantal keren dat ik er tijdens een voorwaardelijke straf vandoor was gegaan, kon ik het niet riskeren om een gewoon ziekenhuis binnen te wandelen. Dan zou ik zo zes maanden achter de tralies verdwijnen. Maar mijn hand had de beste verzorging nodig – anders zou hij er altijd als een dronken kreeft blijven uitzien. Ik besloot naar het pandjeshuis van Siskin aan Powell Street te gaan, waar ik de heler kende. Misschien kon hij me een tube Zam-Buk-zalf verkopen. Ik kende aanplakbiljetten waarop Harry Houdini voor Zam-Buk adverteerde en dat was het enige wat ik op dat moment kon bedenken: Houdini die vastgegespt in een dwangbuis in een met een hangslot afgesloten postzak ondersteboven zes meter diep in de rivier de Hudson werd gehangen en altijd weer heelhuids boven water kwam, toch? Behalve die keer dat Houdini onverwachts een klap in zijn maag kreeg; dat was zijn dood geweest.

Ik heb nog steeds één goede hand. Ik heb nog steeds één goede hand, herhaalde ik in mezelf terwijl ik me over Grant Street voortsleepte. Bij elke lantaarnpaal stond ik stil om op adem te komen en ervoor te zorgen dat de gebouwen ophielden met bewegen. Op de hoek met Clay Street strompelde ik bij een kleine Chinese winkel naar binnen voor een flesje fris. Mijn linkerhand trilde nu even hard als mijn rechterhand. De Chinese dame achter de toonbank gaf me een opener aan een koord. Ze zag me worstelen met één hand en hield vriendelijk de fles vast terwijl ik de dop eraf wipte. Mijn beschadigde rechterhand begon opnieuw te kloppen en ik voelde de fles uit mijn hand glijden. De Chinese dame leek plotseling twee meter lang en werd snel langer, terwijl ik onderuit gleed en flauwviel.

Mijn hele leven ben ik al geobsedeerd geweest door mijn eigen handen en die van anderen. Ik keek hoe ze hun portemonnee wegstaken, een knoop vastmaakten of een beursje sloten. Nu staken ze vanuit alle richtingen in mijn hoofd. Het waren beaderde, eeltige, gerimpelde, vuile, warm gewreven, artritische, met bloed bevlekte handen, door de zon gebrande, gespierde, met wratten bespikkelde, plompe, met blaren overdekte, zieke en vettige handen. Handen die een hoge bal konden werpen, een munt konden laten draaien, een doodvonnis konden tekenen, een wenkbrauw konden fatsoeneren, een kaart konden omdraaien, een stem konden uitbrengen, een vuist konden maken, een borst konden omvatten of een traan konden wegvegen. De handen van mijn vader, rood en rauw; de handen van mijn moeder, koud en dood. Mijn eigen hand, ooit goedverzorgd en gepoederd, was nu een homp fijngestampt vlees.

30

In Chinatown woonde vroeger een vent die ze Dan Heu noemden, wat 'Grote Os' betekende. Hij had een act waarbij hij een levende kip aan een paal bond en vervolgens twee korte kromzwaarden hoog in de lucht gooide. Hij ving de zwaarden met zijn handpalmen bij de vlijmscherpe kling, draaide ze tussen zijn handen omhoog tot aan het gevest en sneed tot slot de keel van de kip door. Vervolgens smeerde hij zijn handen in met een zalf die hij tiedayanjiu *noemde en liet iedereen zien dat ze helemaal gaaf waren. Dan stonden de mensen binnen de kortste keren in de rij om een pot te kopen. Reken maar dat hij goede zaken deed.*

Moraal: adverteren loont de moeite. Behalve als je een kip bent.

De stem zei: 'Drink op!' Mijn oogleden weken uiteen en ik zag een bejaarde Chinese man met een sikje. Het leek of hij door een viskom naar me keek, maar toen mijn ogen zich in hun kassen begonnen te bewegen en zich op één punt concentreerden, nam zijn gezicht de juiste vorm aan. Mijn hoofd deed pijn, mijn maag deed pijn, maar mijn hand voelde oké. Gehoorzaam dronk ik de vloeistof op. Het smaakte goed. Medicinaal. Ik wilde het liefst verder slapen. Maar de stem hield me wakker. De stem had geen lichaam – het was niet de oude man die sprak, tenzij hij kon buikspreken. 'Dag Tommy. Je weet je nog altijd in de nesten te werken, zie ik.'

De stem kwam me bekend voor. Bijna té bekend. Zoals mijn eigen stem. Of de stem van een broer of een vader. Maar ik had geen van beiden. Ik probeerde mijn hoofd in de richting van de stem te draaien.

'Lang niet gezien.' Langzaam maar zeker werd het helderder in mijn hoofd. Ik bevond me in een luxueus ingericht vertrek met de modernste meubels en een stalen ventilator die boven op een Victrola-platenspeler stond te zoemen. Achter de brede toonbank zat de eigenaar van de stem. Toen hij opstond, gleed een straal licht op dramatische wijze omhoog langs zijn gezicht, als in een variétényummer in het Dwyer Theater. Het was Sammy. Dezelfde Sammy Liu die op tienjarige leeftijd achttien centimeter lange sigaren rookte, waarvan hij beweerde dat ze waren gerold op de dijen van de Chinese maagden die in het hart van Chinatown woonden, daar waar blanke kerels zich niet waagden. Dezelfde Sammy Liu die voor vijf cent per stuk pijpenkoppen schoonmaakte in de opiumkit van zijn oom, dezelfde Sammy Liu met wie ik heel San Francisco van de Zwarte Dood had gered door onze jacht op ratten zo groot als katers. Het was dezelfde Sammy Liu, mijn beste en enige jeugdvriend.

Hij sprak een paar Chinese woorden tegen de oude dokter, waarop die zijn lederen tas dichtklapte en naar de deur liep. Sammy pelde een paar biljetten van een dikke bundel en duwde die in het borstzakje van de oude man. Sikmans kuste Sammy's hand en maakte een diepe, onderdanige buiging, alsof Sammy een soort koning was of zo. Ik keek omlaag naar mijn stevig omzwachtelde hand. Een houten spalk hield hem in model, waardoor de hand eruitzag als een van die platte schuimspanen waarmee ze in Chinese restaurants de bami opscheppen.

'Het komt wel in orde, als je hem een poosje met rust laat. De oude man is de beste dokter van San Francisco, maar hij is nogal exclusief. Niet veel mensen kennen hem.'

'Alleen Chinese patiënten?'

'En een domme Ier,' zei Sammy, terwijl hij me omhelsde.

'Hoe heb je me gevonden?'

'Ze waren juist bezig je in het steegje achter de winkel waar je van je stokje ging te dumpen toen een van mijn jongens je herkende en me opbelde. Ik vertel mijn jongens vaak over je. Je weet wel, van toen we jong waren en zo. Ze moeten erom lachen. Je bent beroemd. En door die verhalen kennen ze je behoorlijk goed.'

Ik keek om me heen en zag de schilderijen, de zijden muurbekleding en de kostbare, met Chinese lak afgewerkte schalen vol glimmend rode appels. Sammy was altijd al ongewoon lang geweest voor een Chinees, ik schatte hem nu op 1,85 meter. Hij had een lenig, slank lichaam en zachte, sierlijke handen. Zijn smalle gezicht werd gesierd door een dun, borstelig snorretje en zijn prachtige, handgemaakte pak was van dure zijde en wol, met een dubbele rij knopen. 'Dus het gaat je voor de wind,' zei ik.

'Ik mag niet klagen, Thomas. En jij? Jat je nog steeds kwartjes uit de telefooncel?'

'O, ja, en ik rol nog steeds portemonnees van oude dames die niet achter me aan kunnen rennen.' Sammy lachte en ik lachte met hem mee alsof het allemaal niet waar was, maar hij wist waarschijnlijk wel beter. Je kunt een heleboel mensen voor de gek houden, maar nooit je oudste vriend. Ik vervolgde: ‘Wat voor werk doe je trouwens, Sammy?’

‘Familiezaken. Bedrijfszaken.’ Hij schonk twee vingers whisky in een glas en gaf het aan me.

‘Werk je voor je oom Joe?’ Ik nipte van de whisky. Hij was uitstekend – de echte, helemaal uit Schotland – en moest een vermogen hebben gekost.

‘Nee, Chin Ju Bing is dood.’ Hij gebruikte de officiële naam voor zijn gekke oom Joe. ‘En daarom ben ik nu... baas van de winkel.’

‘Het spijt me van je oom.’

‘Die dingen gebeuren.’

‘Hij heeft een mooi leven gehad.’

‘Weet je waarom mijn oom naar dit land is gekomen?’

‘Niet echt, vanwege de Gouden Bergen, neem ik aan?’

‘Nee. Chin Ju Bing niet, hij had China nooit willen verlaten. Hij hield van China. Zijn voorouders kwamen hierheen om goud te zoeken. Maar op een dag werd een familielid in Yuba County aangevallen door blanke mijnwerkers. Dat kwam wel vaker voor, maar deze keer sneden ze zijn benen af door er met een mijnwagen overheen te rijden. Daarna lag hij onder in die mijnschacht twee dagen te brullen van de pijn voordat hij eindelijk was doodgebloed.’

‘Het spijt me,’ verontschuldigde ik me, alsof ik verantwoordelijk was voor de onvoorstelbare wreedheid van alle blanke mannen. Ik goot een flinke teug van Sammy’s whisky in mijn keel. Dit was wel even iets anders dan dat clandestien gestookte paardenzweet dat ze je in Kentucky voorschotelden, dit was echte, magische Scotch.

‘De Chinese mijnwerkers besloten dat het nu wel genoeg was geweest en lieten Chin Ju Bing overkomen omdat die al een zekere reputatie had opgebouwd in Kwantung. En binnen een week had hij bij de vijf daders de keel doorgesneden, hun lijken aan spoorbielzen gebonden en ze in de rivier de Sacramento gedumpt. Natuurlijk zijn ze nooit teruggevonden.'

'Natuurlijk.'

'De blanken zouden zich anders uitgebreid gewroken hebben, snap je?'

Dat begreep ik.

'Dus bleven de lichamen op de bodem van de rivier en maakte mijn oom snel carrière.'

'Is hij van ouderdom gestorven?'

'O nee. Loodvergiftiging.'

'Loodvergiftiging?'

'Vijftien kogels in zijn hoofd.'

'Het spijt me,' stamelde ik opnieuw.

'Niet nodig. Een week na de moord op mijn oom moesten ze 23 leden van de Si Yi begraven.' Ik schudde mijn hoofd en Sammy ging verder: 'Tand om tand. Net als in jouw bijbel.'

'Nee, 23 tanden om één tand,' corrigeerde ik zijn berekening.

'In de Chinese bijbel staat het anders,' antwoordde Sammy met een ondeugende glimlach. 'En je begrijpt, mijn oom was geen afwashulpje.'

Ik knipperde met mijn ogen in een poging het allemaal te verwerken. De jonge Sammy had de grootste en gewelddadigste Chinese gangsterbende overgenomen die San Francisco ooit had gekend. En neem maar van mij aan dat deze kerels veel harder waren dan die maffiajongens – of die nu Italiaans waren of Iers. Ik had wel iets gehoord over een bloedbad dat zou hebben plaatsgevonden in de tijd dat ik onderweg was. Ik meende me te herinneren dat er een hele bende moordenaars uit China was gehaald om de opstandige lokale *tongs* mores te leren. Ik had nooit gedacht dat Sammy in die wereld terecht zou komen, en nog minder dat hij boven aan de ladder zou staan. Tot wat voor gewetenloze klootzak was hij uitgegroeid? Met beschaafde manieren word je geen baas van dergelijk tuig.

Ik herinnerde me dat hij als kind erg vriendelijk was – nou ja, meestal dan. Van zakkenrollen bracht hij niet veel terecht. Chinezen zijn daar nooit goed in. Ze verafschuwen lichamelijk contact. Dat is iets cultureels. Als je ooit tegen een Chinees op botst, moet je eens kijken hoe hij een meter de lucht in springt. Volgens Sammy was het bijgeloof uit de *fan tan*-kaarten; als iemand je aanraakte, bracht dat ongeluk.

Maar dat wilde niet zeggen dat de jonge Sammy Liu geen andere kwaliteiten had. Ik herinner me een Chinees zwaargewicht genaamd Rice Boy, die voor Sammy's oom Joe werkte en de jonge Sammy een keer betrapte in een van de cabines van het Herenhuis. Hij maakte Sammy bij de eerste de beste gelegenheid en ten overstaan van iedereen belachelijk. Hij ratelde iets in het Chinees en maakte kronkelbewegingen met zijn pink. Ik weet niet wat hij over de edele delen van de jonge Sammy vertelde, maar het maakte Sammy razend, echt razend. De volgende keer dat Sammy die Rice Boy tegen het lijf liep, zat de verrader gebakken inktvisringen in groene thee te dopen in een of ander achterafkroegje. Sammy haalde een reusachtig pistool tevoorschijn dat hij in een kist onder het bed van zijn oma had gevonden. Het wapen was zo oud dat het in Peking gemaakt moet zijn in de eerste week nadat ze het buskruit hadden uitgevonden. Sammy schoot maar één keer op Rice Boy, en de terugslag van het oude pistool slingerde hem achterwaarts tegen de muur, waarbij zijn schouder uit de kom schoot. Rice Boy kwam er niet zo best van af. Sammy had een gat in die gozer geschoten waar je met een Cadillac doorheen kon rijden. Ik geloof dat Rice Boy het wel heeft overleefd. Oom Joe gaf Sammy een verschrikkelijke uitbrander als ik het me goed herinner; niet vanwege de schietpartij, maar omdat hij ten overstaan van zoveel getuigen had geschoten. Het waren dezelfde getuigen die oom Joe niet veel later onopvallend op de boot terug naar China had gezet. Wekenlang was het incident met Rice Boy in Chinatown het gesprek van de dag, en sindsdien werd Sammy niet langer Little Sammy genoemd, maar gewoon Sammy.

Ik staarde naar mijn vakkundig verpakte hand. Wie die dokter ook was geweest, het was een kunstenaar. Sammy zag dat ik naar mijn hand keek. 'Hoe is hij eigenlijk zo beschadigd geraakt?' Hij nipte van zijn whisky, schoof een Chesterfield tussen zijn lippen en bood mij er ook een aan.

'In de veilige warmte van mijn hotelkamer. Met dank aan een van Frankie Stutz' jongens, een Gorilla die voor Oakie Doolan werkt.' Met mijn goede hand duwde ik mijn neus plat tegen mijn gezicht om te laten zien hoe die amateur-bokser eruitzag. Sammy leek hem wel te kennen.

'Mook de Homo? Grote vent?'

'Tamelijk.' Ik negeerde het gedeelte over zijn eventuele homoseksualiteit. Natuurlijk had hij rouge op zijn wangen gehad, nu ik erover nadacht, maar hij gedroeg zich allesbehalve als een mietje.

'Dat zal Mook Mosso zijn geweest.' Sammy keek me onderzoekend aan, hij vroeg zich waarschijnlijk af wat een holmaat van 125 kilo in hemelsnaam in mijn kamer te zoeken had. Hij had me ten slotte een flink aantal jaren niet meer gezien en mijn reis door het leven kon immers allerlei exotische wendingen hebben genomen. 'En, wat moest-ie?'

'Ik had het gouden horloge van zijn baas gejat. Het was nog van Doolans ouweheer geweest.'

'Wil je dat ik met hem afreken?'

Dat klonk goed. Begrijp me niet verkeerd, ik ben nooit enthousiast geweest over vergelding. Ik vond altijd dat wraak, of je het nu verpakt in valse moraal of niet, een verspilling van tijd en energie was. Ik ben altijd de underdog geweest; ik had hersens waar andere mensen spieren hadden zitten, en als het maar even kon, vermeed ik het ruige werk – helaas vermeed het mij niet altijd.

Maar mijn hand klopte nog steeds en ik wist niet of ik ooit nog in mijn eigen neus kon peuteren, laat staan of ik nog kon zakkenrollen. Ik had mijn vingers zo vaak gepoederd en mijn nagels zo zorgvuldig geknipt en gevijld dat ik gehecht was geraakt aan mijn handen. Ik had mijn handen nodig. Ik hield van mijn handen. Mijn handen waren het enige wat tussen mij en de rij voor de gaarkeuken van het Leger des Heils stond. Eerlijk gezegd was ik woest op de Gorilla in de glanzende veterlaarzen met hun Goodyear-rand. Dus Sammy's jongens zouden Mook een beetje aftuigen. En wat dan nog? Die Gorilla verdiende het toch? Ik merkte dat ik knikte, als een kind dat zijn grote broer vraagt of die de grootste pestkop van de klas op het schoolplein in elkaar wil slaan. Ja, vergeet die theorieen over de zinloosheid van geweld maar. Ik schraapte mijn keel en hoorde mezelf zeggen: 'Graag. Zou je dat willen doen?'

Sammy's pen kraste toen hij een aantekening maakte op zijn notitieblok.

31

Wonderlijk dat je sommige mensen jarenlang niet kunt zien en dan, als je elkaar weer tegenkomt, gewoon weer verder praat vanaf het punt waar je twintig jaar of nog langer geleden was gebleven. We doorkruisten heel Chinatown en overal waar we kwamen, bleek duidelijk dat Sammy hier de scepter zwaaide. Uit elke winkel kwamen mensen naar buiten gehold om diep voor hem te buigen en vele oude dametjes kusten zijn hand. De twee kerels die achter ons aan liepen, hielden iedereen die te lang om ons heen hing of te dichtbij kwam scherp in de gaten. Toen Sammy zijn auto wenkte, gleed er een glimmend blauwe Pierce-Arrow Straight 8 langszij. Sammy en ik stapten achterin, terwijl de twee bodyguards zich op de voorstoel wrongen, naast de bestuurder, Willi Chu. Ik liet me achterover in de met borduurwerk versierde stoelen zakken en bewonderde het interieur, dat was afgewerkt met esdoornhout en zilver. Het is waar wat ze zeggen: die Pierce-Arrows zijn behoorlijk fantastische wagens – ongeacht de tijd die nodig is om ze te maken.

'Aardige auto,' zei ik. 'Is het een nieuwe?'

Sammy's gezicht glom van trots. 'Pas een week oud. Pierce-Arrow model B, Sport Phaeton. Maar vier mensen in de hele wereld hebben dit model. Babe Ruth, J.D. Rockefeller… en wie nog meer, Willi?'

'De koning van België, meneer Sammy,' antwoordde Willi Chu.

'De koning van België, en ik.' Sammy schudde zijn hoofd, alsof zelfs hij het niet kon geloven. Ik maakte een soort fluitgeluid om te laten merken dat ik onder de indruk was. Effie zou ook onder de indruk zijn geweest.

'Babe Ruth? Dat meen je niet?'

'Jawel. Hij heeft precies dezelfde auto, alleen heeft hij er de volle mep voor betaald.' Sammy en Willi Chu lachten hardop, ze deelden een geheim dat maar beter een geheim kon blijven. Mijn oude makker had absoluut carrière gemaakt sinds de tijd dat we stickball speelden in Piss Alley.

Sammy had het hele familiebedrijf geërfd – van restaurants tot viswinkels en van slagerijen tot wasserettes. Het bedrijf had ook een aantal 'minder legitieme' onderdelen, om het zachtjes uit te drukken. De twee zwaargewichten die samen naast de bestuurder zaten, waren per slot van rekening geen makelaars of obers en de machete die de kerel bij de deur tussen zijn knieën geklemd hield, was niet bedoeld om vis mee te fileren.

Toen het de Chinezen onmogelijk werd gemaakt om Amerikaanse burgers te worden, gingen ze gewoon door met hun leven en ontwikkelden hun eigen systeem, inclusief een eigen politie, als je die zo zou kunnen noemen. De Chinese Consolidated Benevolent Association (de Chinese liefdadigheidsvereniging), oftewel de Six Companies, beheerste de levens van de Chinezen in San Francisco tot in detail.

De bewoners van Chinatown vormden een overwegend masculiene samenleving waarin prostitutie en gokken vanzelfsprekend de belangrijkste bedrijfstakken waren. En omdat

Sammy's 'bedrijf' de meeste spierkracht bezat, had hij in feite de touwtjes in handen. Los van de andere Chinese *tongs* werd hij alleen tegengewerkt door Frankie Stutz en het allegaartje van Ierse kwasten als Oakie Doolan, die nooit slim genoeg waren, of nuchter genoeg, om een werkelijke bedreiging te vormen.

Tegen 1.00 uur 's nachts stonden Sammy en ik met zijn tweeën achter in een van zijn dranklokalen aan Stockton. Eerder die avond hadden zijn vrienden ons gezelschap gehouden en gelachen toen we herinneringen ophaalden. Maar naarmate de herinneringen bloederiger en bloederiger werden, hielden ze het een voor een voor gezien. De laatste vertrok toen we vertelden hoe Ah Soons keel werd doorgesneden en dat ze de pik van politiechef Biggy in zijn zak hadden gevonden. Sammy en ik bleven maar doorratelen, waarbij we ons aan elkaar vastklampten van het lachen, en steeds meer van Sammy's vrienden verexcuseerden zich en vertrokken naar huis. In de drukke *fan tan*-kamer werd openlijk en serieus gegokt. Een vent schoof de porseleinen fiches met een zwarte stok over de tafel terwijl een ander, hoog op een stoel gezeten, het geld van de gokkers binnenhaalde.

Sammy was een beetje aangeschoten, net als ik. Waarschijnlijk het gevolg van een onophoudelijke aanvoer van eersteklas Schotse whisky. Mijn hoofd was nog steeds helder, maar de whisky hielp de pijn in mijn gekwetste hand te verdoven. Op een gegeven moment haalden Sammy en ik lachend herinneringen op aan de tijd dat we langs mevrouw Peggano de Rex-bioscoop binnenslopen en ik vertelde hem dat ik Oakie Doolan voor Farruggio's Sausage Factory had beroofd. Plotseling was Sammy weer broodnuchter.

'Was hij daar? Direct na de explosie? Bij Farruggio's?'

'Natuurlijk. Hij moet het zijn geweest. Tenzij hij zijn horloge en portemonnee aan iemand had uitgeleend. En de Farruggio's hadden niet alleen worsten in voorraad.'

Ik toonde hem de hals van de gebroken fles die ik voor Farruggio's in mijn zak had laten glijden. Sammy pakte het stuk glas van tafel en draaide het rond tussen zijn vingers. Hij dronk zijn whisky op en keek naar het lege glas. Terwijl hij nadacht, verscheen er zo'n vage glimlach die sommige mensen hebben als ze meer weten dan jij. Ik heb die glimlach vaak bij anderen gezien. Sammy drapeerde zijn servet over de gebroken flessenhals, pakte de fles whisky en sloeg ermee op het servet. Voorzichtig opende hij het servet, viste de kurk tussen de scherven donkergroen glas uit en bekeek hem van dichtbij. Zoals zoveel Chinezen, naar mijn idee, was Sammy op het gebied van zijn ogen niet helemaal volmaakt. Iemand heeft me eens verteld dat dat kwam doordat ze te veel rijst aten en te weinig hamburgers. Is je dat weleens opgevallen? Sammy hield de kurk tien centimeter van zijn ogen, rolde hem tussen zijn vingers heen en weer en rook er lang en deskundig aan.

'Weet je, Tommy, dit hele godvergeten land is doordrenkt van alcoholisten. Ze kunnen er maar niet genoeg van krijgen. Door de Drooglegging rinkelen de kassa's als sledebellen,' zei hij zachtjes.

'Verdomd als het niet waar is,' stemde ik in, en ik hief mijn glas. Het leek of Sammy en ik dezelfde denkbeelden hadden, ondanks het feit dat Sammy, vanwege zijn duidelijke financiële successen, waarschijnlijk iets enthousiaster was over het principe van het kapitalisme dan mijn cynische en pathetische persoontje. Ik pakte de kurk en bekeek die wat zorgvuldiger. In de bodem was een sierlijke C gebrand. Ik imiteerde Sammy en rook eraan. 'En jij? Doe jij dit soort dingen?'

'Niet echt. Frankie Stutz en de katholieken hebben de illegale drankhandel vrij grondig afgegrendeld, dus is het geen handel die me interesseert. Het is eenrichtingsverkeer van hier naar New York. Natuurlijk neem ik wel het een en ander voor mijn eigen mensen, versterkte wijn, Chinese brandewijn, maar het gaat maar om een paar vaten, alleen voor hier in de buurt. Je weet hoe de Six Companies werkt, Tommy. We zorgen voor iedereen.'

'Van de wieg tot het graf.'

'Welk pleziertje je ook verlangt, wij kunnen het voor je regelen.'

'Ja, vanaf het kruis omhoog.'

Sammy begon een liedje van vroeger te zingen. Hij had werkelijk een verschrikkelijke stem. *'There's three ways to make a bucky, make a bucky...'*

'Feeling lucky, sucky-fucky and Old Kentucky,' maakte ik het couplet voor hem af.

'Gokken, seks en alcohol.'

'De drie fundamenten van de samenleving.'

'En nu we het toch over *sucky-fucky* hebben, zal ik je de Chinese versie van het Herenhuis laten zien?'

Ik geef toe dat ik ooit een zwak had voor Chinese meiden, maar ik zwaaide met mijn verband. 'O nee, Sammy Liu, ik denk dat ik mijn hand naar bed ga brengen.'

32

De volgende ochtend had ik zo'n koppijn dat ik vergat dat mijn hand was veranderd in een zak verbrijzelde botten. Sammy's bodyguards moeten me met een kruiwagen naar bed hebben gebracht. Dat hoopte ik in elk geval. Ik lag daar in mijn nakie en zag met één oog dat mijn kleren keurig opgevouwen op een stapeltje op de stoel lagen. Ik vouwde mijn kleren nóóit op, behalve onder het matras, dus nam ik aan dat iemand anders zich ermee had bemoeid. De gebeurtenissen van de vorige avond trokken weer aan mijn geestesoog voorbij, maar misschien was ik te beschaamd om toe te geven *wíe* me naar bed gebracht had. En het was sowieso Sammy Liu's schuld. Hij had me altijd al van het rechte pad gelokt, sinds mijn negende had hij allerlei ideeën in mijn oor gefluisterd en dat deed hij nog steeds. Ik denk dat ze Su Fu heette, of iets dergelijks. Misschien hallucineerde ik – wie weet wat die kerel met het sikje in mijn Scotch had gedaan? Ik staarde naar de gek in de badkamerspiegel. Mijn ogen leken net gebarsten ruiten en met die gele tong die zou ik op Coney Island heel wat publiek trekken.

Ik borg mijn kleren op in de kartonnen koffer die ik mijn bagage noemde en vertrok geen seconde te vroeg uit dat verlopen logement. De oude man die me mijn rekening gaf, was een van die bluffers die beweerden dat ze hun school hadden afgemaakt, want het was duidelijk dat hij niet kon schrijven. Op de rekening stond alleen 'onderhoud' – een universeel toepasbaar woord dat hij blijkbaar wel kende en dat hij duidelijk voortdurend gebruikte, in plaats van er een paar bij te leren. 'Onderhoud,' had hij op het vergeelde velletje papier geschreven, en het getal zes – het bedrag dat ik hem verschuldigd was. Het dollarteken had hij er handig tussen gefrommeld, natuurlijk. Laten we eerlijk zijn, je kunt er donder op zeggen dat iedereen in Amerika – zelfs de achterlijkste analfabeet – het teken van de slang met de twee strepen door het midden kent.

De grote klok op de toren van het Ferry Building gaf tien voor twaalf aan. Ik had tien minuten voor de veerboot vertrok. Ik betaalde mijn kaartje en sleepte mezelf over de drukke kade naar de aanlegplaats van de veerboot naar Vallejo. Met mijn tas in mijn goede linkerhand stopte ik bij de kiosk om sigaretten te kopen. Toen ik had betaald en een Lucky Strike naar mijn mond bracht, kreeg ik bijna een hartaanval. Daar, op de voorpagina van de *Examiner*, stond een grote foto en een kop die zei: 'Dubbele Maffiamoord.' Ik graaide een exemplaar uit het rek om de foto beter te kunnen bekijken. Aan het einde van een of ander obscuur steegje zag ik twee lijken liggen. Gangsters. Beiden hadden precies midden in hun voorhoofd twee zwartgeblakerde kogelgaten – in maffiataal een simpel geval van twee tweeën. Wat de foto extra gruwelijk maakte, was dat de smerissen die dode kerels bij hun kraag omhooghielden, zodat de fotograaf een mooier plaatje kon maken. Het leek of iedereen tegenwoordig in de showbusiness zat, zelfs de smerissen en een stelletje lijken. Ik had gedacht dat Sammy's jongens Mook Mosso gewoon een aframmeling zouden geven. Misschien een beetje in elkaar meppen of zijn lip openslaan. Maar niet dat ze hem én zijn baas Oakie Doolan zouden vermoorden. Ik bedoel, uiteindelijk had ik de hele toestand in gang gezet door het horloge van die vent te stelen. De dode mannen op de foto staarden voor zich uit als een stel van die enge beelden van Jezus waarover ik je heb verteld. Ze waren dood, maar ze staarden rechtstreeks naar míj. Ik keek omlaag naar mijn hand – de oorzaak van deze slachtpartij. Er sijpelde bloed door het verband, alsof er een ijzeren spijker in mijn handpalm was geslagen. Ik had een stompzinnig horloge van een vent gestolen en nu zat diezelfde vent in een plas van zijn eigen bloed en pis met twee kogelgaten om zijn hersens te luchten. Godsamme, mijn vriend Sammy was nog heel wat gestoorder dan zijn oom Joe.

'Ga je nog betalen, man?' Ik draaide me geschrokken om, verwachtte op zijn minst een smeris. De magere jongeman in de kiosk wachtte geduldig tot ik met mijn goede hand wat kleingeld bij elkaar had gezocht. Het zweet brak me uit en ik keek hem aan alsof ík schuldig was, alsof ik persoonlijk die blauwe bonen in Doolans en Mosso's schedels had gejaagd. 'Wil je dat ik met hem afreken?' Dat was het enige wat Sammy had gevraagd. Ik hoorde het heel duidelijk, met een echo, het galmde door mijn hoofd alsof het uit de luidsprekers op het Ferry Building kwam. Ik hoorde duidelijk hoe hij hun namen op zijn notitieblok kraste. Ik had me niet gerealiseerd dat het een doodvonnis was geweest.

Ik merkte dat ik tegen deze vreemdeling achter de toonbank stond te praten: 'Ik dacht dat hij ze gewoon een aframmeling zou geven. Gewoon een aframmeling. Dat was alles, eerlijk.'

'Hè? Wazzegje, vriend? Heeft iemand je een aframmeling gegeven?'

'Nee, niets! Niets!'

Ik schoof de krant onder mijn arm, greep mijn tas en begaf me op weg naar de veerboot. Toen ik over de pier holde, botste er een kolossale vrouw tegen me op. Haar gezichtsveld werd beperkt door de dode vos die zich rond haar nek had geslingerd. Ik schreeuwde het uit omdat die onhandige vetklomp keihard tegen mijn gewonde hand was geknald en liet mijn koffer vallen.

'Godver... jezus, Maria!' Terwijl ik me op een knie liet zakken, legde de nog kolossalere echtgenoot van de dame een vriendelijke hand op mijn schouder.

'Gaat het, vriend?'

'Het is in orde, echt,' stamelde ik. 'Ik heb een geblesseerde hand. Het is niet uw fout.' De vrouw staarde me aan, ervan overtuigd dat ik knettergek was, en ik neem aan dat ze daar wel een beetje gelijk in had.

'Het is écht uw godvergeten fout niet,' schreeuwde ik alsof ze doof waren. Ik was doodsbang dat Sammy's jongens stonden te kijken en dat dit volkomen onschuldige stel gestraft zou worden voor het simpele feit dat ze tegen me aan waren gebotst.

'Helemaal mijn fout,' zei ik.

Gezien Sammy's meedogenloze efficiëntie was ik bang dat deze arme vrouw al met haar stola van vossenbont aan de hoogste paal op de kade zou bungelen voordat ik een voet op de boot had gezet.

De veerboot spuwde lenswater, de kettingen ratelden en de romp kraakte toen de machines zich in beweging zetten. Onder het overdreven geloei van de scheepshoorn, die zich in mijn ogen identificeerde met Louis Armstrong, want er waren niet echt maritieme redenen voor de hysterische uithalen, maakte de boot zich vervolgens los van de kade.

Op het benedendek kocht ik een kop koffie, liet mijn schoenen poetsen en vond een lege stoel. De dagelijkse veerbootpassagiers waren druk aan het gokken. Deskundig lieten ze houten bordjes op hun knieën balanceren, die dienden als provisorische tafels. Ik borg mijn tas weg en duwde de krant onder de stoel zodat ik er niet meer aan hoefde te denken. Ik was op weg naar Effie. Ik was er niet helemaal van overtuigd dat ze me zou ontvangen. Tenslotte was ik een hele dag te laat.

Door de ruit zag ik dat het silhouet van de stad weer volkomen was veranderd en ik probeerde de nieuwe gebouwen, die nog hoger waren, ertussenuit te halen. In de verte staken overal in de stad half afgebouwde wolkenkrabbers boven de gebouwen uit als de karkassen van rottende vissen. Zo hoog als deze kolossen reikten, zo diep waren de mensen gevallen – behalve degenen die profiteerden van de blunders van deze samenleving. Kerels als Frankie Stutz. Waar zou hij in hemelsnaam aan denken op dit moment, nu twee van zijn mannen met een labeltje aan hun teen in de koeling van het mortuarium lagen? Zou hij op dit moment bezig zijn om mijn kamer in het logement te slopen, zou hij elke plank van de vloer losrukken? Nee, hij had geen flauw benul wie ik was. Maar ik wist maar al te goed wie hij was, de vuile klootzak.

Toen Frank jonger was, wilde hij vioolspelen, of eigenlijk wilden zijn pa en ma dat. De oude Stuzzi, een Italiaan die textiel en kleding importeerde, droomde ervan zijn zoon te horen spelen in het Scala en de opera van Wenen. Het enige probleem was dat Frankie naar zijn omvangrijke Oostenrijkse moeder aardde en haar massieve vingertoppen had geërfd, die geschikter waren om vliegen mee weg te slaan in een koeienstal dan om de noten van een F-majeur uit een Stradivarius te halen. Als je de verhalen moest geloven, klonk zijn spel afschuwelijk.

Als tiener beet Frankie zich vast in elk orkest dat hem wilde hebben, en daar ontmoette hij de toekomstige burgemeester Schmitz, die dirigent was. Sommige mensen zeiden dat Schmitz geen dirigent was – ze zeiden dat het enige waaraan hij leidinggaf een kabeltram was die tussen de draaischijf op Hyde Street en Union Square heen en weer reed. Eugene E. Schmitz klom echter op tot hoofd van de muzikantenvakbond van San Francisco en de jonge Frankie Stutz, zoals die zichzelf noemde, groeide in zijn kielzog uit tot de machtige man achter de schermen die er niet voor terugdeinsde om zijn handen vuil te maken – een baantje waar hij heel wat meer talent voor bleek te hebben dan voor het vioolspel. Met behulp van de vakbonden en de politieke baas Abe Ruef werd Schmitz onder het vaandel van de Union Labor Party tot burgemeester gekozen. Ook de niet-muzikale carrière van de jonge Frankie verliep voorspoedig. Er werd geen hamer opgetild, geen pijp gesoldeerd, geen baksteen neergelegd, geen muur gepleisterd, geverfd of behangen zonder goedkeuring van de vakbond. Maar rond 1906 kregen de meeste mensen door dat Schmitz net zo vals was als de zeemeermin uit de Zuiderzee van de Amerikaanse amusementskoning Barnum. Er deden grappen de ronde dat hij zo veel smeergeld aannam dat hij speciale schoenen droeg om er niet over uit te glijden.

En het lag dus in de lijn der verwachting dat burgemeester Schmitz na afloop van de aardbeving en de brand geconfronteerd werd met 27 aanklachten wegens corruptie en omkoping. Kort daarop werden Ruef en 11 van de overige 18 leden van de Board of Supervisors opgepakt op verdenking van het dwarsbomen van maatregelen tegen corruptie. Deze kerels stonden werkelijk bij iedereen op de loonlijst: van Pacific Telephone en United Railroads tot de Franse restaurants boven de hoerenkasten aan Market Street.

De enige die ze niets ten laste konden leggen, was Frankie Stutz, die het vacuüm in dit verdorven wereldje direct opvulde. Zo vrij als een vogeltje heeft hij zich, met toestemming van de New Yorkse maffia van Masseria, opgewerkt tot de grootste handelaar in illegale drank ten westen van Chicago.

Ik keek opnieuw omlaag naar mijn hand en probeerde mijn vingers te buigen, maar dat deed te veel pijn. Maar ik kon hem in elk geval bewegen, en dat was meer dan die jongens van Frankie die met vier kogelgaten in hun kop op de foto in de *Examiner* stonden konden zeggen.

33

De veerboot kwam tot stilstand tegen de kade en ik nam vervolgens de bus naar Napa Valley. De oude elektrische trein was failliet gegaan, hoewel de rails nog steeds door het dal kronkelden. Terwijl de bus over de weg reed, die parallel liep aan de rails, maakte ik het me gemakkelijk op de achterbank.

Ik opende mijn ogen en wist niet hoelang ik had geslapen. Door het raam van de bus zakte de rode avondzon snel omlaag, bloedend in de bleekgroene nevel aan de horizon. We reden door het wijngebied.

De mensen kwamen overal vandaan om zich hier te vestigen, in de hoop dat ze eenzelfde soort bodem en klimaat zouden aantreffen als ze in Europa hadden achtergelaten. Het land dat hun familie eeuwenlang had bewerkt, dat zij nooit zouden bezitten. Maar hier in Californië konden ze hun eigen land bezitten, evenals hun eigen wijngaarden. En de opbrengsten van hun inspanningen waren geheel voor henzelf. Nou ja, dat was de theorie. Als je Chinees was, mocht je nog geen emmer kiezel in je bezit hebben, en sinds ze in 1892 die belachelijke immigratiewet hadden aangenomen, waren ze zelfs niet meer welkom in Amerika.

Eerst kwamen de Spanjaarden, toen de plichtsgetrouwe Chinezen. Deze stille, volgzame werkers werden vervangen door de hysterische Italianen, de gesloten Zwitsers, de stoïcijnse Mexicanen, de pretentieuze Fransen, de gestoorde Duitsers, de vriendelijke Grieken en de raadselachtige Armeniërs. Sommigen kwamen als vluchtelingen, die alles wat ze bezaten meedroegen in hun koffers, maar de meesten hadden karrenvrachten vol bagage bij zich en trokken direct verder naar de heuvels en de valleien. Ze klampten zich vast aan de wijngaarden om tenminste iets van hun snel vervagende verleden te verbinden met een hoopvolle toekomst. Boven hun hoofd zagen ze vriendelijke en voorspelbare luchten; ten westen dreef verkoelende mist landinwaarts vanaf de oceaan en onder hen rustte de vergevingsgezinde rode aarde – het magische mengsel van modder, slib, zand en kiezel dat de gevoelige aanplant zou voeden. Als ze hard genoeg werkten en een beetje geluk hadden, zouden die prille plantjes de kostbare druiven voortbrengen waarvan zij en hun gezinnen goed zouden kunnen leven.

Maar zoals voor zoveel hardwerkende Amerikanen in die moeilijke tijden, bleek dat de Amerikaanse droom niet tegen het onbarmhartige licht van de realiteit bestand was. Eerst was de druifluis *phylloxera* de meest gevreesde ziekte in elke wijngaard, toen kwam de door mensen veroorzaakte ziekte genaamd Drooglegging hun levens binnensluipen. Die tekende het doodvonnis voor de belangrijkste bron van inkomsten van de meesten van hen. Uit naam van de 'moraliteit', het fatsoen, de matigheid en een alcoholloze samenleving legde een handjevol zeloten zijn wil op aan een hele natie, met verwoestend resultaat. De mensen in het wijngebied verwachtten niet dat de nieuwe wet werkelijk iets aan hun bestaan zou veranderen. Het was tenslotte wijn, *aqua vitae*, levenswater – niet die smerige, slecht gestookte sterkedrank die ze in de goedkopere cafés schonken. Wijn is heilig, nietwaar? De discipel Paulus heeft gezegd dat het 'de goede schepping van God' was – niet het urinoir-bocht dat je in de beker van de een of andere zuipschuit aantrof. Tweehonderd jaar eerder hadden de franciscanen hun druivenstekken geplant en de druiven geoogst. Ze dachten dat wijn hun de mysteriën van God zou openbaren. Was wijn de afgelopen zesduizend jaar soms niet de uitverkoren drank van de mens geweest? Stond er niet in de bijbel: 'Wijn die het hart van de mens verblijde.' 'Nee,' brachten de droogleggers daartegen in, de bijbel zei duidelijk: 'Het bijt als de slang en steekt als een adder. De wijn mag dan van God komen, de dronkaard komt van de duivel.' Een paar bejaarde dames die de bijbel fout citeerden, waren toch niet in staat om de geschiedenis te veranderen? Maar dat deden ze wel.

In Yountville stapte ik uit de bus, stak de straat over naar de benzinepomp en liep meteen door naar een telefooncel. Na een korte telefonische jacht door Chinatown kreeg ik uiteindelijk Sammy Liu te pakken.

'Sammy, heb je ze vermoord?'

'Wie heb ik vermoord?'

'Oakie Doolan en Mook.'

Hij lachte. 'Nee, te netjes. Niet smerig genoeg voor Chinezen. Hun hoofden zaten er nog op.' Hij lachte opnieuw, nog harder.

'Maak nou geen grapje, Sammy, ik ken je.'

'Je vleit me, Tommy.'

'Wie weet wat Stutz nu zal doen?'

'Ja, wie weet? Dit soort dingen is erg irritant.'

'Irritant? Die gozers gingen gebukt onder een hoofd vol

kogelgaten, we hebben het niet over een paar blaren onder hun voeten.'

'Rustig maar, Tommy. Ik heb het niet gedaan.'

'Hoe weet ik dat jij er niet achter zat?'

'Omdat ik niet zo stom ben.'

Hij had gelijk, hij was het niet, en dat leek de meest logische reden om hem te geloven.

'Maar wie heeft het dan wel gedaan?'

'Waarschijnlijk lui van buiten de stad die door de Farruggio's zijn gestuurd. Misschien waren ze kwaad omdat hun winkel over heel Kearny Street verspreid lag. Zou jij niet kwaad zijn?'

'Absoluut.'

'Misschien gaven ze Doolan de schuld, hij was daar die avond. Jij hebt zijn horloge gestolen, weet je nog wel?'

'Dat weet ik nog, ik heb nog steeds een gebroken hand die me daaraan herinnert.'

'Wil je naar mijn dokter?'

'Ja, de volgende keer dat ik in de stad ben, misschien.'

We namen afscheid. Ik hing de hoorn op de haak, liep naar binnen en kocht een flesje prik bij de dame achter de toonbank. Het was een lange wandeling naar Effies huis en na ongeveer anderhalve kilometer stopte ik even om op adem te komen en een Lucky Strike aan te steken. Ik zat op mijn koffer en keek naar de velden beneden me in de vallei. De laatste keer dat ik hier was geweest, wemelde het tussen de rijen wijnstokken van de arbeiders en was de lucht vervuld van de klanken van verschillende talen: Chinees, Italiaans, Grieks en een paar vreemde talen die aan keelkwalen deden denken. Toen stonden de wijnstokken nog maagdelijk trots en gezond als soldaten op een rij, hun bladerrijke takken bogen door onder het gewicht van rijpe druiven. Maar nu, in de tiende winter van de Drooglegging, zag alles er wat triester uit. Sommige boeren hadden hun wijnstokken weggehaald en de velden beplant met abrikozen, vijgen, peren en pruimen. Anderen hadden de kostbare wijndruiven vervangen door consumptiedruiven. Maar het meeste land lag braak, met lange rijen onverzorgde en kwakkelende wijnstokken: onder de meeldauw, gebroken en stervend aan grauwe schimmel en verwaarlozing.

'Op 16 juli 1920 vanaf 0.01 uur is het eenieder verboden om sterkedrank te vervaardigen, te verkopen, te ruilen, te vervoeren, te importeren, te exporteren, te verzenden, te bezorgen of te bezitten.' Dat stond er in het Achttiende Amendement, en het was de doodssteek voor deze ooit zo lieflijke vallei. Hoewel niet voor iedereen, zo leek het.

Achter een bocht in de weg zag ik tot mijn verrassing vele rijen perfect onderhouden druivenplanten, netjes bijgeknipt en gesnoeid voor de winter. De bodem tussen de rijen wijnstokken was overdekt met een tapijt van mosterdzaad. Het leek of iemand erin geslaagd was zich niets van de Drooglegging aan te trekken.

Ongeveer twee kilometer verder bekeek ik de kaart die Rosa voor me op een papiertje had gekrabbeld en sloeg vervolgens een weg in die zich steil omhoog naar Effies huis slingerde. Deze zandweg zat vol diepe kuilen en de eens zo goed onderhouden bermen, die in de lente wemelden van de bloemen, lagen er nu treurig bij en waren overwoekerd met onkruid.

Op het geschilderde bordje op de paal stond eenvoudig: 'Eichelberger-Monticule.' Aan weerszijden van de weg lagen twee kleine heuveltjes waar geen wijnstokken maar kool op groeiden. En eigenlijk leek het in zijn geheel meer op een verwaarloosde koolboerderij dan op een wijngaard. Een oud model Fordson-tractor lag weg te roesten in de berm, het vervallen karkas diende als comfortabel onderkomen voor de uit de velden gevluchte dieren.

Ik liep verder tot ik het hoogste punt van de heuvel had bereikt. En toen werd het me allemaal duidelijk. Door de laaghangende mist zag ik een kleine, maar ongerepte verborgen vallei waar Effies vader, de oude Kazarian, op steile terrassen zijn wijnstokken had geplant. De rijen volgden de contouren van de heuvel en de lijnen van een of andere onderaardse bodemkaart in zijn hoofd. Het was maar een klein deel van het gebied dat ooit door wijnstokken bedekt was geweest, maar het restant was een juweeltje. Aan de horizon verrezen de silhouetten van platanen en Californische eiken, en voor het huis bevonden zich een rij olijfbomen en een kleine boomgaard. Ik begreep waar Effies pa mee bezig was: de hele plek bestond bij de gratie van misleiding. Niets ontmoedigde de controleurs van de Drooglegging meer dan een steile heuvel en een weg vol diepe kuilen. Zelfs als ze het voor elkaar kregen om het hek te bereiken, zouden ze alleen een trieste koolboerderij, een roestige Fordson en een steile heuvel zien. En dan zouden ze zeker rechtsomkeert maken.

Achter het huis waren de wijnstokken ondergeploegd en vervangen door een uitgestrekte aanplant van groenten. Aan het einde van de oprit stond het oude huis, de onderkant was opgetrokken uit roze-achtige vulkanische lava en daarboven reikten verbleekte, roestrood geschilderde overnaadse planken tot aan het dak. Het huis had zijn waardigheid behouden en zag er bijzonder indrukwekkend uit – hoewel niet helemaal schoon. Het was overdekt met de sprieterige, bladerloze wintertakken van de wilde wingerd, die zich rond de luiken slingerde.

Zenuwachtig trok ik de knoop in mijn stropdas recht en liep op de voordeur af. Ik moest goed opletten dat ik niet op een van de tientallen kippen trapte die los door de tuin scharrelden. Met mijn goede hand klopte ik op de deur en veegde een paar kippenveren van mijn broek.

Meneer Kazarian deed open. Ik glimlachte en stelde mezelf voor, maar óf hij mocht me op het eerste gezicht al niet, óf hij was buitengewoon wantrouwend tegenover vreemdelingen. Het zou allebei zeer begrijpelijk zijn.

'Dag, ik ben Tommy.'

'Tommy?' Hij staarde me aan alsof ik een overheidsambtenaar was. Dit was een man die niet gewend was dat bezoekers de heuvel beklommen en aan zijn deur klopten. Een paar seconden lang, misschien zelfs een paar minuten, stond hij me van top tot teen op te nemen.

'Tommy Moran... Ik ben een vriend van Effie. Is ze thuis?' probeerde ik.

Zijn haar was volkomen wit geworden sinds ik hem de laatste keer had gezien, maar het was nog steeds een indrukwekkende man met een sterke, rechte rug en een heldere blik in zijn diep weggezakte ogen. Zijn doordringende bruine ogen werden overwelfd door een paar indrukwekkende borstelige wenkbrauwen, die maakten dat ik instinctief mijn hoofd boog en naar mijn voeten keek. Hij had een rood gezicht en een hoofd als een kokosnoot op een telegraafpaal, zo klein was het, en bovendien stond het op een stevige, gerimpelde, lederachtige nek. Ik vermoedde dat de meesten van ons de afgelopen tien jaar minstens twintig jaar ouder waren geworden, maar de oude Armeniër was, net als zijn wijnstokken, op een mooie manier oud geworden.

Hij gebaarde me binnen te komen, waaruit ik opmaakte dat hij me verwachtte. Ik voelde me een beetje verwijfd toen ik mijn goede linkerhand uitstak. Zijn ruwe werkmanshanden voelden aan als een pond walnoten en man, wat was hij sterk. Hij kneep zo hard in mijn linkerhand dat ik even dacht dat hij Mook Mosso's werk aan mijn rechterhand probeerde te overtreffen.

Terwijl hij de deur verder opende, knikte hij vaag met zijn hoofd in de richting van wat Minneapolis had kunnen zijn. Ik volgde hem naar binnen. In het ruime woonvertrek knikte hij opnieuw, ditmaal om aan te geven dat ik moest wachten.

Hijzelf liep door de hoge klapdeuren naar buiten, naar het erf. Ik bleef midden in de kamer staan en wist niet wat ik moest doen. Het vertrek werd verwarmd door een grote houtkachel die in de hoek stond te branden. De kamer liep over in de keuken, waar aan de muur een afbeelding van het Heilige Hart en een schilderijtje van paus Pius XI hingen. Op een gewreven walnoten radiotoestel stond een gietijzeren beeld van een Duitse herdershond, die zijn plek deelde met een plastic kinderversie. Na nauwkeuriger onderzoek bleek het gietijzeren beeld voorzien van een plaatje waarop stond: 'Rin Tin Tin.'

Ik stond daar vijf, misschien tien minuten te wachten. Ik bewonderde het borduurwerk op de stoelen en bekeek de ingelijste foto's op de schoorsteenmantel. Op enkele kinderfoto's stond Effie naast haar moeder en vader in gelukkiger tijden. Op een andere foto stonden mevrouw Abruzzinni en Effies moeder als lachende tieners. Aan mijn ontdekkingstocht kwam een einde toen ik een kinderstem hoorde.

'Hoi.'

Ik draaide me om en zag een klein meisje dat eerlijk gezegd totaal niet op Effie leek, behalve dat ze even prachtig was. Ze had donker, kastanjebruin haar en ik nam aan dat dit Effies dochter was.

'Hoi, hoe gaat het met jou? Ik ben Tommy.' Wederom stak ik onhandig mijn linkerhand uit, wat ze nogal vreemd vond. Ze besloot hem ook maar met haar linkerhand te schudden.

'Ik ben Mara. Mam zegt dat je naar de wijnmakerij moet komen.'

Een oud grapje luidt dat je kunt zien of iemand in een wijnmakerij werkt doordat hij altijd paarse voeten heeft. Nou, Effies voeten waren niet paars, maar haar benen en handen wel. Ze stond boven op een ladder die tegen een enorm roodhouten vat leunde. Ze hield een kleine handpomp vast en een lange slang, die de wijn van de bodem van het vat over het oppervlak van het fust liet vloeien. Effie sprong naar beneden om me te zoenen en ik omarmde haar met mijn goede arm, nauwlettend gadegeslagen door een waakzame Mara. Effie hield haar natte armen in de lucht terwijl we knuffelden en ze zag dat ik mijn hand zorgvuldig beschermde.

'We hadden je gisteren al verwacht... Wat is er met je hand gebeurd?'

'Eh... stom ongeluk... je weet hoe dat gaat met een krik, die kun je nooit vertrouwen.' Wie hield ik nou voor de gek? Ik had niet eens een auto.

'Alleen een paar gebroken botten. Niets ernstigs.' Ik zwaaide met mijn hand, ving Mara's glimlach op en realiseerde me hoe idioot die met verband omwikkelde Chinese peddel eruit moet hebben gezien.

'Ik kan pingpong spelen zonder batje. Het is zo over. Hoe gaat het met jou? Hoe gaat het met de kneuzingen van de Studebaker?'

Effie tilde haar rok omhoog om haar schitterende benen te onthullen. Ik voelde me een beetje opgelaten met Mara in de buurt, maar ik keek toch.

'Het geneest snel, hoewel ik denk dat ik mijn knie verdraaid heb met het dansen. Dus jullie tweeën hebben al kennisgemaakt?'

Mara en ik knikten. Ik knipoogde vriendelijk naar haar en ze knipoogde terug. Nou ja, het was een soort van knipogen – ik denk dat ze nog niet helemaal doorhad hoe dat moest – want met een snelle beweging opende en sloot ze beide ogen, zonder veel succes. Misschien probeerde ze mijn hangende ooglid te imiteren. We giechelden. Ik had de indruk dat ze me aardig vond.

34

Effie ging me voor naar een kamer op de zolder boven de wijnmakerij. Ingeklemd tussen de dakspanten stonden twintig veldbedden voor twintig arbeiders, maar vannacht zou ik de enige gast zijn. Met enige moeite duwde Effie de ramen open, die uitzicht boden op de gezonde kant van de wijngaard.

Ze rook aan de dekens die op een stapel aan het voeteneinde van het matras lagen en trok een vies gezicht. 'Ik zal deze een poosje uithangen,' zei ze. Met een hoofdknik uitte ik mijn goedkeuring over mijn nieuwe verblijf.

'Fijne plek, mooi uitzicht.'

'Aardige mensen. En zoveel eten als je op kunt,' voegde ze daaraan toe. De kleine Mara stond bij de deur en nam me met strakke blik van top tot teen op, niet zeker wetend of ik een vriend of een vijand was.

'Er is een wasruimte aan het einde van de gang. Het loodgieterswerk is niet fantastisch, maar ik denk dat er wel een straaltje water uit de douche komt. We eten om halfacht.'

'Klinkt prima.' Ik glimlachte en knipoogde naar Mara, die mijn knipoog opnieuw en wederom met weinig succes probeerde te beantwoorden.

Ik nam een douche, trok mijn schone witte shirt aan, rolde de mouwen op om de gerafelde manchetten te verbergen en ging naar buiten voor een wandelingetje. Ik zag Effie, die iets op de barbecue klaarmaakte, en de oude man, die nog steeds stond te spitten in zijn groentetuintje. Man, dit waren hardwerkende mensen. Ik maakte een rondje om het huis en de schuren, daarbij begeleid door een schurftige, maar vriendelijke hond van een onbestemd ras. Ik volgde het zandpad door het verwaarloosde gedeelte van de wijngaard. In een kleine, omheinde wei stonden een kastanjebruine Belgische merrie, een geit en twee varkens vreedzaam naast elkaar. Ik hield de geit een bebladerde tak voor waarop hij zou kunnen kauwen, maar in plaats daarvan likte hij aan mijn verbonden hand, de geur van de Chinese zalf was blijkbaar aantrekkelijker. Ik hoorde gegiechel en toen ik opkeek, zag ik drie Mexicaanse kinderen die me vanaf de andere kant van de wei stonden uit te lachen. Achter hen ontwaarde ik een kleine hut van overnaadse planken. Ik liep ernaartoe om me voor te stellen, en tot mijn verrassing leken ze te weten wie ik was en waarom ik daar was. Hun vader, Isaias, en zijn zwangere vrouw Calida, werkten al vijf jaar voor Kazarian. Calida kwam naar buiten met een blad vol empanada's en drong erop aan dat ik er eentje proefde. Ik nam een hap en dacht dat mijn verhemelte in brand stond. Ik glimlachte, complimenteerde haar met haar bakkunst en vervolgde mijn weg heuvelopwaarts.

Vanaf de top keek ik naar beneden, naar de vallei. Ze hadden een zwaar leven daar beneden, dat zeker, maar er stond ook het een en ander tegenover, waaronder dit schitterende uitzicht. In de verte zag ik de vage contouren van Mount Helena en terwijl ik daar zat, probeerde ik Napa en Yountville te ontdekken. Ondertussen streelde ik de kop van mijn nieuwe, harige vriend. Ik had mijn hele leven in de stank van de stad doorgebracht, ik had altijd met mijn neus in stinkende oksels en opdringerige make-up gezeten om mijn werk te kunnen doen. Ze zeggen dat de neus snel uitgeput is, maar soms moest ik mijn handen tien minuten achtereen boenen om het zweet van andermans lichaam kwijt te raken. Boven op de heuvel opende ik mijn mond en liet ik frisse lucht binnenstromen. Het voelde goed en ik wilde meer. De mussen en de spreeuwen kwetterden vrolijk en de wind blies zachtjes in mijn gezicht. Voor de eerste keer in mijn leven dacht ik dat het mogelijk was om een klein beetje tevreden te zijn. Misschien, Hoagie, kon een krab wél leren om vooruit te lopen?

De tafel was al helemaal gedekt voor het avondeten. Ik ging zitten en probeerde een luchtige conversatie te beginnen met meneer Kazarian. Maar hij maakte het me niet gemakkelijk. Eerlijk gezegd heb ik zelfs met houten indianenbeelden in sigarenwinkels wel boeiender gesprekken gevoerd. Ik vertelde hem dat ik door het land had gereisd en vele baantjes had gehad, maar omzeilde de volledige waarheid op dat punt. Ik meende dat hij al wantrouwend genoeg was zonder dat ik hem botweg vertelde dat zijn gast een armzalige dief was met een verleden dat nog onbetrouwbaarder was dan de rivier de Kickapoo. Niet dat ik me schaamde voor wie ik was of voor wat ik deed. Als je zoals ik je hele leven hebt liggen watertrappelen in de drek en de modder van de maatschappij, wist je dat er overal in de wereld rotzooi was, hoezeer men dat ook probeerde te verbergen onder opzichtige tooi. Maar de oude Kazarian was anders. Hij was een goede man met een ongecompliceerde waardigheid, en als je met hem aan tafel zat, leek het op de een of andere manier of je schoon was, of het een voorrecht was of zoiets. Ik mocht hem onmiddellijk, hoewel ik niet wist of dat gevoel wederzijds was.

Na het eten bracht Effie haar dochter Mara naar bed. Kazarian was iets milder geworden door de twee flessen die er tijdens het eten door waren gegaan en bood me nu een glas van zijn kostbare cognac aan, die hij achter slot en grendel bewaarde in een enorme eikenhouten kast in de keuken.

'Kaz,' zei hij, 'iedereen noemt me Kaz.'

'Bedankt, Kaz.' Ik had het gevoel dat ik vooruitgang boekte bij de oude man.

Langzaam goot ik de cognac naar binnen en terwijl het vocht omlaag sijpelde voelde ik me warm worden. Ik haatte cognac – mijn ingewanden raakten er altijd compleet door van slag – maar het was zijn eerste vriendelijke gebaar, dus keek ik wel uit om het af te slaan. De oude man staarde over zijn kostbare wijnstokken. Zijn donkere ogen keken eerder kwaad dan verdrietig.

'Hoe lang bent u hier al?'

'Met Allerheiligen 23 jaar, sinds november 1907.' Zijn totnogtoe perfecte Engels werd nu vertroebeld door een Armeens accent, dat steeds sterker leek te worden naarmate de avond vorderde en hij meer cognac achteroversloeg. 'En misschien is dit wel het laatste.'

'Gaan de zaken zo slecht?' Vreemd toch, dat je altijd van die idiote dingen zegt als je je medeleven probeert te tonen. Heb je dat weleens opgemerkt? Alleen een blinde zou niet hebben gezien dat de oude Armeniër, net als de meeste mensen in de vallei, tot zijn nek in de puree zat en dat hij geen enkele mogelijkheid had om zich eruit te werken. Hij haalde zijn schouders op en slaakte een diepe zucht die op harmonieuze wijze werd begeleid door zijn door tabak aangetaste bronchiën. Zijn ogen staarden in de verte, vol van de verwarring die een sterke, trotse man voelt als hij is overgeleverd aan een onvermijdelijke nederlaag. Hij had te veel uren, dagen en jaren van zijn leven in dit land gestoken om de vruchten van zijn inspanningen nu als een handvol rode aarde door zijn vingers te laten glippen.

'Het is nog erger dan erg. Als de bank het niet inpikt, doen de insecten het wel.' Toen hij zijn glas naar zijn mond bracht om het leeg te drinken, tikte het kristal tegen zijn tanden. 'Nooit gedacht dat het zo zou eindigen, maar...' De oude man haalde zijn schouders op en hees zich overeind, met zijn armen gebaarde hij dat hij niets meer te zeggen had.

Hij praatte er niet graag over, en wie nam hem dat kwalijk? De cognac hielp hem door de nacht en de kater van de volgende morgen was een goed excuus om zijn oude, Armeense armen uit de mouwen te steken, tot hij opnieuw neerviel van uitputting. 'Goedenacht.'

Slingerend liep hij naar de achterkant van het huis, hij schopte naar de hond die hem voor de voeten liep en ging naar bed. Zachtjes, en naar ik aannam in het Armeens, vervloekte hij de hond. Welke taal het ook was, het dier leek hem te begrijpen en maakte dat hij wegkwam. De oude man sloot de deur van zijn slaapkamer naast de trap. Nog steeds hoorde ik hoe hij zachtjes liep te vloeken en harde winden liet.

Effie kwam terug uit de keuken met een nieuwe fles wijn. Nadat we onze koffie hadden opgedronken, nam ze haar jas van een haak en gaf mij een uitgelubberde en versleten tweedjas, die, afgaande op de geur, voordien van de hond was geweest. Met de fles en twee glazen in de hand beklommen we de heuvel. We gingen zitten en keken omlaag over de vallei.

In de nachtelijke hemel zetten de sterren hun beste beentje voor, alsof ze alleen voor ons tweeën bestonden.

'Het is erg vredig hier op de heuvel,' zei ik. 'Ik ken een vent die ergens daarboven is, iemand die ik onderweg heb ontmoet. Het lijkt erop dat hij zijn eigen Coney Island heeft geopend in de hemel.'

Effie lachte en schonk mijn glas vol.

'Hoe heette hij?'

'Hoagie... nou ja, afhankelijk van welke dag van de week het was. Soms heette hij Illyich. Hij zei dat hij uit Rusland kwam, maar ik denk dat het Philadephia was.'

'Was hij een vriend van je?'

'Dat was hij. Hij heeft me een heleboel geleerd... Hij stierf onder een trein ergens tussen Kansas en Missouri.'

'Heeft hij je geleerd hoe je moest stelen?'

'Min of meer.' Ik haalde mijn schouders op en keek naar de hemel toen ik uit Hoagies boek citeerde:

'Als hij sterft
Neem hem mee en snij hem tot kleine sterren,
En hij zal het aangezicht van de hemel zo mooi maken
Dat de hele wereld de nacht zal liefhebben...'

'Dat is mooi.'

'Ja, goeie ouwe Hoagie, hij heeft me ook leren lezen.'

'Kon je werkelijk leven van wat je van mensen stal, Tommy? Ik kan me niet voorstellen dat dat alles was wat je deed.'

Ze vroeg het op een vriendelijke toon en met een begrijpende glimlach die veel milder was dan ik verdiende.

'Dat is alles wat ik deed... omdat het alles was wat ik kon, en ik had het idee dat iedereen op de een of andere manier je portemonnee leegroofde... de omgekeerde wereld, ik weet het… maar het hield me op de been. Soms lag ik laat op de avond in bed in een of ander obscuur plaatsje en dan vroeg ik me af waarom ik het allemaal tussen mijn vingers door had laten glippen. Eenzaamheid kan je verdoven, je ziet de wereld niet meer als een normaal persoon… ik was een blinde man die over een schutting gluurde.'

Effie glimlachte liefjes, maar ik wilde niet dat ze medelijden met me had. Ze luisterde geduldig terwijl ik onsamenhangend over mijn dubieuze, maar avontuurlijke leven vertelde: hoe ik bijna werd platgedrukt tijdens de wake voor Valentino, dat ik de Niagara Falls had gezien, de Kentucky Derby, een bokspartij met Dempsey, de grotten bij Glasgow, Laurello's ronddraaiende hoofd op Coney Island. Man, ik had zelfs gezien hoe ze een olifant ophingen in Tennessee. De Mackintosh-tweeling en hoe Soapy Marx' Romola-elixer de genitale prestaties kon verbeteren liet ik achterwege. Ik weet dat het soms een grotere leugen is om de waarheid achter te houden, maar ooit zou ik haar alles vertellen. Effie moest mijn gedachten hebben gelezen, want ze reageerde direct: 'Ben je ooit verliefd geweest onderweg?'

'Nee. Dat is nooit gebeurd… Ik had altijd het idee dat liefde een soort… niet iets voor mij… te kwetsbaar… als een glas whisky dat zo makkelijk omvergeslagen kan worden als het op de bar staat.'

Effie trok haar wenkbrauwen op en nam een slokje van haar wijn.

'En jij?' vroeg ik.

'Nee,' verdrietig schudde ze haar hoofd. 'Te druk met de wijngaard… voor mijn pa zorgen…' Ze slikte de rest van haar woorden in en staarde omlaag over de vallei. De lange schaduwen die uit de gesnoeide wijnstokken tevoorschijn kropen, waren nog langer geworden, als de vingers van een reusachtige heks, en nu slopen ze over de helling naar ons toe. Na een lange stilte moest ik de vraag stellen: 'En Mara? Ik neem aan dat ze een vader heeft?'

'Ik neem aan van wel.'

'Was hij van hier?'

'Ja en nee.'

'Waar is hij heen gegaan... waarom is hij vertrokken?'

'Philadephia of daar ergens in de buurt, ik weet het niet zeker.'

'Was je niet verliefd op hem?'

'Het was een vergissing... ik kan er niet over praten. Het spijt me.'

'Hindert niet...' Haar glimlach was verdwenen en ik kuste het geheim van haar tranen weg.

'Zoveel verspilde jaren, Tommy.'

'Ik weet het,' fluisterde ik. 'Ik heb vaak aan je gedacht, dat je op die rode bank zat te wachten. Ik vroeg me af wat voor soort leven je had... Ik was altijd van plan om terug te komen, Effie, maar... ik werd gepakt door een smeris op de trein die mijn kaak kapotsloeg met de achterkant van zijn geweer.' Ik vertelde haar over Mose en Dex en zijn vrouw met de apenootogen. En hoe ik was flauwgevallen en in Fresno ontwaakte toen de wagondeur openging en dat er toen een stuk of tien spoorwegagenten voor de ingang stonden met slingerende lantaarns en getrokken geweren.

'Mose moet van de trein gesprongen zijn toen die afremde bij Madera. Ze vonden een smeris met een gebroken nek langs de spoorlijn en een rondtrekkende arbeider met zijn ingewanden binnenstebuiten, maar dat beantwoordde niet al hun vragen. Dex' vrouw begon hysterisch te krijsen toen de afschuwelijke waarheid eindelijk tot haar doordrong. Ze gaven me zestig dagen voor landloperij en wat extra op grond van een of ander belachelijk juridisch gekonkel waardoor ze mijn gebroken kaak en de twee dode lichamen konden verklaren. Ik heb een jaar in de gewestelijke gevangenis van Fresno gezeten. Ik denk dat Big Mose naar Kern County is getrokken om zijn aardappels te oogsten.'

Effie boog zich voorover en vergaf me met een kus. 'Ja, je kin ziet er inderdaad een beetje gehavend uit.'

Op mijn zolderkamer verontschuldigde ze zich opnieuw voor de muffe geur van de dekens. Ze haakte haar mousselinen jurk los en hij viel in kronkels op de grond. Ze stapte uit haar satijnen onderrok en panty's en gleed onder dekens van het stalen veldbed.

Tegen de tijd dat de haan de nieuwe dag aankondigde, was ze vertrokken.

35

Op de tweede avond van mijn verblijf had de oude man tien stoffige wijnflessen op een rijtje op tafel gezet. Ik zag hoe hij op het erf achter het huis de lucht opsnoof en een stil gebed uitsprak, terwijl hij toekeek hoe de mist langs de helling naar boven dreef en zich precies op de juiste hoogte installeerde om verkoeling te brengen zonder de wijnstokken te schaden. Mara en Effie zaten aan tafel en plukten een kip.

'Verwacht je gasten?' vroeg ik.

'Nee, hij wil dat je zijn wijnen proeft.'

'Tien flessen?'

'Je hoeft ze niet allemaal te proeven. Dat hoop ik tenminste.'

Tijdens het avondeten opende de oude Kaz een voor een de flessen. Zijn hele leven stond in het teken van de wijn en hij had ervoor gezorgd dat dat ook voor Effie gold. Deskundig loodste ze me door alle rituelen, en man, man, wat smaakte die wijn goed.

'Je moet het glas van onderen vasthouden, bij de voet. Hou het tegen het licht en kijk naar de kleur. Wat zie je?'

'Rood?'

'Geen rood,' zei Kaz. 'Robijnrood, granaatrood...'

'Het donkerste kersenrood,' zei Effie. 'Nooit rood. Brandweerauto's zijn rood, en bloedneuzen.'

'Laat de wijn nu in je glas walsen.'

Ik gehoorzaamde, terwijl Effie en de oude Kaz in de kelken van hun eigen glazen staarden.

'Zie je de lijnen op het glas – de tranen? Sommige mensen zeggen dat hoe meer tranen, des te groter de magie.'

'Hoe meer tranen, des te groter de magie...' herhaalde ik, terwijl ik het nog nooit eerder in kaart gebrachte gebied in mijn glas bekeek.

'En des te meer alcohol. Nu ruiken.' De oude man stak zijn neus zo diep in het glas dat hij de wijn bijna raakte. Ondertussen snoof hij het bouquet op alsof hij een junkie was in een van Sammy Liu's opiumkits.

Effie ging onverbiddelijk verder met haar les. 'Nu proeven.'

Zenuwachtig nam ik een slokje en slikte het meteen door.

'Nee, niet doorslikken,' zei ze. 'Neem nog een slokje en laat dat als het ware door je mond zwerven.' Ik gehoorzaamde.

'In je wangen. Daar eerst. Wat proef je?' Plichtsgetrouw zoog ik mijn wangen naar binnen. Ik zoog zo hard dat ik er scheel van zag. Effie en Mara moesten lachen, net als de oude man, die vervolgens een harde en ongecontroleerde scheet liet en daarmee Mara's laatste weerstand tegen de slappe lach onderuithaalde.

'De tannine. Het is de bedoeling dat je de tannine in je wangen proeft. Die moet de mond doen samentrekken.' Wat een tannine ook was, ik kon het proeven. Ik knikte.

'Goed, doorslikken. Wat proef je nog meer?'

'Fruit.'

'Ja, wat voor soort fruit?'

'Pruimen?'

'En?'

'Kersen?'

'Welke?'

'Allebei?' Ik nam het zekere voor het onzekere.

'Goed. En...'

'Misschien... misschien iets wrangs achter in mijn keel... een soort... scherpte?'

'Dat is de alcohol,' zei Kaz.

'Ja.' Ik fronste mijn wenkbrauwen.

'Nee, dat is goed. Dat hoort zo.'

'En, vind je het lekker?' vroeg de oude man.

'Ja zeker, ja zeker,' stamelde ik. Ik zette mijn glas neer; de inwijding had me volledig uitgeput. Het was alsof ik tegen een waterval omhoog was gezwommen, in mijn eentje per vliegtuig de Atlantische Oceaan was overgestoken, zestig homeruns in een seizoen had gescoord in Rec Park. Ik zuchtte diep en Effie leunde voorover om me op mijn mond te kussen, voor de ogen van de oude man, voor de ogen van Mara en voor de ogen van de afbeelding van het Heilige Hart. Ik begon me al aardig thuis te voelen.

Op de derde dag liet de oude man me zijn schat zien. Het was een oude, vervallen schuur van overnaadse planken met een schuin afdak, die half in de helling was gebouwd. Binnen schoof Kaz een brede, eikenhouten deur opzij waarachter lange, donkere gangen bleken te liggen, die vijftig jaar eerder in de heuvel waren uitgegraven. Trots toonde hij me de houten rekken waarop zijn wijn in tonnen en vaten lag te rijpen. Mijn neus sloeg op hol van alle geuren – vochtig en schimmelig, maar niet zuur. Het was de geur van de aarde, van pruimen en ceder – als in een sigarenkistje. Op elk eikenhouten fust had hij met kalk een merkteken aangebracht: 'Cab' en 'Pin' met cijfers en enkele Armeense krabbels die alleen hij kon ontcijferen. Daarnaast zag ik honderden flessen, hoog opgetast en onder het stof en de spinnenwebben. Nadat de oude man een fladderende vleermuis had verjaagd, sloeg hij met een hamer de houten stop uit een van de fusten. Hij pakte een instrument met een rubberen bol aan het eind en zoog een beetje wijn in een kom. Vergenoegd snoof hij de geur op en gaf de kom vervolgens aan mij. Kaz had deze wijn al voor de Drooglegging apart gehouden. En nu lag het kostbare vocht hier te rijpen, werd het beter en beter, terwijl het leven van de oude man slechter en slechter werd. Elk jaar hadden hij, Effie, Isaias en Calida de wijnstokken verzorgd, waarbij ze alleen tijdens de herfstoogst wat extra hulp inhuurden. De oude man maakte zijn wijn en hield een klein gedeelte van de opbrengst apart. Hij vermengde de inhoud van de oude met de nieuwere fusten. Hoewel ze hun wijn niet legaal konden verkopen, hadden ze het hoofd boven water weten te houden. Het had ze hun laatste geld gekost en daarom baden ze dat er een einde zou komen aan de Drooglegging.

'Maar hoe slaagt u er dan in om te overleven?' vroeg ik.

'Om je de waarheid te zeggen, na de afkondiging van de Drooglegging deden we het best goed. Meer dan goed, eigenlijk. De prijs van de druiven steeg van tien naar honderd dollar per vat. We konden alle overtollige druiven oogsten en verkopen. En als de controleurs van de Drooglegging ons met rust lieten, konden we wat wijn apart zetten om die te laten rijpen. Ik vond de Drooglegging zo'n belachelijk idee, ik dacht dat het nooit langer dan vijf jaar zou duren. Maar nu zijn we tien jaar verder en begint het er toch wel somber uit te zien.'

'Maar de prijs van de druiven was toch zo enorm gestegen?'

'Een tijdlang wel, ja. Maar toen ze de druiven naar het oosten transporteerden, ging de lading rotten en daarom begonnen de mensen alicante en petite sirah te telen – belabberde kwaliteit, maar dikkere schilletjes, die de reis beter doorstonden.'

'Bent u niet overgestapt?'

'Nee.'

Kaz sloeg een nieuw vat aan en zoog de wijn op.

'Waarom niet?'

'Omdat ik een wijnboer ben en verdomme geen fruitboer. Trouwens, als je goedkope druiven wilt, die telen ze daarginds in San Joaquin in overvloed.'

De koppigheid van de oude Armeniër dwong respect af, ondanks het feit dat zijn halsstarrigheid hem bijna de kop kostte. Kaz hield de pipet bij de rubberen bol aan het einde vast en ik schoof mijn glas naar voren voor een nieuwe ronde.

'Hoe het ook zij, ze werden steeds hebzuchtiger en in 1926 stortte de druivenmarkt in en...' Hij haalde zijn schouders op en begroef zijn neus in de kom.

'Dat is een hard gelag,' zei ik nogal slapjes.

De oude man liet de wijn door zijn mond gaan en slikte hem vervolgens door.

'We redden ons wel. We verkopen een paar grote fusten aan de Abruzzinni's en we verdienen een paar centen met de olijfolie en Effies hennen.'

'Op weg hiernaartoe kwam ik langs een grote wijngaard die er prima bij stond.'

'Sacramentele wijn – voor de eucharistie. De Cana-Carpentier-wijngaard heeft het monopolie.'

'Kunt u uw wijn niet aan hen verkopen?'

Hij schudde fel zijn hoofd. 'Nee. Ik haat die klootzakken.' Hij nam een flinke slok, spande zijn lippen tot een smalle spleet, zoog de lucht naar binnen en spuwde de wijn weer uit. Met een handgebaar maakte hij duidelijk dat we moesten vertrekken. Iets had hem een zeer nare smaak in zijn mond gegeven.

36

Tijdens de Drooglegging was het elk huishouden toegestaan om negenhonderd liter vruchtensap per jaar te maken. Ze plachten de gedroogde vruchten samen te persen tot compacte blokken die ze 'Vine-Glo' of 'Forbidden Fruit' noemden. Zo werden ze verkocht. Het enige wat je hoefde te doen was water toevoegen en dan had je legaal vruchtensap. Alleen stopten ze er ook een bolletje gist bij zodat je er met een geringe extra inspanning wijn van kon maken. Er werden strikte instructies bijgeleverd die luidden: 'Waarschuwing: u moet het gistbolletje absoluut niet aan het druivensap toevoegen, omdat u anders het gevaar loopt dat het sap gaat gisten en in alcohol verandert, hetgeen verboden is.'

Moraal nr. 1: niemand is zo stom, wat de wet ook voorschrijft.

Moraal nr. 2: als je niet wilt dat mensen de wet overtreden, waarom haal je het bolletje gist er dan niet uit?

Wie had ooit gedacht dat ik nog eens zou werken voor mijn brood? De oude man Kazarian zei wat ik moest doen, en ik deed het. Het was niet zo makkelijk voor me, want ik had nog nooit van mijn leven een baas gehad – nou ja, niet sinds ik als kind in het slachthuis van Hunter's Point had gewerkt.

'Doe dit! Doe dat, jij stom rund! Ben je achterlijk? Heb je zaagsel in je hoofd?' En dan heb ik het nog niet eens over de stroom Armeense woorden die de man er gewoonlijk achteraan plakte en waarvan ik zeker weet dat ze nog veel erger waren. Mara giechelde als hij me uitschold; ik denk dat ze doorhad hoe waardeloos ik was en misschien kende ze wel een paar woordjes Armeens.

De oude man beulde me de godganse dag af, en weet je? Ik vond het heerlijk. Ik slikte het allemaal, elke godvergeten belediging, omdat ik die kerel aanbad. Misschien was het de vader die ik nooit had gehad. Wie weet? Ik heb nooit geloofd in mensen die beweerden dat je familie in staat is om je zo verknipt te maken dat de rest van je leven erdoor verziekt wordt. Een van Hoagies lijfspreuken was dat een boterham altijd op de beboterde zijde valt, maar op dat moment leek mijn leven zich alleen van de prettige kant te laten zien. Eerlijk waar, ik hoefde alleen maar achter op die krakkemikkige wagen te zitten terwijl de oude man het paard heuvelopwaarts joeg en dan barstte ik van trots dat ik deel uitmaakte van het menselijke ras.

Met zonsopgang was ik uit de veren, ik verzorgde die wijnstokken, wiedde onkruid en verwijderde het onderhout en liep de hele dag heuvel op, heuvel af door de wijngaarden van de oude papa Kazarian. En op de een of andere manier bracht dat me dichter bij mijn Schepper. Je moet niet denken dat ik zo'n idiote openbaring had, of de een of andere religieuze ervaring. Laten we eerlijk zijn, mijn ziel was waarschijnlijk al op een goederenwagon naar de verdoemenis gesprongen op de dag dat ik mijn eerste slachtoffer beroofde. Daar kon ik niets meer aan veranderen, en ik moet zeggen dat ik daar geen seconde ongerust over ben geweest, omdat je sneller in schuldgevoel verdrinkt dan in een vat pekel. Dat wil niet zeggen dat ik er niet met God en Hoagie over sprak – en weet je, ik denk dat ze het begrepen. Wat ik wil zeggen, is gewoon dit: ik had nog nooit een man als de Armeniër ontmoet. Natuurlijk was ik wel een paar min of meer geschikte mensen tegengekomen – niet zoveel, maar een paar. Maar tot die tijd had ik nooit een volkomen integere persoon gekend. Want het is, helaas, moeilijk om je hele leven geen enkele leugen te vertellen. En in het wereldje waarin ik me had opgehouden, konden de meeste mensen waarheid en leugen niet eens van elkaar onderscheiden.

Die maanden waren zwaar, maar mijn gebroken hand genas en ik liet dat kwartje duizenden keren per dag door mijn vingers gaan, heen en terug, aan de binnenkant en aan de buitenkant, om het gevoel terug te krijgen.

Kleine Mara en ik reden vaak met de gammele T-Ford pick-up van de oude Kaz heuvelafwaarts naar Swanns warenhuis om een vat wijn, wat olijfolie en Effies eieren te ruilen voor de dingen die ze in de keuken nodig had. Op een bordje achter de toonbank stond: 'Als wij het niet hebben, heeft u het niet nodig.' En dat was wat ons betreft prima, want onze behoeften waren niet groot.

Op de terugweg omhoog begonnen Mara en ik alvast aan de inhoud van een zak Chuckles en ondertussen zongen we zo hard we konden 'Me and My Old Kentucky Darling' en 'Why Don't the Sun Ever Shine in Albuquerque' en oefende Mara om het kwartje door haar vingers te laten gaan. Daar tussen de velden kon niemand ons horen zingen, wat waarschijnlijk maar goed was ook, want we hadden geen van tweeën een stem om over naar huis te schrijven. Maar Mara kreeg het trucje met het kwartje vrij snel onder de knie. Ik moet toegeven dat ze talent had. Als ze mijn dievenmaatje was geweest, had ik zeker profijt van haar gehad.

De oude T-Ford had een eigen willetje en weigerde de steile heuvels sneller dan met een slakkengangetje te beklimmen, wat ons eerlijk gezegd geen barst kon schelen, omdat we geen haast hadden, een hoop liedjes kenden en over van alles en nog wat kletsten.

'Ben je echt naar het Vrijheidsbeeld geweest, Tommy?'

'Ja zeker. Helemaal naar boven, alle 354 treden.'

'En Coney Island?'

'Absoluut, meerdere keren.'

'Klopt het dat ze daar een levensechte renbaan hebben met mechanische paarden waarop zelfs kinderen kunnen rijden?'

'Die is er. Hij heet Steeplechase Park.'

'Is het gevaarlijk?'

'O nee, het is spannend. Het is net zoiets als rijden in de Kentucky Derby.'

'Vertel eens over het Lachpaleis.'

'Het is een groot glazen gebouw, net zo groot als St. Helena. Je kunt er met echte kogels schieten in de schiettent, er is een mini-bowlingbaan, er zijn speelautomaten en, o ja, de rariteitenkabinetten.'

'Wat is een rariteitenkabinet?'

Ik was niet van plan haar iets te vertellen over de te vroeg geboren baby's in hun couveuses waarvoor om de een of andere onduidelijke reden altijd de langste rijen stonden.

'Allerlei rare mensen.'

'Wat voor mensen?'

'Bijvoorbeeld professor Graf, de man met het getatoeëerde lichaam. En Laurello, de man met het ronddraaiende hoofd.'

'Jakkie!' Ze trok een lelijk gezicht. 'Een ronddraaiend hoofd?'

'En Alice uit Dallas, het dikste meisje van de wereld.'

'Hoe dik?'

'Zo dik als drie koeien.'

'Drie koeien?'

'Misschien neemt je vader je er een keer mee naartoe.' Waarom zei ik dat opeens? Welk sukkel zei nou zoiets ondoordachts tegen een kind? Gelukkig reageerde Mara alsof er niets aan de hand was.

'Ik heb geen vader.'

'Iedereen heeft een vader.'

'Ik niet.'

'Waar is hij dan?' Ik wist dat ik niet zo moest aandringen, maar ik kon me niet beheersen.

'Weet ik niet. Mam wil niet over hem praten. Ik denk dat het een geheim is. Hij is weggegaan voordat ik werd geboren. Misschien is hij dood. Had die vent echt een ronddraaiend hoofd? Kon het werkelijk helemaal ronddraaien? Heb je het gezien?'

Ze was duidelijk niet van plan om over haar vader te praten en ik voelde me een schoft omdat ik ernaar had gevraagd. Hoe het ook zij, Laurello had zijn hoofd nooit helemaal rondgedraaid. Het was een truc, een illusie. Het hele leven is een illusie, zei Hoagie altijd. En ik denk dat dat ook gold voor vrouwen als Effie, die een prachtige dochter kregen zonder dat er een vader aan te pas was gekomen.

Bij het huis sprong Mara uit de Ford en rende luid roepend naar Effie.

'Mam, mam, kijk!' Ze liet het kwartje door haar vingers gaan en wierp het omhoog zodat het tollend door de lucht vloog.

'Dat is prachtig,' zei Effie vlak.

'Geef me je handen,' zei Mara.

'Ik heb het druk. Er staat een pan op het vuur.' Met tegenzin stak ze haar handen uit en Mara greep ze vast.

'Sluit je ogen en zeg: "Abracadabra."'

'Abracadabra,' herhaalde Effie.

'Tadaaaaaa!' Mara opende haar handen en toonde de armband die ze van haar moeders pols had gegespt.

'Tommy heeft me laten zien hoe je dat doet. Tommy, vertel haar over de man met het ronddraaiende hoofd... Nee, vertel haar over dikke Alice uit Dallas.'

Effie was allesbehalve onder de indruk van Mara's nieuwe vaardigheden, en evenmin van mijn opvattingen over het ouderschap. Ze wierp me een afkeurende blik toe en licp boos naar binnen. Ze had gelijk. Wat kon ik ooit voorstellen als vader? Dat was de laatste keer dat ik Mara een truc liet zien.

Los van dat soort missers leken Effie en haar vader oprecht blij dat ik er was. Of misschien hield ik mezelf voor de gek. Onder leiding van de oude man deed ik mijn uiterste best om mijn steentje bij te dragen aan het onderhouden van de wijngaard. Isaias en ik liepen honderden keren per dag over de terrassen op en neer en probeerden met zijn tweeën het werk van vijftig handen te doen. Soms, moet ik toegeven, had ik het gevoel dat we midden op een uitgestrekte oceaan ronddobberden in een klein, lek bootje met niet meer dan een vingerhoed als hoosvat. Het was duidelijk dat we er ondanks al onze inspanningen nooit in zouden slagen om alles te redden. Daarom concentreerden we ons op het stuk dat we wél konden verzorgen.

Effie had in de krant gelezen dat de kinderen sinds de Drooglegging langer werden en dat dat kwam doordat ze zoveel groenten aten. Daarom begonnen we allerlei soorten groenten te planten, waaronder soorten waarvan ik nog nooit had gehoord – uit Japan of zo.

Soms, als ik de rijen met jonge aanplant schoffelde of water gaf, had ik het gevoel dat ik een nieuwe rug nodig had. Maar diep in hun hart waren Effie en Kaz nog steeds verknocht aan de druiven.

Elke dag leerde Kaz me iets nieuws. Hij vertelde dat de wijnstokken die op zijn rode, kiezelige helling groeiden de beste waren: de beste variëteiten van cabernet sauvignon en pinot noir. Als de mist vanuit San Pablo Bay landinwaarts dreef en zich tussen de bergen door wrong, trok die in noordelijke richting door de vallei, om slechts enkele meters van Kaz' wijnstokken tot stilstand te komen. Vijftig kilometer verder, in de omgeving van Calistoga, waar de mist en de oceaanwind niet konden komen, liep de temperatuur in de druiven snel op. Omdat het fruit dan overrijp werd, konden ze in die streek alleen zinfandel en rode Rhônedruiven telen. De oude Kaz beweerde dat zijn Cabernet beter was dan de Cabernet die Cana-Carpentier beneden in de vallei produceerde. Hij vertelde dat de bodem van de vallei langzaam opliep, waardoor wij 450 meter hoger zaten, en dat onze wijnstokken daardoor net iets later uitliepen. Bij ons was de bodem vulkanisch en minder vruchtbaar dan beneden in de vallei, en dat was beter voor de wijnstokken omdat ze daardoor harder moesten werken. De opbrengst was geringer en de druiven waren kleiner, maar dat maakte de wijn krachtiger.

Ik moet zeggen, als je ooit in de buurt van een wijngaard hebt gewerkt of gewoond, is het alsof je een of andere vreemde ziekte oploopt, en dan bedoel ik niet een of andere druifluis. Nee, ik bedoel dat je besmet wordt door een idiote, onverklaarbare, allesoverheersende obsessie. Want zelfs als er slechts één wijnstok ziek was, had je de neiging die te verzorgen alsof het een dierbaar familielid was. Daardoor realiseerde ik me hoezeer de oude man moet hebben geleden toen hij minstens de helft van de kostbare wijnstokken, die hij meer dan twintig jaar geleden had geplant en die hij al die tijd had verzorgd, voor zijn ogen zag verwilderen en sterven.

's Avonds luisterde de oude man via de radio naar '*Amos 'n' Andy*', en meestal viel hij daarna in een diepe slaap dankzij een ruime dosis wijn en een aantal glazen cognac uit zijn slinkende voorraad in de afgesloten kast in de keuken. Meestal verliet Effie laat op de avond stilletjes het huis om me in mijn slaapverblijf op de zolder van de wijnmakerij gezelschap te houden. En steeds als ik de volgende morgen wakker werd, ontdekte ik dat ze alweer naar haar eigen bed in de kamer naast die van Mara terug was geslopen.

Mara, dat magische kind met een prachtige moeder, maar met een vader die niet genoemd mocht worden. Hoe meer tranen, des te groter de magie, had Effie gezegd. Lieve, dierbare Effie, die haar hart op de tong droeg, maar één groot geheim voor zichzelf hield. Steeds opnieuw moest ik naar haar kijken en steeds opnieuw vroeg ik haar zonder iets te zeggen: Wie was hij, Effie?

Deze vraag bleef elke dag en tijdens iedere klus door mijn

hoofd spoken; elke hen die ik opjoeg, elke wijnstok die ik opbond, elk vat dat ik verrolde, elke fles die ik schoonmaakte, elk houtblok dat ik kloofde, elke meter van de stoffige helling die ik beklom.

Maar wat voor recht had ik in vredesnaam om ernaar te vragen? Ik was een buitenstaander die hun levens was binnengedrongen zonder eisen of verwachtingen, behalve dat ik deze vriendelijke mensen oprecht liefhad.

Vaak liep ik naar de heuveltop achter het huis. In mijn eentje, omringd door wilde lupine en vingerhoedskruid, stak ik een Lucky Strike op en dan begon ik werkelijk zeer positieve dingen over mijn medemensen te denken. Dat was de eerste keer voor mij, neem dat maar van mij aan. Nou ja, in elk geval over degenen die zo vriendelijk waren om dit deel van mijn leven met me te delen. Ik moet toegeven dat dit soort gedachten me behoorlijk zenuwachtig maakten en dat ik niet zelden het gevoel kreeg dat ik beter weer verder kon trekken. Dat was tenslotte wat ik normaal gesproken altijd deed. Op dat soort momenten sprak ik met wie er daarboven ook doorging voor mijn God, de vent die daar verborgen achter de wolken zat. Maar meestal kwam het erop neer dat ik met Hoagie sprak.

'En, wat vind jij, Hoagie?' vroeg ik dan aan hem. 'Moet ik maken dat ik hier wegkom voordat ik in een sulletje verander, voordat ik normaal word?' Dan keek ik omhoog naar de hemel en verwachtte een teken. Een openbaring. Een aanwijzing? Maar Hoagie liet zich niet zien – evenmin als zijn Baas: niets. Niet dat ik hemelse muziek of zoiets verwachtte; een hint, dat was alles wat ik nodig had. Maar ik hoorde geen harpen, zelfs geen godvergeten banjo. Hoagie had een hekel aan banjo's. Hij zei dat als je er te lang naar luisterde, ze je knettergek maakten. Hoe de zaken zich ook zouden ontwikkelen, ik nam aan dat ik het zelf moest uitzoeken. Ik daalde de heuvel af, nogal teleurgesteld door het gebrek aan respons van mijn oude maatje daarboven in die blauwe wereld, toen ik onhandig in een zachte vlaai van zeer verse koeienstront stapte. Ik keek omhoog naar de wolken die door sommigen 'hemel' worden genoemd. Tjonge jonge, als dat een teken was, kon ik het missen als kiespijn.

'Is dit je antwoord, Hoagie?'

Ik zou zweren dat ik hem hoorde lachen.

37

Elke zondag bracht ik Effie en Mara met de wagen naar het naburige kerkje van St. Ursula's College, een landbouwschool die werd geleid door de katholieke broederschap. De Church of the Sacred Heart zag eruit als een missiepost en was oorspronkelijk gebouwd voor de novicen die de landbouwschool bezochten. Van tijd tot tijd werd de mis echter bijgewoond door enkele hoge pieten van de Kerk, die na afloop op het voorplein stonden om iedereen overdreven vriendelijk de hand te schudden.

Op een zondagmorgen stond ik bij de oude T-Ford te wachten. Ik leunde tegen het raampje en keek naar een havik die laag over het veld scheerde. Toen de eiken deuren van de Sacred Heart opengingen, was het plein opeens gevuld met kleuren en stemmen. De heren van de Kerk stonden luidkeels met elkaar te praten en met hun zijden gewaden en puntige hoeden leek het of ze op weg waren naar een gemaskerd bal. Het was een grote groep en ik vroeg me af wat ze kwamen doen in zo'n klein plattelandskerkje. Effie leek heel wat gemeenteleden te kennen en ze was druk bezig om iedereen voor te stellen aan de kleine Mara, die chagrijnig keek omdat ze haar allemaal in haar wang knepen.

Effie zag dat ik stond te wachten en wenkte me. Ik trapte mijn Lucky Strike uit en liet me voorstellen aan monseigneurzus en zijne excellentie-zo. Er waren zo veel bisschoppen dat ik de tel kwijtraakte, maar ik weet zeker dat ik de naam van de bisschop van New Orleans heb horen vallen. Wat deed die daar in godsnaam? Decatur Street was hier niet bepaald om de hoek. Was hij in de verkeerde bus gestapt? De bisschoppen stonden met eentonige stemmen en superieure glimlachjes met elkaar te keuvelen en ik voelde me allesbehalve op mijn gemak. De enige 'vriendelijke bisschop' die ik totnogtoe had ontmoet, was een loper op een schaakbord geweest die ik met twee pionnen in de val had laten lopen.

Effie stelde me ook voor aan Jean-Baptiste Carpentier, de eigenaar van de naburige Cana-Carpentier-wijngaard. Carpentier, die een eindeloze stroom slijmerig geleuter afscheidde, had een paarsroze, zonverbrand gezicht en de zachte, strakke huid van een veel jongere man. Zijn nek was echter dieprood en mager en zijn haar vormde een opvallende en warrige grijsrode kroon. Hij had een scherpe Julius Caesar-neus en een uiterst dun snorretje dat de omtrek van zijn dunne bovenlip volgde. Hij rook naar *Fleurs de Paris*. Zijn hoofd hing iets achterover op een pin in zijn nek, waardoor hij wel wat weg had van een opgezwollen haan. Toen zijn jas een beetje openviel, zag ik dat hij in een schede op zijn heup een mes droeg. Ik vond hem onmiddellijk onsympathiek. Misschien had ik tijdens mijn reizen te veel kerels zoals hij ontmoet, want zelfs een hele emmer *Fleurs de Paris* kon de nare smaak in mijn mond niet verdrijven.

Carpentier kuste de ringen van de kerkheren met de gretigheid van iemand die probeert al tapdansend de hel te verlaten. Hij behandelde Effie ook net een tikje te familiair om goed te zijn voor mijn gemoedsrust. Hij kuste haar op beide wangen zoals de Fransen doen en de tweede smakker kwam iets te dicht bij haar lippen. Was hij de vent die haar hart op hol had doen slaan? Was dat waarom ik hem vanaf het begin verafschuwde?

'En hoe ken je hem nou?' vroeg ik terloops terwijl ik ze naar huis reed.

'Wie?'

'Die Johannes de Doper-gozer.'

'Bedoel je J.B.?'

'Ja, J.B.,' zei ik.

'O, we kennen elkaar al een hele tijd. Ik zat op de St. Ursula landbouwschool en hij was altijd in de buurt.'

'O ja?'

'Ik ken zijn dochters, Irène en Edith, weet je dat niet meer?'

Dat wist ik nog wel. Het waren de gekke zusters die me langgeleden, in 1919, in hun tweedeurs Fordje hadden proberen te vermoorden toen ik voor de eerste keer in de vallei op bezoek was.

'Die heb ik vandaag niet gezien.'

'Ze wonen in Parijs. Ze hebben een hekel aan Californië.'

Ik moest het allemaal even verwerken.

'Zat je op St. Ursula?'

'Ja zeker.'

'Ik dacht dat ze daar alleen jongens toelieten?'

'Officieel wel, maar wij hadden speciale dispensatie.'

'Wij?'

'Irène, Edith, Rosa en ik.'

'Rosa Abruzzinni? Zat zij daar ook op school?'

'Natuurlijk. Het is de enige plek waar je iets over wijn kunt leren,' zei ze vrolijk.

We reden langs de ingang van Cana-Carpentier: een reusachtige boog van basaltblokken die de toegangsweg naar de wijngaard overwelfde. De boog werd bekroond door een gietijzeren letter C. Ik keek over mijn schouder om te zien of Effie speciale aandacht aan de poort besteedde. Ik wilde weten of ze het woord 'Carpentier' las dat op een groen bord aan de muur van de slaapvertrekken van de arbeiders was aangebracht. Ik speurde haar gezicht af naar het minste of geringste glimlachje waarmee ze zichzelf zou verraden. Keek ze naar het grote stenen huis in de verte? Keek ze verdrietig? Was haar hoofd gevuld met geheime gedachten die ze niet met me durfde te delen? Ik probeerde iets van haar gezicht af te lezen, maar kon er geen spoor van een geheim op ontdekken. Ze was bezig Mara's haarlint te ontwarren, om het vervolgens weer voorzichtig vast te zetten met een haarspeld.

Ik stuurde de oude barrel van Kaz langs de helling omhoog richting Eichelberger en minderde snelheid om de gaten in de weg en de oude, door de wind omgeblazen plataan te ontwijken. Mijn hoofd liep nog steeds over van achterdocht en wantrouwen. Had Effie het zonet niet over 'J.B.' gehad? Niet Jean-Baptiste, niet 'meneer Carpentier', maar 'J.B.'. Ik rilde bij de herinnering aan die familiaire toon. Had hij haar niet net iets te dicht bij haar mond gekust? Had hij haar hand niet wat te stevig vastgehouden?'

Kleine Mara likte aan een paar postzegels waarop bijbelse taferelen waren afgebeeld en plakte ze aan de binnenkant van de omslag van haar gebedenboek. Ze begon te zingen 'Why Don't the Sun Ever Shine in Albuquerque?', en ik viel in. Gewoon, om mijn gedachten te verzetten.

Elke derde zaterdag van de maand nam Effie Mara mee naar San Francisco. Ze overnachtten bij de Abruzzinni's, zodat ze de volgende dag in de kathedraal aan Van Ness Street de mis konden bijwonen. Ik zette hen altijd af op het kruispunt in Yountville, waar ze met de bus naar de veerboot in Vallejo reden. Op de terugweg nam ik petroleum mee voor de rookpotten – de branders die de oude man en Isaias neerzetten om te voorkomen dat de koude lucht in de wijnstokken zou dringen. Op een van die zaterdagen, het groene mosterdzaad had al gebloeid en kroop nu tussen de wijnstokken door om zich losjes, als een reusachtige gele stofdoek, over de heuvels te draperen, reed ik langs het land van Cana-Carpentier. Het viel me op dat tientallen arbeiders in hun roestige, gebutste barrels in een rij stonden te wachten in de hoop op werk. Ik had deze straatarme migrantenarbeiders van dichtbij meegemaakt in de tijd dat ik hen vergezelde op hun trektochten. Ze reisden door heel Californië, van de ene oogst naar de andere – van de katoenpluk in Corcoran tot de rugbrekende werkzaamheden die ze voor tien cent per uur op de erwtenvelden van Nipomo verrichtten. Maar dit was vreemd: de oogsttijd begon pas over vele maanden en toch leek iedereen op de een of andere manier te hebben gehoord dat er volop werk was op Cana-Carpentier.

Terug op Eichelberger droeg de oude man me op om tussen de dakspanten van de wijnmakerij te klimmen, boven de reusachtige open gistvaten. Het was mijn taak om de pulp naar beneden te duwen, de dikke laag druivenschilletjes die zich op de wijn hadden verzameld. Ik pakte een drie meter lange houten staak en manoeuvreerde me voorzichtig tussen de balken door. Toen ik de laag schilletjes openbrak, kwam er een bedwelmende lucht vrij die, ik zweer het je, hetzelfde effect had als het drinken van een liter Old Kentucky.

De oude Kaz moest lachen omdat ik me zo zenuwachtig en voorzichtig bewoog. Maar mijn verleden blonk niet uit van betoonde moed en op dat moment voelde ik veel verwantschap met iemand die de Niagara af wordt geduwd in een wijnvat. Ik probeerde Kaz vanuit een onverwachte hoek terug te pakken.

'Dus dit laat je gewoonlijk door Effie doen?'

'Tuurlijk. Ze heeft een goed evenwichtsgevoel, maar de staak is een beetje te zwaar voor haar.'

'Kaz, hoe komt het dat Carpentier zulke goede zaken doet?'

'Heb ik je al verteld. Kerkwijn. Voor de eucharistie.'

'Ze hebben heel wat mensen in dienst.'

'Ze maken een hoop wijn.'

'Kunnen we daar niet aan meedoen?'

Ik had er een hekel aan om 'wij' te zeggen – ik was hier te gast – maar het was de enige manier om ervoor te zorgen dat de oude man over mijn voorstel zou nadenken. Maar opnieuw antwoordde hij fel: 'Nee.'

'Heeft u iets tegen Carpentier?'

'Ik heb iets tegen de Kerk.'

'Gelooft u niet in God?'

'Vroeger wel.'

'Effie schijnt goed overweg te kunnen met Carpentier.'

'Zo is ze.'

'Alle priesters daarginds schijnen haar tamelijk goed te kennen.'

Hij keek omhoog, hield mijn blik een seconde lang vast en haalde toen zijn schouders op. 'Ze houdt van de Kerk.' Daarop draaide hij zich om en verdween door de deur van de wijnmakerij en in het zonlicht. Wat had zijn god hem aangedaan, vroeg ik me af. Sammy Liu zei altijd dat de Chinezen zich nooit met zijn allen aan een enkele god hadden toevertrouwd. Hij redeneerde dat als de god van de een of andere kerel kwaad werd, jij de klappen kon krijgen. Volgens hem vormde de aardbeving van 1906 daar een duidelijk bewijs van. En daar wist ik niets tegen in te brengen. Het was duidelijk dat de oude Kaz de god die voor Carpentier zorgde, welke god dat dan ook mocht zijn, heel wat verweet.

Carpentier? Ik kende die naam. Ik prikte de laag boven in de vaten door. *Pats*. Linkse hoek. Ik stak opnieuw. *Smak*. Midden op zijn bek. Ik dacht terug aan het gevecht tussen Jack Dempsey en Georges Carpentier, de naamgenoot van deze vent, in juli 1921 in Jersey City.

38

Ze noemden de Franse bokser Orchid Kid, de Orchideejongen, omdat hij voor een vechter tamelijk knap was en omdat hij zulke prachtige benen had dat de vrouwen erdoor in katzwijm vielen. Jack Dempsey was minder gecharmeerd van hem en daarom brak hij al bij de eerste slag Carpentiers fraaie neus. Maar hij hield hem nog vier extra ronden aan het lijntje met het oog op het bioscoopjournaal. Uiteindelijk sloeg Dempsey zijn tegenstander met een vervaarlijke slag tegen het canvas en kon het aftellen beginnen. De Fransman kwam pas na vijf minuten weer bij kennis.

Moraal: tegen een gemene rechtse in de hartstreek heb je geen verweer.

Ik verstevigde mijn greep om het stuur van de oude Ford. Ik wilde daar niet zijn, maar Effie had een uitnodiging ontvangen en stond erop dat we zouden gaan. Behalve de verjaardag van aartsbisschop Meehan was het ook een speciaal feest voor de burgemeester van San Francisco, 'Sunny Jim' Rolph, die zich kandidaat had gesteld voor het gouverneurschap van Californië, waarvoor de verkiezingen in het najaar zouden plaatsvinden.

Effie trok mijn das recht terwijl ik onder de Carpentierboog door reed. De kaarsrechte weg werd omzoomd door Griekse walnotenbomen en bloeiende camelia's. Aan weerszijden zag ik lange rijen tot in de puntjes verzorgde cabernet, waarvan de bladeren op de rechtopstaande wijnstokken op het punt stonden te ontluiken, net iets eerder dan bij ons. De mist kroop langzaam naar boven en begroette de avondschemering, een tafereel dat Effie en ik vanaf onze uitkijkpost op de heuvel vele keren hadden gadegeslagen.

In de wijngaard ten westen van de weg was met honderd petroleumfakkels het woord 'Cana' gespeld. Ik herinnerde me dat Jezus in Kanaän water in wijn had veranderd. Als kind was ik altijd gefascineerd door wonderen, maar dit verhaal vond ik extra amusant. Ze hadden geen drank meer, Jezus haalde een of ander trucje uit met de watertonnen en abracadabra – de tonnen zaten vol wijn. Dat bijbelverhaal hebben die Anti-Saloon League-mensen nooit geciteerd.

In de buurt stonden de arbeiders klaar met vijftig emmers water, voor het geval de vlammen van de petroleumpotten per ongeluk zouden overspringen naar de wijnstokken. Denk maar niet dat het water in hún emmers in wijn veranderde, dacht ik; ze waren niet eens uitgenodigd voor het feest.

Het was een schitterend huis. Dat is te zeggen, het was niet helemaal duidelijk waar het huis eindigde en de wijngaard begon omdat het met klimop begroeide gebouw zich minstens anderhalve kilometer leek uit te strekken. Ik parkeerde de oude wagen in de citroenboomgaard tussen de Packards, Buicks en een extravagante De Soto-sportwagen. De beurskrach van 1929 had weliswaar het failliet betekend van de rest van Amerika, maar deze mensen hadden daar duidelijk niets van gemerkt.

We staken het grasveld voor het huis over, ontweken een

paar waakzame, agressieve ganzen en beklommen de trappen, die aan weerszijden werden omzoomd door vrouwelijke bedienden – de vrouwen van de mannen in de velden waarschijnlijk – gekleed in keurige uniformen en gesteven linnen schorten. Ze droegen bladen met verschillende vruchtensappen en iets wat op rode wijn leek. Ik gaf Effie een glas. Ze rook eraan en nam een klein slokje, net als ik.

'Pinot Noir?' vroeg ik.

'O, ja.' Ze rook opnieuw. 'Drie, misschien vier jaar oud. Niet slecht. Niet geweldig, maar ook niet slecht.'

Plichtsgetrouw walste, rook en dronk ik. Het smaakte heel anders dan de zoete sacramentele wijn die ik me uit mijn jeugd herinnerde; die smaakte naar aangelengde stroop en deed je kokhalzen. 'Nogal chique wijn om een Lichaam van Christus-hostie mee weg te spoelen,' zei ik verbaasd. Effie fronste haar wenkbrauwen om aan te geven dat ze niet op dit gespreksonderwerp wilde ingaan.

De Meest Eerbiedwaardige Raymond Meehan, herder van zijn kudde, zijne excellentie de aartsbisschop van San Francisco en de jarige, stond in zijn zwarte soutane met rode sjerp bij de deur om de gasten te begroeten. Naast hem stond zijn gastheer, Jean-Baptiste Carpentier. Met argusogen keek ik hoe Carpentier Effie formeel op beide wangen kuste, waarop zij een revérence maakte en de beringde hand van de aartsbisschop kuste. Omdat zowel de aartsbisschop als de wijnboer me negeerde, was ik gedwongen mezelf voor te stellen. Ik greep de hand van de katholieke hoge piet en schudde hem hartelijk. De devote maar joviale kerkheer had een onderkin, een lichtelijk verwijfd voorkomen en hij rook naar kruidnagel. Vervolgens botste ik tegen Carpentier aan, die net de hand van een andere gast had geschud en nu bezig was zich om te draaien. Hij schudde de mijne, maar keek dwars door me heen, stijf rechtop alsof hij gewurgd werd. Effie begroette een andere priester en ik verontschuldigde mezelf en verdween naar het toilet.

In het met Spaanse tegels betegelde vertrek doorzocht ik de inhoud van de zakken van onze gastheren. De aartsbisschop had een portefeuille bij zich die dikker was dan het verhaal van Lucas – ik bedoel het evangelie, niet de honkbalspeler. Er zat een bundeltje biljetten van honderd dollar in, waar geen enkele katholieke priester zich mee zou moeten inlaten, en een zilveren doosje met snuiftabak, die naar kruidnagels rook. Naast de gin en de jonge novicen van St. Ursula was snuiftabak de favoriete ontspanning van aartsbisschop Meehan. De sierlijke inscriptie aan de binnenzijde van het doosje luidde: 'Uwe excellentie – aan Gods oor. Hoogachtend, J.B.' Er werd op de deur geklopt.

'Alles in orde, meneer?' vroeg de toiletbediende.

'Prima, alles in orde,' antwoordde ik. Ik propte Carpentiers portemonnee en een prachtige vulpen met schildpadmotief in mijn zak en verborg de bezittingen van de aartsbisschop in mijn hand.

In het grootste vertrek zag ik de aartsbisschop op zijn zakken kloppen. Het was duidelijk dat hij behoefte had aan een snuifje tabak en daarom gaf ik de ober een zetje in zijn richting. Dankzij dit domino-effect kon ik bijna ongemerkt contact maken met de aartsbisschop. Onder het uiten van enkele verontschuldigende woorden tilde hij zijn arm op om het rode kalotje op zijn plaats te duwen, waardoor ik de snuifdoos en de portefeuille – minus een biljet van honderd dollar – weer terug kon stoppen. Administratiekosten, vond ik. Afgaande op de omvang van het bundeltje zou hij die niet eens missen, en ik kon er de petroleum voor de oude Kazarian mee betalen en een aanbetaling doen voor de nieuwe tractor die Isaias en ik nodig hadden. Trouwens, wat kon het mij schelen? Geen enkele godvrezende priester zou zo'n berg geld bij zich moeten dragen, en dat gold nog extra voor een aartsbisschop. Ik bleef staan kijken hoe hij ten slotte zijn tabak vond, een snuifje nam en dat heimelijk over zijn tanden en tandvlees wreef.

Ik voelde me absoluut niet op mijn gemak tussen deze mensen, omdat ik hier evenzeer opviel als de wrat op Teddy Roosevelts neus. Ik liep naar Effie, die stond te praten met een lange priester en, wat me nogal verbaasde, Effies nicht Rosa en haar enge echtgenoot Guido Brunazzi. De priester leek de twee meiden erg goed te kennen. Ik stond een beetje aan de rand van de groep en hoorde dat hij werd voorgesteld als monseigneur Jack Cathain. Het was een knappe vent met een elegante zwarte soutane met purperen knopen; zijn zwarte haar was rijkelijk voorzien van pommade en hij had een mondvol stralend witte tanden. Hij leek meer op een filmster dan op een man van de Kerk. Effie moest voortdurend lachen om grapjes die alleen zij tweeën schenen te begrijpen.

'Jack, dit is Tommy,' zei ze ten slotte. Hij boog zich met een stralende glimlach naar voren om mij de hand te schudden. Ik heb mensen die te veel glimlachen nooit gemogen. Deze vent was zo'n gladjanus die met strooplikken alles voor elkaar kreeg. Effie vertelde dat Jack Cathain een oude vriend was uit de tijd dat hij als priester in St. Ursula werkte.

'Dat is een mooie kerk,' zei ik.

'Inderdaad, maar helaas dien ik daar niet meer. Ik werk in de stad.'

'Jack werkt voor aartsbisschop Meehan in St. Mary's Cathedral.'

'Ik heb veel over je gehoord, Tommy,' zei hij.

Waarom had hij zoveel over mij gehoord? Ik kende geen enkele priester persoonlijk en daarom vond ik het moeilijk te horen dat Effie monseigneur Cathain aansprak met Jack. Jack? Priesters die zich bij hun voornaam laten noemen, vervullen me altijd met wantrouwen. Cathain leek ook goede maatjes te zijn met Guido, die hem botweg aan zijn arm trok omdat hij in de hoek van de kamer met hem wilde praten. De monseigneur verontschuldigde zich.

Op dat moment begon de band 'There Are Smiles That Make You Happy' te spelen, het strijdlied dat burgemeester 'Sunny Jim' Rolph voor zijn verkiezingscampagne had uitgekozen.

Alle gasten keken naar de deuropening waardoor de parmantige eregast onder luid applaus naar binnen schreed. Hij was zoals altijd onberispelijk gekleed in een rokkostuum met gesteven puntboord en zijden stropdas, op zijn revers droeg hij een anjer met de afmetingen van een kleine kool. Rolph, de gematigde politicus, gaf de mannen breed glimlachend en met grote gebaren een hand en omhelsde de vrouwen. Sunny Jim was dol op vrouwen. Boze tongen beweerden dat hij, van de twintig jaar dat hij burgemeester van San Francisco was, er minstens negentien had doorgebracht in de bordelen in de rosse buurt tussen Larkin en Market Street. Te pas en te onpas verkondigde hij in privé-gezelschap dat 'niets beter is om de geest te concentreren dan de aandacht van een hoer met gigantische tieten.' Er werd gezegd dat zijn vrouw hem liet volgen door detectives, die hun belastende rapporten vanzelfsprekend doorspeelden naar zijn tegenstanders. Maar ze werden nooit openbaar gemaakt, omdat geen mens zou geloven dat iemand in staat was om de verplichtingen van het burgemeesterschap te vervullen en tegelijkertijd zo veelvuldig overspel te plegen. Geen wonder dat Rolph zo goed overweg kon met die slijmbal van een Carpentier.

We namen plaats aan een lange eettafel die was versierd met blauwe en witte bloemen. Na een maaltijd met forel uit een beekje dat over Cana stroomde en groenten die op de velden van Cana waren geteeld, stak de burgemeester een speech af over zijn gouvernementele ambities. Een indrukwekkende prestatie gezien het feit dat hij al minstens twee flessen van Carpentiers rode wijn had weggewerkt.

Ik was van Effie gescheiden geraakt en zat naast een Zwitserse kerel genaamd Ulf Kriegel, die met zijn broer Stefan eigenaar was van de Frederic Frères-wijngaard. Ik had hun land vanaf de heuvel gezien en ze leken goed te boeren. Ulf vertelde dat hij en zijn broer grote hoeveelheden wijn aan Carpentier verkochten. Ik moet zeggen dat de conversatie niet echt soepel verliep. Hoewel hij al tien jaar in Amerika woonde, bleek hij weinig Engels te hebben opgepikt. Eerlijk gezegd verbaasde het me dat er geen maden uit zijn oren kropen, want de vent had de uitstraling van een lijk.

Aan de andere kant van de tafel zat Effie tussen haar boezemvriend monseigneur Jack Cathain en Stefan Kriegel, maar de priester kreeg het leeuwendeel van haar aandacht. Ze zat gelukkig niet naast die rat van een Carpentier, die aan zijn karbonaadjes lebberde en in het oor van een bijzonder aangeschoten Rosa tetterde. Met haar korte kapsel, zwaar bepoederde gezicht en dieprode lippen zag ze er in mijn ogen nogal verlopen uit, maar Effie zei dat Guido haar zo het liefste zag. Vanaf de plek waar ik zat, zag ik heel wat pijn achter haar beschilderde gezicht, en ik zag ook – dankzij mijn professionele oog voor andermans handen – dat Carpentier een heel eind op weg naar boven was onder Rosa's rok, maar misschien vergiste ik me.

Ik wilde de oude Ulf graag beter leren kennen en horen hoe hij zijn zaken had geregeld, maar hij was een van die overgevoelige mensen die je af en toe tegenkomt, dus toen mijn hand zijn achterzak raakte, sprong hij bijna een halve meter de lucht in. Ik was op heterdaad betrapt en daarom sloeg ik hem onmiddellijk op de rug en gaf hem een suggestieve knipoog. Hij glimlachte zenuwachtig terug, niet zeker wat hij met zijn verwijfde buurman aan moest, en draaide zich toen naar de vrouw aan zijn andere zijde, met wie hij de rest van de avond praatte.

Een volumineuze operazangeres kondigde aan dat ze de aria 'Casta Diva' uit Bellini's opera *Norma* zou zingen in het Engels. De meeste Italianen verlieten onmiddellijk de zaal, wat voor mij het teken was om naar buiten te gaan en een Lucky Strike op te steken. Ik ging op zoek naar Effie en vond haar in de hal, waar ze een huilende Rosa stond te troosten. Guido kwam aangelopen, greep Rosa's arm en sleepte haar naar hun auto in de citroenboomgaard.

'Is alles in orde?' vroeg ik.

Effie schudde haar hoofd. 'Nee. Laten we een eindje gaan lopen.'

De operazangeres had een mooie stem en de muziek was ook erg mooi, maar het is een bekend feit dat je je pas realiseert wat voor flauwekul opera eigenlijk is als je de taal kunt verstaan:

Op ons met goedgunstigheid stralend
Vrij van regenwolken, alstublieft schijn
O! Kalm uw harten, die te hartstochtelijk branden.

We staken een smalle kegelbaan over en liepen naar het beekje. Midden op de houten brug stonden we stil. Ondanks het feestmaal wemelde het in het water van de vis, verlicht door de petroleumbranders die de lucht vulden met zwarte rook.

'Wat is er aan de hand met Rosa?'

'Te veel gedronken... en Guido wordt jaloers.' Voor één keer had ik het gevoel dat die enge Guido en ik iets gemeenschappelijk hadden. En wat ik van Rosa had gezien, was geen aangeschoten vrouw die een glas te veel ophad, volgens mij was ze zo bezopen als een verdronken kater.

'Jaloers?' vroeg ik onschuldig, alsof dat een emotie was waar ik eigenlijk nooit aan dacht en die ik nog minder vaak ervoer.

'J.B.'

'Echt waar, waarom?' vroeg ik, alsof ik niet wist dat de rokkenjagende Carpentier even subtiel was als een olifant in een porseleinkast.

'Het is al een hele tijd aan de gang. Toen we jong waren, lang voor Guido, kwamen we hier vaak op bezoek bij Irène en Edith. J.B. had altijd al een zwak voor Rosa – en zij voor hem – en soms bracht Rosa de nacht met hem door. Guido heeft dat onlangs pas ontdekt. Ik weet niet hoe. Rosa heeft het nooit aan iemand verteld. J.B. is erg...'

'Teder?' vroeg ik, hoewel de woorden 'seksverslaafd' en 'vrouwengek' eerder in mijn hoofd opkwamen.

'En Guido behandelt haar nogal... ruw.'

Ik had medelijden met Rosa omdat ze getrouwd was met een ondermaatse New Yorkse spaghettivreter. Maar ik hield vooral op met medelijden met mezelf hebben. Ik had de jaloezie in mijn hoofd toegelaten en niets gedaan toen die zich daar als druifluis in de wijnstokken nestelde en alles wat goed en gezond was verstikte. In boog me naar Effie en kuste haar. De petroleumlucht walmde steeds dichter om ons heen, maar voor mij was de lucht weer een stuk helderder. De operazangeres kwinkeleerde het slotgedeelte van Bellini's aria en ik dacht dat ik haar 'Vrede op aarde keert terug' hoorde zingen. Ik weet niet zoveel over vrede op aarde, maar persoonlijk had ik het gevoel dat iemand een duizenden kilo's zware Cadillac V-16 van mijn hoofd had getild. Dat gevoel duurde bijna tien seconden. Want toen we over de smalle kegelbaan terugliepen, vroeg ik me opnieuw af op wie Effie zo hopeloos verliefd was geweest. Als het Carpentier niet was geweest, wie dan wel?

39

Vanuit San Pablo Bay kwam een regenstorm opzetten. Ik klom naar mijn kamer en stak de oude potkachel aan. De schoorsteen slingerde zich in alle richtingen door mijn kamer voordat hij door een gat in de buitenmuur verdween. Na enig geklungel ontbrandde het aanmaakhout en toen gooide ik er een stuk hout van de bergden op.

Ik ging op het veldbed zitten en haalde J.B.'s vulpen en portemonnee tevoorschijn. Het was een goede vulpen, Frans, met een gouden punt en gemaakt van echte schildpad. Ik schoof mijn duimnagel tussen de sluiting van de portemonnee en klapte hem open. Uit gewoonte maakte ik een waaier van de groene flappen en stak ze vervolgens in mijn achterzak. Eens een dief, altijd een dief. Maar het waren slechts enkele biljetten van een dollar; dit was geen man die met geld op zak hoefde te lopen. In het achtervak van de portemonnee vond ik advertenties over aambeien en wortelstokken die uit een Franse krant waren gescheurd, en een paar foto's. Er was een wazige foto, gemaakt met een Kodak Brownie-camera, van een trotse hond met een grote vogel tussen zijn kaken. Enkele door een fotograaf gemaakte foto's van zijn jeugdige ouders – direct van de boot, getooid in hun Oude Wereld-kleren en bevroren Nieuwe Wereld-glimlach. Er was een portretfoto van een vrouw met haar twee kleine dochters. En toen zag ik een foto die me aan het lachen maakte. Ik had heel wat smerige plaatjes gejat in mijn tijd, meestal uit de meer respectabele portemonnees. Ik heb een keer een stapel foto's gepikt van een priester uit Duluth die je spontaan deden kokhalzen. De foto die ik nu in mijn hand had, was nogal braaf vergeleken bij sommige die ik had gezien.

De blonde meid lag tussen verkreukelde lakens op een bed dat eruitzag alsof er het een en ander had plaatsgevonden. Ze zat op haar knieën en haar achterste stak omhoog. Haar krullen rustten op een groot, bol kussen. Haar dijen stonden wijd uiteen en haar poesje glimlachte je tegemoet. Een andere meid, een brunette wier gezicht van de camera was afgewend, leunde voorover, haar gezicht vijftien centimeter van Blondies harige kruis vandaan, gereed voor de lunch. Ik staarde naar Blondies gezicht. Ze had pas gewatergolfd haar en donker geverfde lippen die in de hoeken omlaag hingen alsof ze permanent teleurgesteld waren. Haar smalle, geëpileerde wenkbrauwen bogen zich boven de oogleden, die zwaar omlaag hingen van een paar rokertjes, en dan bedoel ik iets anders dan tabak. Het was een knap gezicht, maar een gezicht vol verdriet. Ik bladerde verder naar de volgende foto. De brunette had zich omgedraaid, zodat haar dikke reet in de lucht stak, haar jarretelgordel hing los rond haar middel en haar kousen zaten op haar enkels. Blondie ondersteunde de brunette ditmaal met haar benen. Ze had haar hoofd van het kussen getild en haar ogen geopend. Het was bijna alsof ze doorhad dat ik naar haar stond te kijken. Haar ogen glinsterden en staarden me strak aan, en ik kon haar bijna horen zeggen: 'Hoi Tommy, weet je nog wie ik ben?' Natuurlijk wist ik dat. Ik sloot de portemonnee en keek voor me uit. Hoe kon je je eigen zuster vergeten?

40

De dag voor Pasen wandelde ik met Effie en Mara heuvelafwaarts naar de kruising in Yountville, waar ze op de bus naar de veerboot in Vallejo zouden stappen. Zoals gewoonlijk zouden ze bij de Abruzzinni's overnachten en de volgende morgen de mis bijwonen in St. Mary's Cathedral.

Aan weerszijden van de weg zag ik overal wilde bloemen ontluiken. Ik herkende irissen, madeliefjes en berenklauw, maar Effie en Mara vonden bloemen waarvan ik nog nooit had gehoord, met namen als Indiaanse krijgers, apenbloemen, melkmeisjes en vallende sterren.

Bij het instappen grapte ik dat Effies knieën een dezer dagen zouden doorslijten van het vele bidden. Mara moest lachen, maar Effie niet.

'Geloof is alles, Tommy,' fluisterde ze in mijn oor terwijl ze me gedag kuste.

Op de terugweg naar Eichelberger vroeg ik me af waarom ze zo vaak naar de stad wilde – en altijd zonder mij.

En als geloof alles was, waarom geloofde ík dan niet? Waarom wantrouwde ik iedere man die ze tegenkwam of die ze ook maar een vleugje van een glimlach schonk? Was mijn vermogen tot liefde en vertrouwen gesmoord in de gevaren van te veel straten in te veel steden en op te veel stoffige plattelandswegen? Was ik niet degene die altijd wegvluchtte voor elke mogelijke binding? En daar zat ik dan, doodsbang dat een of andere zakkenroller-berover, of erger nog, de man die haar roosje had geplukt, haar op een dag van me zou afnemen.

Het spreekwoord luidt: zoals de waard is, vertrouwt hij zijn gasten. Ik had mijn leven lang voortdurend over mijn schouder gekeken. En daardoor waren mijn gevoelens veranderd in een zoutpilaar. Soms reageert je hart een beetje anders dan je hoofd. Had ze immers niet goed voor me gezorgd? Had ze me niet een nieuw leven gegeven? Had ze me soms geen liefde geschonken? En had ik niet geleerd om ten minste een klein beetje vreugde te putten uit tevredenheid? Misschien was ik er nog niet aan toe.

Tjonge jonge, soms kan geluk je volledig overvallen.

Isaias en ik hadden een goede en goedkope Fordson-tractor gekocht van een erwtenboer uit Petaluma. De bank had de hypotheek van de arme man geëxecuteerd, waardoor hij failliet was gegaan. Dat was akelig voor hem maar goed voor ons, omdat we daardoor voor een model uit 1928 maar een schijntje hoefden te betalen. De veiling was treurig omdat ze werkelijk alles verkochten wat de man bezat – en dan bedoel ik echt alles, van koebellen tot een reserve-kunstgebit. Ik hoop tenminste dat het een reserve-exemplaar was, want anders zou de arme man zijn maïspap de rest van zijn leven van een lepel moeten slurpen.

Vroeger, toen ik nog een ander vak uitoefende, had ik veel tijdens boerderijveilingen gewerkt. En het tafereel van een menigte die al zijn aandacht op de veilingmeester had gevestigd was, dat moet ik toegeven, erg verleidelijk. Ik voelde hoe mijn vingers zich spanden en hoe mijn gewrichten knakten toen ik ze in mijn zakken duwde. Tijdens de veiling werd mijn aandacht getrokken door een uitzonderlijk lange vent die alles kocht. Isaias en ik baanden ons een weg door de menigte en gingen naast hem staan. Hij had een lederen tas over zijn schouder en zag eruit als een professionele opkoper. Het was duidelijk dat ik geen enkele kans maakte om hem met de tractor te verslaan. Op het moment dat het nummer van de Fordson werd aangekondigd, gespte ik zijn schoudertas open en liet mijn hand naar binnen glijden, waar ik een dik pak geld aantrof. Terwijl ik bezig was, realiseerde ik me dat Isaias naar me stond te kijken, min of meer in trance. Ik hield mijn vinger tegen mijn lippen opdat hij niets zou zeggen. Toen het bieden begon, haalde ik het geld uit de schoudertas. Met één hand rangschikte ik de biljetten tot een waaier, die ik vervolgens over de grond strooide. Ik knipoogde naar Isaias, die vol afkeer of bewondering, dat kon ik niet uitmaken, stond toe te kijken. Ik stootte de lange vent aan.

'Hé, man, is dat jouw geld daar op de grond?'

'Jeetje,' antwoordde de man. Hij hield zijn schoudertas omhoog alsof hij wilde zien of er een gat in zat. Daarna liet hij zich op zijn knieën vallen om de dollarbiljetten bij elkaar te rapen. We kregen de tractor. En, echt waar, Isaias lachte de hele weg terug naar Yountville.

Om beurten ploegden we het mosterdzaad. Mosterd heeft diepe wortels en dwingt de wijnstokken om eveneens diep te wortelen, maar nu moesten we de plantjes onderploegen omdat ze anders te veel vocht aan de wijnstokken zouden onttrekken.

De Mexicaan was een buitengewoon noeste werker en ik vroeg hem hoe hij het voor elkaar kreeg om zoveel dingen te doen met zo weinig hulp. Isaias legde uit dat deze heuvels nog geen eeuw geleden werden bewoond door de Wappo-indianen. Door Europese ziekten als tyfus en cholera nam hun aantal snel af en nu trokken alleen hun goden nog over de wegen door de heuvels. Van tijd tot tijd, vertelde Isaias, kon je in maanverlichte nachten tientallen vriendelijke indianen zien die bezig waren om de wijngaarden te verzorgen. Op die manier kreeg hij al het werk gedaan, beweerde hij met een brede grijns en een schittering in zijn ogen.

Calida had *tamales* en yamswortels klaargemaakt, die we aan de kleine tafel op hun erf verorberden. Voor Kaz was een maaltijd zonder een glas wijn absoluut ondenkbaar, dus had hij een geopende fles meegenomen. Calida haalde een paar kleine tuimelglazen en onder het genot van de wijn raakten we aan de praat.

'Hoe komt het dat Carpentier zoveel invloed heeft bij aartsbisschop Meehan?'

Isaias keek Kaz aan en ze schoten allebei in de lach. Voordat hij antwoordde, nam Kaz een flinke teug wijn.

'Carpentier zit met zijn neus in de kont van de aartsbisschop. Zijn tuinjongens kussen Meehans heroïne en J.B. Carpentier geeft monseigneur Cathain elk maand een dikke envelop om de armen te voeden, de misdeelden te helpen en de ongelukkigen te troosten, inclusief ongelukkige oude priesters.'

'En de gebroeders Kriegel?'

'Ik ken de Kriegels niet. Ze zijn hier pas tien jaar geleden gekomen. Ze hebben het terrein van de oude Winnetz gekocht. Vruchtbaar land en prima wijnstokken. De wijn zou best heel goed kunnen zijn. Misschien zijn ze slim.'

'Ze leveren trouwens grote hoeveelheden wijn aan Carpentier.'

De oude man fronste zijn wenkbrauwen, net als Effie had gedaan. 'Dat is niet zo slim. Laat ze.'

'Heeft u daar nooit aan gedacht?'

'Waaraan gedacht?' vroeg de oude man geïrriteerd. Isaias verzamelde de borden en ging de hut binnen om Calida te helpen.

'Om uw wijn aan Carpentier te verkopen.'

'Nee.

'Waarom niet?'

'Omdat ik die klootzak te goed ken en de vuile graaiers aan wie hij verkoopt ook.' Als Mara en Effie niet in de buurt waren, was de oude Kaz dol op vloeken.

'Heeft het iets met de Kerk te maken?' vroeg ik.

'Nee, het is persoonlijk.'

'Jean-Baptiste?'

'We hebben samen gewerkt bij L.M. Numuth.'

'Echt waar?'

'Beste wijngaarden van de vallei. De Numuth van 1906 is de beste wijn die ooit in deze vallei is geproduceerd. Carpentier heeft een wortelstok gestolen. En al het andere ook. We kregen ruzie. Hij is een dief en een oplichter. Hij is niet eens Frans.'

'O nee?'

'Belgisch,' zei Isaias, die zich weer bij ons had gevoegd.

'Toen hij de vergunning kreeg voor de sacramentele wijn, ging ik naar hem toe. Ik haatte hem, maar ik was bang dat we onze wijngaard zouden verliezen. Dus kroop ik door het stof en ging erheen om de strijdbijl te begraven.'

'Hoe goed kende u hem?'

'Ik heb vijf jaar naast hem geslapen toen we als leerling bij Numuth werkten. Ik kende hem door en door, neem dat maar van me aan. Die vent had te veel inkt in zijn pen. Ik was erbij toen hij voor de eerste keer schaamluis had en carbolzeep op zijn pik smeerde, en ik zag hem huilen toen hij voor de eerste keer syfilis bleek te hebben. De man was gewoon niet in staat om zijn pik in zijn broek op te bergen en hem er alleen uit te halen als hij moest pissen. Hij was zo gestoord, hij kreeg al een stijve als hij naar een koeienkont keek. Isaias lachte en schonk wijn in de kleine tuimelglazen.

Ik glimlachte en drong er bij de oude man op aan dat hij verder zou vertellen. 'Dus u ging naar hem toe?'

'Inderdaad.'

'En?'

'Hij bood me vijf dollar per vat of tien cent per ton druiven.'

'Dat was niet best,' zei Isaias, die dit allemaal al eerder had gehoord. 'Daar konden we niet van leven.'

'Wat heeft u gezegd?'

'Ik vertelde hem dat hij zijn vrouw had moeten leren zwemmen.'

'Zwemmen?'

'Ja, ze hadden haar net uit die forellenbeek opgedregd.'

'Verdronken?'

Kaz knikte.

'Zelfmoord?'

'Zelfmoord.'

'Waarom?'

'Ze had er genoeg van om steeds opnieuw vernederd te worden.'

'Het was behoorlijk wreed van u om zoiets te zeggen.'

'Als ik iets wreders had kunnen verzinnen, had ik dat gedaan.'

'En de dochters?'

'De dag na de begrafenis vertrokken ze naar Frankrijk. Ze hebben nooit meer met hem gesproken.'

'Dus ik neem aan dat jullie niet tot zaken zijn gekomen?'

'Nee. Maar ik had zijn geur op mijn kleren. Ken je die zoete, extravagante Franse geitenpis die hij gebruikt? De stank hing overal om me heen en ik moest ervan kotsen. Ik beklom de heuvel, verbrandde mijn kleren in het veld en liep naakt naar huis.'

Isaias en ik grinnikten bij de gedachte.

Ik had nog wat tijd over voordat ik Effie en Mara kon ophalen, dus reed ik naar de bibliotheek in St. Helena. Plank na plank boog door onder het gewicht van hoge stapels dikke dossiermappen waar ze oude nummers van de *St. Helena Star* in bewaarden. Ik moet er een stuk of zes hebben doorgewerkt voordat ik vond wat ik zocht.

Het bleek dat de totale behoefte aan sacramentele wijn van alle rooms-katholieke kerken in de VS in de periode voor de Drooglegging ongeveer 45.000 liter was geweest. Nu echter, beweerde de krant, namen de kerken alles bij elkaar meer dan 450.000 liter af. Dat sloeg nergens op. Tenzij het hele godvergeten land was overgestapt naar de Kerk van Rome, moest er zwendel in het spel zijn. En als er sprake was van zwendel, moesten de Meest Eerbiedwaardige Aartsbisschop en zijn geldophaler, monseigneur Cathain, in het complot zitten.

Ik haastte me naar Yountville om Effie en Mara op te pikken. Er schoten duizend gedachten door mijn hoofd; ik voelde me net als de heilige Paulus op weg naar Damaskus.

Enigszins verlaat kwam ik bij de bushalte aan en ze stonden al te wachten bij de benzinepomp. Mara keek angstig en Effie snikte in haar zakdoek. Ik sprong uit de truck en holde de straat over.

'Wat is er gebeurd?'

'Arme Rosa. Ze hebben Guido vermoord.'

'Wie? Waarom?' Ze schudde haar hoofd en keek naar Mara, alsof het te afschuwelijk voor woorden was en ze het in geen geval kon vertellen in het bijzijn van een kind van zeven.

Ze had gelijk. Guido Brunazzi werd in 22nd Street in Protrero gevonden, waar hij met een touw rond zijn enkels aan een bouwkraan bungelde. Zijn hoofd was ingeslagen met een zware Engelse sleutel. Het moet uren hebben geduurd voor hij was doodgebloed.

41

Vader Cathain leidde de begrafenisdienst in St. Mary's Cathedral. Rosa werd aan de ene kant ondersteund door haar oudere zuster Patrizia en aan de andere door mevrouw Abruzzinni. Wij zaten direct achter de familie en ik troostte Effie, die meer overstuur leek door het feit dat ze niets kon doen om Rosa's pijn te verlichten dan vanwege de ongelukkige Guido.

De oude Kazarian, de ongelovige, had zijn begrafenispak aangetrokken. Hij zat er een beetje onbeholpen en verdwaald bij te midden van het getik van de rozenkransen. Teder hield hij Mara's hand vast, ondertussen kauwend op een stuk zoethoutwortel. Hij zei dat het hielp tegen zijn winderigheid, die vooral opspeelde als hij een kerk bezocht. Zijn vrouw en dochter hadden het geloof behouden, maar het zijne had hij lang geleden verloren. Een miljoen van zijn Armeense landgenoten waren in 1916 afgeslacht omdat ze als christenen in het islamitische Turkije hadden gewoond, en sindsdien had hij zich van elke georganiseerde religie afgekeerd. Kaz aanbad zijn dierbare wijnstokken en de enige goden die hij vertrouwde waren de aarde, de zon en de regen.

Aan de overzijde van het middenpad zaten de criminelen van San Francisco in hun beste zondagse pak, geurend naar rozen en stinkend van corruptie. In de kerkbank naast ons ontwaarde ik het korte en bonkige figuur van Guido's baas in de illegale drank, Frankie Stutz. Ik keek naar het altaar en vroeg me af wat Guido had misdaan om in die kist terecht te komen. De Italianen vermoordden elkaar dag in dag uit en nu was het Guido's beurt om tussen zes planken te liggen.

Frankie Stutz staarde recht voor zich uit naar het altaar. Zijn gezicht vertoonde geen enkele emotie, geen sprankje verdriet. Hij volgde de gang van zaken met evenveel interesse als een pianist in een hoerenkast.

Mijn ogen zwierven omhoog langs het prachtig gebeeldhouwde en met gouden filigreinwerk versierde altaar naar de hoge vensters, waarop in het gebrandschilderde glas ondoorgrondelijke bijbelverhalen waren uitgebeeld. Ik keek naar het biechthokje, het was langgeleden dat ik er eentje had bezocht. De laatste keer dat ik achter een dergelijk fluwelen gordijn had gezeten, was in Chicago geweest, toen ik de bijbel van de maffia had gestolen. De herinnering deed me sidderen, want aan de andere kant van het middenpad zat een indrukwekkende verzameling maffiosi. Ik bekeek de muren en probeerde me de kruiswegstaties te herinneren die ik in mijn jeugd had geleerd. Maar ik kwam niet verder dan dat Jezus voor de tweede keer viel.

Effie leek als enige geïnteresseerd in het sierlijke Latijn van Cathain, en toen ik haar arm streelde, bleef haar aandacht volledig gericht op de aantrekkelijke priester met de zalvende stem. Cathain mocht dan het toonbeeld van wereldse devotie zijn, ik wist dat Stutz hem in zijn zak had, zoals Joe Masseria Stutz in zijn zak had. Onwillekeurig bedacht ik dat Amerika wel een bijzonder verknipt land was geworden sinds de Drooglegging. Iedereen had iedereen in zijn of haar zak. De hoer had de barkeeper in haar zak. De eigenaren van de illegale cafés hadden de smerissen in hun zak. De drankhandelaren hadden de politici in hun zak. En er was een tijd dat ik mijn hand in al hun zakken had. Het leek of iedereen te koop was en iedereen scheen betrokken bij zaken die het daglicht niet konden verdragen. Zelfs de heilige moederkerk.

Na de dienst verzamelden we ons op de trappen van de kathedraal, waar we om beurten probeerden de nog steeds snikkende Rosa te troosten.

'Ik krijg de indruk dat ze echt van die vent hield,' zei ik tegen de jonge Joey Abruzzinni terwijl ik hem een vuurtje gaf.

'Dat was ook zo.' Hij inhaleerde de rook. 'Haar smaak voor mannen is altijd allerbelabberdst geweest.'

De rest van de familie leek het met Joey eens te zijn dat Rosa het beste af was zonder haar man, maar op dat moment had niemand de behoefte om die mening aan de treurende weduwe mee te delen. Effie en ik kusten Mara gedag, waarop Kaz haar meenam naar de nieuwste Rin Tin Tin-film, *Rough Waters*, die volgens de kranten heel goed Rinty's laatste zou kunnen zijn. Als ze naar de matinee gingen, zouden ze ruim op tijd zijn voor de veerboot van 14.00 uur. Effie en ik bleven in de stad. Effie nam Rosa's arm en wandelde naar de winkel van de Abruzzinni's. Ik maakte me uit de voeten. Ik zei dat ik een paar boodschappen moest doen, maar in werkelijkheid haatte ik begrafenissen.

'Ik ga een eindje lopen. Ik ga naar mijn club,' hoorde ik Stutz tegen Cathain fluisteren.

Ik schudde Stutz de hand en zei: 'Hartelijk dank voor uw komst.' Stutz had een onaangenaam gezicht met een betreurenswaardig uitsteeksel, dat zijn neus was. Het ding was zo groot dat je ervoor moest wegduiken. Hij keek me aan, glimlachte en stak zijn hand op alsof hij wilde zeggen: 'Wat maakt het uit?' Stutz leek me geen overdreven emotionele man en het was duidelijk dat hij geen spat om Guido Brunazzi had gegeven. Stutz had de persoonlijkheid van een ontstoken zweer. Zijn ene oog twinkelde sluw terwijl het andere je hele lichaam leek te onderzoeken op een geschikte plek om een kogel in te jagen.

Ik volgde hem over Van Ness Street. Ik bleef op een afstandje, maar hij was gemakkelijk te herkennen. Hij was nog ronder dan Kaz' wijnvaten. Hij droeg een grijze Chesterfield melton overjas met een zwartfluwelen kraag en een slappe hoed. Ter hoogte van California Street gleed de Chrysler Imperial die de hele tijd achter hem aan had gereden naar de stoeprand en Stutz stapte in. Het was duidelijk dat de beklimming van Nob Hill geen deel uitmaakte van zijn dagelijkse wandelingetje. Gelukkig kwam er net een kabeltreintje aangerammeld over California, en ik sprong aan boord.

Ik glimlachte, ik dacht aan alle ratten – het soort met vier poten – die tijdens de brand uit Chinatown waren gevlucht en die Nob Hill hadden bestormd alsof ze de rattenvanger van Hamelen achternazaten. Ik rommelde in mijn zak en haalde de brief tevoorschijn die ik zojuist uit Stutz' jaszak had gejat. Terwijl de kabeltram de heuvel beklom, las ik de inhoud.

Lieve Frankie,
Waarom doe je me dit aan? Sinds afgelopen vrijdagavond heb ik heel veel gehuild en je hebt niet gebeld op zaterdag of op zondag. Ik hou van je, Frankie, altijd en voor eeuwig, maar de laatste tijd is het erg moeilijk om met je om te gaan. Je doet me pijn, Frankie. Ik kan niet meer tegen je woedeaanvallen. Nadat

je was vertrokken, moest ik boter op mijn arm smeren op de plekken waar je me heb gebrand met je sigaret. Je bent te ruw voor me, Frankie. Hoe dan ook, ik denk niet dat je je vrouw ooit zult verlaten, want ze is een prachtige dame. Als je niet meer belt, begrijp ik dat.
Hoogachtend,
Marcie xx

Door het voorraam van de kabeltram zag ik dat de Chrysler afremde bij het grote en voorname gebouw van de Flood Mansion, waar nu de Pacific-Union Club gevestigd was.

'Ik heb een afspraak met de heer Stutz.'

'Wie kan ik zeggen dat er is?' vroeg de magere, in jacquet en witte handschoenen gestoken verwaande kwast achter de met notenhout ingelegde balie.

'Thomas Moran.'

De pluimstrijker verdween naar het rokerige vertrek achter ons en ik veegde het stof van mijn hoed en staarde naar het Italiaanse marmer en het protserige houtwerk. Ik pakte het lunchmenu van een rek en constateerde dat ze Waldorf Pudding serveerden, net als op de *Titanic* op de avond dat die zonk.

De pluimstrijker keerde terug. 'Hij zegt dat hij u niet kent.'

'Zeg hem dat ik een vriend ben van Guido Brunazzi.'

Hij kwam weer terug. 'Hij kent u nog steeds niet.'

'Zeg hem dat ik een vriend ben van aartsbisschop Meehan.'

Toen hij voor de derde keer terugkwam, begon de pluimstrijker zich duidelijk aan me te ergeren, en het deed hem zichtbaar plezier dat hij bij wijze van afsluiting kon zeggen: 'Hij stelt voor dat u eens langsgaat bij St. Mary's Cathedral aan Van Ness Street. Dit is de Pacific-Union Club.' Hij legde zijn in een witte handschoen gestoken hand tegen mijn onderrug en begeleidde me naar de uitgang. Over het algemeen had ik er geen bezwaar tegen als mensen me zo dicht naderden dat ze me konden aanraken, maar in de zakken van deze vent vond ik niets anders dan een stuk lint.

'Heeft u nog meer vrienden?' vroeg hij op sarcastische toon.

'Ja zeker, nu u het vraagt, die heb ik. Zeg tegen hem: Marcie.'

Marcie bleek het toverwoord te zijn, en met tegenzin begeleidde de pluimstrijker me naar de Moorse rookkamer. Daar, onder dat gewelfde plafond, waren gedurende vijftig jaar de slimme afspraken gemaakt die hadden bijgedragen aan de vorming van Amerika. Een halve eeuw paardenhandel, mogelijk gemaakt door inhalige stinkmuggen die in deze luie lederen stoelen zaten en de almachtige dollar aanbaden. Op deze plek overwonnen de slimme mannen de domkoppen en werden fortuinen opgebouwd ten koste van de bezitlozen: tips over de aandelenhandel; kartels; vrijmetselarij; nepotisme; omkoping; bedrog; corruptie en smeergeld vulden de verschaalde lucht en vermengden zich met de zoete rook van sigaren. Eens, in mijn vorige leven, had ik een dergelijke club met redelijk succes kunnen afwerken. Maar nu haakte ik mijn vingers ineen en knakte met mijn knokkels om de verleiding te weerstaan. Ik keek de kamer rond en constateerde dat iedereen sterkedrank dronk. Dit was me nog eens een illegale tent – natuurlijk, er lag een kleed op de vloer, er hingen Spaanse wandkleden tegen de muren en de vloer was niet voorzien van een laag zaagsel tegen pis en spuug, maar het was nog steeds een illegaal drankhol en ze overtraden nog steeds de wet – hoewel de commissaris van politie in de hoek van een Gilbey's nipte.

Ik werd naar een stoel bij het raam gebracht, tegenover Frankie Stutz. Hij had zijn aanzienlijke neus begraven in *The Wall Street Journal* en op zijn bijzettafeltje stonden een groot glas en een fles Johnnie Walker. Hij wist dat ik er was, maar keek me expres niet aan terwijl hij de bladzijden van zijn krant omsloeg.

'Kent u Marcie?' vroeg hij.

'Nee.'

'Wat wilt u dan?'

'We hebben elkaar net ontmoet op Guido Brunazzi's begrafenis.'

'Ja, dat herinner ik me. Was u een vriend van hem?'

'Nee.'

'Familie?'

'Soort van.'

'Wat mij betreft kan Guido Brunazzi direct naar de hel lopen... het was een smeerlap.'

'Hij werkte voor u,' zei ik.

'Hij werkte voor zichzelf...'

'En voor zijn vrouw en kinderen,' antwoordde ik. 'En toch haatte iemand hem zo verschrikkelijk dat ze zijn schedel insloegen en hem ophingen om dood te bloeden, onvoorstelbare pijnen lijdend.'

'Onvoorstelbaar,' zei Frankie, het klonk zo onverschillig dat het bijna beledigend was, dus ging ik verder.

'Ik heb drank te koop – wijn – en ik vroeg me af of u geïnteresseerd was?'

'Oei,' zei hij schijnheilig, 'we leven onder de Drooglegging, heeft niemand u dat verteld?' Tevreden met zichzelf nam hij een slokje whisky.

'Ik heb het niet over gewone wijn, ik heb het over fantastische wijn, tien jaar oud. Waarschijnlijk de beste die u ooit heeft gedronken.'

'Ik drink whisky.'

'Oei, weet u niet dat we onder de Drooglegging leven?'

Hij liet zijn krant zakken en keek me opnieuw aan alsof ik al een eind op weg was naar het mortuarium. 'Hoeveel vraagt u voor de wijn?'

'Twintig dollar per vierenhalve liter.' Eerlijk gezegd had ik geen flauw benul van de prijzen.

'Twee dollar.'

'Bedoelt u twee dollar per fles?'

Hij schudde zijn hoofd alsof ik volkomen van lotje getikt was. 'Nee, jochie, dat bedoel ik niet.'

'Twee dollar per vaatje?'

'Twee dollar per ton,' antwoordde hij.

'Per ton? Bent u nu helemaal gek?'

'Zachtjes praten, jochie, dit is de Pacific-Union, niet een of andere derderangs zuiptent.'

'We hebben de beste wijn, misschien de beste in de hele vallei – Cabernet Sauvignon.'

'Ik zal het u uitleggen, meneer Moron [mongool – S.B.].'

'Moran,' verbeterde ik hem. Sinds de katholieke school had ik die oudbakken mop niet meer gehoord.

'Het kan me geen klap schelen of je je wijn in een kwispedoor maakt van koeienstront en konijnenballen, zolang hij maar vijftien procent alcohol bevat, dat is het enige wat me interesseert. Wat mij betreft pis je bloed en stop je dat in een fles. Ik hoef niet zo nodig een medaille te winnen op de Wereldtentoonstelling.'

'Dat is niet wat ik in gedachten had.'

'Nou, zorg dan maar dat je het in gedachten krijgt. Stop die drank maar in je reet, jochie. Je hebt er de ballen verstand van.'

'Daar heeft u gelijk in, ik heb er geen verstand van.'

Stutz keerde terug naar zijn krant en zwaaide met zijn hand ten teken dat ons onderhoud voorbij was, maar ik vervolgde.

'Wat ik wél weet is dat u uw vrouw bedriegt, wat prima is, want de helft van de zeer geëerde heren in dit vertrek doet dat, maar zij gebruiken de arm van hun vriendin niet als asbak.' Stutz keek op en een ogenblik hielden onze blikken elkaar gevangen. Ik besloot mijn rede met een grapje.

'Dát is pas smeerlapperij.'

Hij vertrok geen spier; het enige wat hij deed was nauwgezet zijn krant opvouwen, het laatste restje van zijn Johnnie Walker achteroverslaan, het glas op het bijzettafeltje zetten en zichzelf uit de lederen leunstoel omhoogduwen.

'Wacht hier,' zei hij, 'ik ga even pissen.'

Ja hoor. De enige lul die hij over twee minuten zou vasthouden was die van ondergetekende, terwijl hij met zijn andere hand de loop van zijn .38 Smith & Wesson tegen mijn schedel zou drukken. Ik ging hier echt niet zitten wachten tot hij een van zijn zware jongens had gefloten om mijn schedel te splijten, zoals hij met Guido Brunazzi had gedaan. Daarom glipte ik via de keuken naar de achterdeur die uitkwam in Sacramento Street.

42

Ik liep langs de Tin Fook Goldsmiths and Jewelry Store aan Jackson Street. Voor de winkel in het souterrain hing een bord waarop stond: 'Vers Gedode Kippen.' De Chinezen deden geen moeite om hun boodschap te verhullen, want een levend dier was altijd van betere kwaliteit dan een dood exemplaar. Als je het dier krabbend en kakelend mee naar huis nam, wist je in elk geval zeker dat het vers was. Ik bekeek de etalage van de juwelier om te zien of er iets bij was wat ik voor Effie zou kunnen kopen.

Binnen liet de oude meneer Yu me een aantrekkelijke ring met een robijn zien, en hij verzekerde me dat die echt was. Voor vijftien dollar wisten we allebei dat dat niet waar was. Maar ik kocht de ring evengoed. De familie Yu had tijdens de goudkoorts naam gemaakt onder de Chinese mijnwerkers die hun goud naar huis wilden smokkelen. Meneer Yu's grootvaders maakten voorwerpen om het edele metaal ongemerkt langs de douanebeambten te sluizen. Het verhaal gaat dat hij eens een koekenpan van massief goud had gesmeed en die met roet zwart maakte, zodat de pan als twee druppels water op een echt exemplaar leek.

In Stockton stuitte ik op de Chinese variant van het Leger des Heils. Er werd op trommels geslagen en met tamboerijnen geschud. Die rijstkomchristenen staken wel erg vreemd af tegen de zeeoor, zeewier en zeeslakken. Een oudere vrouwelijke officier van het Leger deelde exemplaren van de *Strijdkreet* uit, terwijl ze met de band mee 'Voorwaarts dan, gij heilsoldaten' zong – elk oneven couplet in het Chinees.

Aan Clay was in een souterrain een noedelshop gevestigd waar de Chinese arbeiders hun *juk*-rijstepap aten. Op de begane grond zat een iets chiquer restaurant voor de plaatselijke winkeliers en toeristen. Sammy's kantoor bevond zich op de verdieping daarboven en zijn appartement was een pagode op het dak.

Sammy zei tegen Willi Chu dat hij een fles goede wijn naar boven moest brengen ter ere van mijn bezoek en ondertussen vertelde ik hem over de afgelopen drie maanden. Hij glimlachte om het belachelijke idee dat ik hard werkte en was bijzonder onder de indruk van mijn eens zo zachte, met talk bepoederde handen, die nu eeltig waren en aanvoelden als een touw vol knopen.

'Jij moet wel verliefd zijn,' zei Sammy. Hij besloot dat er geen andere verklaring mogelijk was. Alleen dat kon verklaren waarom ik me inliet met lichamelijke arbeid die niets te maken had met mijn handen in andermans zak steken. 'Hoe heet ze?'

'Effie. Eigenlijk Euphemia.'

'Mooie naam. Grieks?'

'Armeens. Haar moeder was Italiaanse.'

'Je ziet er keurig uit, Tommy.'

'Ik kom net van een begrafenis.'

Sammy keek bezorgd. 'Van wie?'

'Guido Brunazzi.'

Sammy keek opgelucht. Hij haalde zijn schouders op en

trok de kurk uit de etiketloze wijnfles. 'Was hij een vriend van je?'

'Ik kende hem niet, maar hij was getrouwd met Effies nicht.'

'Die vent was in staat om melk van een veranda te stelen, hij was absoluut onbetrouwbaar.'

'Dat zei Frankie Stutz ook al tegen me.'

'Voor één keer heeft Frankie Stutz gelijk. En trouwens, wat moest jij met een kakkerlak als Stutz?'

'Ik wilde hem wijn verkopen.'

'Waarom kwam je niet naar mij toe?'

'Ik wist niet dat jij in de wijnbusiness zat.' Sammy leek me niet te horen, hij was bezig de kurk van de kurkentrekker te draaien.

'Weet je dat Stutz achter de moord op Brunazzi zat?' zei hij, terwijl hij zorgvuldig twee glazen volschonk.

'Dat dacht ik al. Maar waarom?'

'Guido Brunazzi werkte voor Stutz omdat Joe Masseria in New York zei dat dat moest. Op die manier kon het Italiaanse opperhoofd Stutz in de gaten houden. Het was een prima regeling.'

Sammy proefde zijn wijn. Ik bewoog mijn glas, rook aan de wijn en nam een slokje. Het was Pinot Noir – minstens drie jaar in een eiken vat gelegen, misschien. Kaz zou hem waarschijnlijk iets te jong en te druifachtig vinden, maar ik vond hem erg lekker.

Terwijl Sammy zijn wijn achteroversloeg, zette ik het gesprek voort: 'Carpentier verkocht de wijn legaal aan de Kerk, de Kerk droeg de wijn over aan Stutz en Stutz vervoerde hem naar New York. Tot zover heb ik het uitgevogeld.'

'En je hebt gelijk. Die heilige kerels presteren het zelfs om hun handen schoon te houden. De drank gaat rechtstreeks naar Stutz' pakhuizen in San Mateo County.'

'Wat is er dan misgegaan?'

'Stutz en Masseria leven al maanden met elkaar in onmin. Stutz begon zenuwachtig te worden omdat hij niet wist wie in New York wie vermoordde. En toen ontdekte hij dat Masseria Guido Brunazzi had opgedragen de Carpentier-wijn langzaam maar zeker over te hevelen naar de Farruggio's.'

'Wist Stutz niet dat Guido hem bedroog?'

'Natuurlijk wel. Vanaf de eerste dag dat hij hier was, gedroeg hij zich als de vos die het kippenhok in de gaten hield.'

'En daarom blies Stutz het pakhuis van Farruggio op.'

'En uit wraak huurden de Farruggio's een paar kerels van buiten de stad om wat gaten in Oakie Doolans hoofd te maken. Stutz verliest zijn geduld, raakt geïrriteerd dat Brunazzi hem bedondert en maakt hem ten slotte van kant. Mijn jongens hebben me verteld dat Frankie het zelf heeft gedaan. Hij heeft hem met een Engelse sleutel geslagen – zijn schoenen zaten onder het bloed. Toen hebben Frankies jongens hem opgehangen tot hij was doodgebloed.'

'Is dat een Italiaanse methode?'

'Nee, Tommy, dat is een Amerikaanse methode.'

'En, zít je in de wijnbusiness?' Hij leek me afschuwelijk goed op de hoogte voor een buitenstaander, maar hij schudde zijn hoofd, nee.

'Absoluut niet, die Italianen mogen elkaar wat mij betreft allemaal afmaken. De Kerk zou trouwens nooit zaken met me doen; ze zijn daar allemaal zo godvergeten racistisch. Het is erg moeilijk voor een Chinees om een voet tussen de deur te krijgen.'

'Dit is goede wijn, waar komt hij vandaan?' Ik rook aan de kurk.

Sammy haalde onschuldig zijn schouders op.

'Geen idee. Carpentier waarschijnlijk.' Hij lachte. 'Hoe zit het met jou? Heb je iets kunnen regelen met Stutz?'

'Nee. Hij mocht me niet. Ik denk dat ik hem overstuur heb gemaakt. Ik had een brief uit zijn zak gejat, van zijn vriendinnetje. Hij heeft haar arm verbrand met sigaretten. Ik heb laten doorschemeren dat ik dat wist.'

'Je moet wel oppassen.'

'Dat weet ik.'

'En trouwens, het is zonde als je het pensioen van de oude man in de uitverkoop gooit. Je zou in zaken moeten gaan.'

'Natuurlijk, als ze die stompzinnige wet veranderen.'

'Niet mijn stompzinnige wet, Tommy.'

'De mijne ook niet.'

'Misschien kan ik je helpen.'

'Denk je?'

'Ik moet een paar telefoontjes plegen.'

'Legaal?' vroeg ik.

'Zo legaal als een Chinees is toegestaan,' antwoordde hij schouderophalend.

Nadat ik mijn jas had aangetrokken om te vertrekken, draaide ik me om en gooide de foto van Gracie die ik in Carpentiers portemonnee had gevonden op de tafel. Sammy raapte hem op en glimlachte.

'Spaar je tegenwoordig vieze plaatjes, Tommy?'

'Het is mijn zuster.'

'O, sorry.'

'Ik vond hem in de zak van een of andere kerel.'

'Is dit de kleine Gracie?'

Ik knikte. 'Niet meer zo klein, blijkbaar. Wil je eens voor me informeren?'

Terwijl ik de trappen van Sammy's pand afdaalde, kwamen de etensgeuren me door het trappenhuis tegemoet. Op straat stond het Leger des Heils nog steeds te trommelen en te zingen:

'Kronen en tronen kunnen verdwijnen
Koninkrijken verrijzen en raken in verval,
Maar de Kerk van Jezus
Zal eeuwig blijven.'

Toen ik bij Grant de hoek omging, begon ik om de een of andere reden met mezelf te praten. Ik dacht aan Jesse James, die zoveel vuurgevechten had geleverd met de sterke arm. Hij moet minstens duizend kogels hebben ontweken tijdens al die bankovervallen.

'Maar weet je hoe hij stierf?' vroeg ik mezelf. 'In de rug geschoten terwijl hij een foto ophing. Door zijn beste vriend Bob Ford.'

Ik antwoordde mezelf iets te luid, want mensen keken me aan alsof ik een of andere gek uit Agnew's Psychiatrische Inrichting was.

'De smerige kleine lafaard die de arme Jesse omlegde. Weet je wat de moraal is van dit verhaal, Tommy? Wees waakzaam als je foto's ophangt? Nee. Vertrouw nooit iemand, zelfs je beste vriend niet.'

Ik keek naar de kurk van de wijnfles die ik uit Sammy's pagode had meegenomen. De initialen FF stonden er ingebrand. Frederic Frères, de wijngaard van Ulf en Stefan Kriegel. Ik wil niet suggereren dat mijn dierbare vriend Sammy me ooit schade zou berokkenen, maar ik had het idee dat zijn belangen in de wijn en de illegaledrankbusiness toch iets groter waren dan hij deed voorkomen.

43

Ik bracht de nacht door op de bank van de Abruzzinni's, wakker gehouden door een krat vol kakelende kippen. Effie deelde een bed met Rosa. De volgende morgen hing er een sombere stilte in de gewoonlijk zo lawaaierige winkel beneden – de enige geluiden die je hoorde waren van de snijmachine die de salami in plakken sneed en van Joey die een karkas van een lam in stukken hakte.

Willi Chu pikte me op de hoek van Columbus Street en Stockton Street op en bracht me naar de synagoge in Fillmore. Die stelde niet veel voor, maar rabbi Weissmuller zag er bijzonder authentiek uit. Op het bord boven de deur van het voormalige, failliete bioscoopje stond: 'De Congregatie van Hebreeuwse Orthodoxe Rabbi's van Amerika.' Binnen leek de lege synagoge op zijn hoogst dertig congregatieleden te kunnen herbergen. En afgaande op het stof op de houten stoelen kwamen ze niet zo vaak bijeen. Ik zat op de achterste rij, terwijl de rabbi, hoogstens 1,50 meter lang, oren als de portieren van een taxi en een baard die tot zijn navel reikte, voor me zat. Hij sprak schuin over zijn schouder, zodat iemand die naar ons keek niet zou denken dat hij met me zat te praten. Omdat rabbi Weissmuller en ik de enigen waren in de synagoge, vond ik het nogal vreemd. Hij had een zwaar accent, Russisch of Hongaars; dat wist ik niet, omdat hij uit zijn mondhoek sprak, zijn hoofd na elke drie woorden liet zakken, steeds over zijn schouder keek en luidruchtig aanzienlijke hoeveelheden snot in zijn neus opsnoof.

'Ik denk dat ik wel een vergunning voor 2200 liter voor u kan regelen.'

'Dat is een grote gemeente,' zei ik.

'De wet zegt dat we vierenhalve liter per gelovige mogen afnemen, en een groot deel van onze mensen bidt thuis.'

'Dat is erg handig,' antwoordde ik met een blik op de dertig stoffige stoelen.

'Dit was de afspraak die ik met mijn vorige leverancier had.'

'Wat is er met hem gebeurd?'

'Hij is failliet gegaan.'

'Dat is jammer.' Jammer voor hem en mooi voor ons, dacht ik.

'Ik moet natuurlijk wel uw bedrijf controleren.'

Ik keek verbaasd. Dacht hij soms dat we een pension beheerden?

'Of het koosjer is,' zei hij.

'O, natuurlijk.'

Ik vroeg Willi Chu te wachten terwijl ik een blok verder liep naar de snoepwinkel van Haas. Ik sloot achter aan in de lange rij en las de geëmailleerde bordjes op de betegelde muren: 'Het is de moeite waard om erop te wachten want het is de beste snoep die u mag verwachten. Gemaakt van de fijnste grondstoffen.' Ik kocht een reusachtige zak van tien cent voor Mara.

Op de terugweg naar North Beach kon ik niet geloven dat

de rabbi echt van vlees en bloed was, maar Willi Chu verzekerde me dat dat wel het geval was. Ik had een keer horen vertellen over controleurs van de Drooglegging die een synagoge met duizend leden hadden ontmanteld die in werkelijkheid een delicatessenwinkel in Russian Hill bleek te zijn – maar deze vent had tenminste een behoorlijk gebouw. Willi Chu vertelde ook dat rabbi Weissmuller familie was van Johnny Weissmuller, de olympische zwemkampioen. Daar moest ik om lachen – dat grappige kleine ventje leek absoluut niet op hem.

Voordat we de veerboot terug naar huis namen, kocht ik voor Effie een bosje bloemen van een vent zonder benen. Hij had ze waarschijnlijk ergens in Frankrijk achtergelaten, in Chateau-Thierry of Vaux.

Toen we de trap aan de zijkant van het schip beklommen, was het onrustige water van de baai door de mist en de regen nog amper zichtbaar. Effie en ik kropen dicht tegen elkaar op een bank op het benedendek die tegen de warme wand van de machinekamer stond. We plunderden Mara's zak met snoep en Effie bewonderde haar boeket. Terwijl ze aan de bloemen rook, voelde ik in mijn zak en haalde de ring met de robijn tevoorschijn die ik had gekocht bij meneer Yu van Tin Fook.

'Wat is dat?' vroeg ze, terwijl ze over haar schouder keek alsof iemand ons in de gaten hield.

'Vind je hem niet mooi?'

'Heb je hem gejat?'

'Nee, natuurlijk niet.'

Voor de eerste keer keek Effie me aan zoals iedereen me mijn hele leven al aankeek. Ze keek naar me alsof ze niet meer zag dan een dief.

'Ik heb hem in Chinatown gekocht. Echt waar.'

'Maar hoe moet ik dat ooit geloven?'

'Omdat ik nooit tegen je zou liegen.'

Ze slaakte een zucht. 'Snap je het niet? Als je het hebt gestolen, is het niets waard voor me.'

Ik zocht in mijn zakken naar de bruine papieren zak met de Chinese tekens waar meneer Yu de ring in had verpakt. Maar het enige wat ik kon vinden, was de brief die ik uit Stutz' zak had gevist. Ik voelde me goedkoop en smerig. 'Effie, ik zweer het, ik heb hem niet gestolen.'

'Je moet me beloven dat je nooit meer zult stelen.'

Nooit meer stelen? Dat was hetzelfde als vragen of ik nooit meer wilde ademhalen. Maar ik antwoordde zonder aarzeling.

'Dat beloof ik.'

'Ik maak geen grapje,' zei ze, terwijl ze mijn hand pakte en die tegen haar borst hield. Ik voelde haar hartslag.

'Zeg: "In Gods naam."'

'Wiens God?'

'Met God speel je geen spelletjes, Tommy.'

'In Gods naam,' herhaalde ik plichtsgetrouw.

'Zweer dat je nooit meer zult stelen.'

'In Gods naam, ik zweer dat ik nooit meer zal stelen.'

Ze boog voorover en kuste me, alsof ze me vergaf voor een leven vol zonden. Ik trok haar tegen me aan en streelde haar haar. Man, wat had ik gezegd? En dat allemaal voor een ring van vijftien dollar met een robijn die niet eens echt was.

44

Toen marathonloper Dorando Pietri tijdens de Olympische Spelen van 1908 in Londen het stadion binnenkwam, ver voor zijn rivalen, raakte hij gedesoriënteerd en struikelde. Hij werd overeind geholpen door de officials, die hem naar de finish begeleidden en tot winnaar uitriepen. Aanzienlijk veel later zette de Amerikaanse atleet als tweede voet in het stadion. Het Amerikaanse team protesteerde luidkeels, Dorando Pietri werd gediskwalificeerd en de Amerikaanse atleet werd uitgeroepen tot winnaar.

Moraal: het doet er niet toe hoe ver je gerend hebt in je leven, het is de laatste ronde die telt.

Ik bezocht mijn moeder op de heuvel in Agua Caliente. Voordat ik vertrok, hadden Effie en Mara een klein bosje wilde bloemen voor me geplukt dat ik op het graf kon leggen. Misschien kon ik haar, als de zaken wat beter gingen, een behoorlijke grafsteen geven in plaats van het houten armeluisexemplaar dat er nu stond. Ik trok het onkruid uit, het was duidelijk dat Maeve hier niet zo vaak kwam, hoewel ze nog steeds nauwelijks twee kilometer verderop woonde.

Ik zat in mijn eentje in de stilte van de begraafplaats in mijn nette pak, boordje en stropdas. Ik wist niet waarom ik me zo netjes had aangekleed, behalve misschien omdat ik wist dat mijn moeder dat op prijs gesteld zou hebben. Ik ontdekte een gat in mijn jasje. Ze zou mijn jasje gepakt hebben en het met gemak binnen een paar minuten gerepareerd hebben. Ik stak mijn vinger door het gat en boog hem in de richting van de houten grafzerk.

'Sorry, mam, als je nog zou leven, had je dit voor me kunnen maken. Herinner je je de oude meneer Kittleman nog? Hij is dood nu... dat weet je natuurlijk. Misschien geeft hij je nog steeds werk, naai je daarboven, waar je ook heen bent gegaan, nog altijd van die witte jurken voor hem. Het spijt me dat ze je naaimachine hebben meegenomen... Daar was ik zo kwaad om. Het moet je hart hebben gebroken. Ik heb je geld en dingen opgestuurd. Maar Gracie vertelde dat je het aan de Kerk hebt gegeven... Dat begrijp ik wel...'

Ik wiedde het onkruid rond haar graf en nam mezelf voor dat ik hier vaker zou komen. Misschien kon ik wat bloemen planten. We hadden nooit bloemen in ons appartement gehad en een tuin was een genoegen waarvan ik andere mensen altijd heb zien genieten als ik langs hun scherp gepunte hekken liep.

'Mam, ik heb onderweg veel aan je gedacht. Elke keer als ik een dame met een hoed en een schort zag, dacht ik aan jou. Weet je, ik las in de bijbel dat toen Adam en Eva van die boom in Eden hadden gegeten en vijgenbladen aan elkaar naaiden... weet je wat ze toen maakten? Ze maakten een schort. Dat vond ik grappig en ik dacht aan jou toen ik het las. Ik denk dat God zelfs toen al wilde dat mensen zouden werken.'

Ik knielde neer en veegde met mijn platte hand de rode, stoffige grond op haar graf aan, waarbij ik de losse steentjes weggooide. Ik kneep de honderden kleine blaadjes dood die door de aarde omhoogstaken en toen stopte ik. Misschien had ze die in de hemel geplant? Ik zat in kleermakerszit en vervolgde mijn gesprek.

'O, en bedankt voor die keren dat je me in meneer Kittlemans catalogi liet kijken. Ik herinner ze me nog goed, elke bladzijde... klinkt een beetje mal, nietwaar? Weet je, ik heb het altijd een beetje idioot gevonden dat ik zo geïnteresseerd was in die catalogi. Ik bedoel, als je normaal bent, vul je je hoofd toch niet met rotzooi als dubbelgestikte kamgaren stof en geborduurde kant? Maar wat kan het me schelen... Het waren de enige boeken die we in huis hadden, dus wat had ik anders moeten lezen? Dat is natuurlijk niet jouw fout, mam... en ik heb sindsdien flink mijn best gedaan om mijn lezen bij te spijkeren. Dat zou je fijn hebben gevonden. Op de een of andere rare manier denk ik dat ik beter ben geworden. Begrijp me niet verkeerd... In het grote geheel stel ik natuurlijk niets voor... dat weet ik... maar zelfs die oude Abraham moest negentig worden voordat God zei dat hij volmaakt was... dus heb ik nog steeds zestig jaar te gaan... Trouwens, dat was een grapje.'

Ik keek omlaag naar de vallei, naar de steunpalen van de perenbomen die langs de weg stonden die omhoog slingerde naar de begraafplaats. We hadden nooit samen van een dergelijk uitzicht genoten, mijn moeder en ik. Als ze niet altijd achter haar naaimachine had gezeten, hadden we misschien een keer een tochtje kunnen maken – een vakantie, zoals ze dat noemden. Maar mijn moeder had het te druk, met haar hoofd gebogen over de Singer, om zo'n uitstapje naar het mooiste landschap te organiseren. Hoewel de veerboot naar de overkant van de baai niet meer dan een stuiver kostte. Ik keek achterom naar het ruwhouten kruis.

'Ik weet dat ik in jouw ogen nooit een zoon ben geweest, alleen een dief. Ik was een dief, maar... wacht even, ik vergeet het bijna... Ik heb iets meegenomen dat ik je wil voorlezen.'

Ik tastte in mijn zak en haalde mijn kleine, verfomfaaide boekje tevoorschijn. Ik bladerde voor- en achteruit tot ik vond wat ik zocht.

'Nou, denk nou niet dat ik dit als een soort excuus bedoel, mam, ik vertel alleen hoe die vent de dingen zag, en het was een behoorlijk belangrijke vent.' Ik begon te lezen:

> 'Ik leg het je uit aan de hand van diefstal:
> De zon is een dief, en met zijn grote aantrekkingskracht
> Berooft hij de uitgestrekte zee: de maan is een reizende dief,
> En haar bleek vuur rooft ze van de zon:
> De zee is een dief, die met zijn vloeistof
> De maan oplost in zoute tranen: de aarde is een dief,
> Die voedt en opkweekt met compost gestolen
> Van allerlei uitwerpselen: elk ding is een dief.'

Ik stak het boek weer in mijn zak, herschikte de wilde bloemen en schopte het onkruid weg.

'Ik hoop dat je de bloemen leuk vindt. Ze zijn van Effie en Mara. Het zijn goede mensen. Net als jij. Ik denk dat je hen aardig had gevonden. Ik zal je de volgende keer over hen vertellen. Misschien komen ze wel mee.'

Ik zette een stap achteruit en trok mijn jas recht.

'En maak je geen zorgen over Gracie. Ik zal voor haar zorgen, zoals ik altijd heb gedaan. Ik beloof het je. Ze is knettergek, maar... ik ben haar broer en ik ben terug.'

Ik boog naar beneden en kuste de houten grafzerk. 'Sláine Moran' stond erop, in het Iers. Het Gaelic betekende 'goede gezondheid'.

Terwijl ik de heuvel af liep realiseerde ik me wat een flinke vrouw ze was geweest en hoe ze, toen ik haar na haar dood zag, tot niets was verschrompeld. Ze was pas begin vijftig toen de Spaanse griep haar hemelwaarts had gezonden. Spaanse griep? Dat was een lachertje, want de arme Spanjaarden hadden er niets mee te maken. Iedereen wist dat de epidemie was begonnen in de legerbarakken van Fort Riley in Kansas. Hoe komt het dan dat die Spaanse lui de schuld kregen van een koorts die bij ons begon? Waarom hebben ze het niet de Kansas-griep genoemd? Probeer dat maar eens te begrijpen.

Ik klopte op de deur van Maeves huis aan Sunnyside Road. Na de derde keer deed ze open. Maeve begroette me ongeveer even enthousiast als ze een meervoudige moordenaar zou begroeten. Mijn zus droeg haar ontevredenheid als een doodskleed dat haar van top tot teen bedekte, maar ze slaagde er toch in een zwak glimlachje te produceren. Ze zette thee en met haar dikke, vette armen droeg ze het blad naar de woonkamer. Ik vroeg haar naar Gracie.

'Ik heb haar in geen vijf jaar gezien. De laatste keer dat ik haar sprak, werkte ze als chocoladedoopster in een snoepfabriek in Vallejo.'

Ik dronk de thee en luisterde heel zorgvuldig, zoals dat zwartorige hondje in de advertentie voor Victor Records.

'Toen kreeg ik een kaart uit de stad,' vertelde ze.

Ik dacht aan de foto van Gracie die ik in mijn zak had, de foto die ik uit Carpentiers zak had gepikt. Ik dacht erover hem tevoorschijn te halen en aan Maeve te laten zien, maar het zou haar maaltijd verpesten en haar gebeden van die avond tot diep in de nacht verlengen.

'Had ze toen een vriend?'

Ik had een onderwerp aangesneden dat Maeve ongepast vond. Ze woonde nog steeds alleen en het was duidelijk dat niemand ooit bij Maeves mosseltje in de buurt was geweest, laat staan dat hij het had geopend. Ze sloeg haar ogen neer en begon bedrijvig de kopjes bij te vullen. 'Je kent Gracie.' Ze haalde afwerend haar schouders op.

'Nee, ik ken haar niet.'

'Ze is je zuster.'

'Ik heb haar in zeventien jaar één keer gezien, met ma's begrafenis.'

Maeve zette de theepot neer en schoof er een gebreide theemuts overheen om hem warm te houden. Ze schraapte haar keel en zei: 'Ze had veel mannen. Heel veel.'

'Echt waar?'

'Ze kon geen nee zeggen. Ze is nooit zo slim geweest, de mannen gebruikten haar. Nadat ma was gestorven, is ze helemaal gek geworden.'

'Gek?'

'Ze was een slet.' Het leek erop dat de foto in mijn zak Maeves negatieve beeld over haar zuster alleen maar zou bevestigen.

'Gracies kaart, wat stond daar op?'

Maeve liep naar het dressoir en opende een la. Ze kwam terug met een kartonnen doos. Ze doorzocht een stapel oude foto's en brieven tot ze vond waar ze naar zocht en overhandigde me een kaart. Het was een met de hand ingekleurde fotogravure van Chinatown die zo te zien was genomen vanaf de hoek van Clay ter hoogte van Stockton. Ik draaide hem om en las.

> Lieve Maeve,
> Prettige Valentijnsdag! Vandaag is Tommy jarig en daarom moest ik aan hem en aan jou denken. Heb een fantastische baan gevonden in een nieuwe club. Gastvrouw. Verdient fantastisch.
> Liefs,
> Gracie
> xx

Ik glimlachte omdat ze mijn naam noemde en zich zelfs mijn verjaardag nog herinnerde. Als kind hadden Gracie en ik altijd een zeer hechte band gehad, waar Maeve altijd buiten had gestaan. Arme Maeve, het was evenzeer onze fout geweest als de hare. De kaart was gedateerd februari 1929.

'Vorig jaar?'

Maeve knikte en ik pakte een paar andere foto's uit haar doos. Ik zag de trouwfoto van mijn vader en moeder en een foto van een vaag glimlachende Gracie en Maeve in de jurken van hun eerste heilige communie. Er was een foto van mijzelf bij waar ik met vijf andere kinderen naar de camera stond te grijnzen. We droegen die belachelijke gewaden waarin we het vormsel hadden ontvangen. Ik wees ze een voor een aan terwijl ik me hun namen probeerde te herinneren.

'Mickey Cremona, Liam Devlin, Ugo Battelo, Teddy Dorgan en...' De laatste naam was me ontschoten. Maeve boog zich voorover om beter te kunnen kijken en verschafte het antwoord.

'Renzo Gamboloto. Je bent een keer gesnapt toen je zijn

vaders horloge wilde stelen. Weet je dat niet meer?'

Dat wist ik niet meer, maar ik moest er wel om lachen. In de doos zat ook een honkbal waarop 'Tommy Moran' was geschreven. Ik herinnerde me dat ik die had gevangen bij het Seals' old Rec-stadion waar we als kind in Valencia Street stonden te wachten in de hoop dat er een homerun werd geslagen en de bal het park uit zou vliegen. Maeve had ook de naaibril van mijn moeder bewaard en een paar oorbellen met granaten en diamanten die ik een keer had gejat. Helemaal onderin lag mijn foto uit Winooski. Ik keek over de doos heen naar Maeve, die daar in haar preutse, hoogsluitende, lichtblauwe katoenen jurk zat toe te kijken. Haar dunne haar was achterovergekamd en platgedrukt boven een alledaags, saai, vreugdeloos gezicht met een huid die op gekreukeld linnen leek. Ik stak mijn hand uit. Ze aarzelde een moment, nam hem vervolgens in haar handen en hield hem tegen haar wang. Ze had dezelfde rode handen als mijn vader. Lange tijd zaten we daar in stilte en ik voelde haar tranen tussen mijn vingers door sijpelen.

45

De oude man Kaz was blij dat de lente voorbij was, omdat dat de meest riskante tijd is voor de wijnstokken. Hij haatte de windstille nachten als de lucht tot stilstand kwam en de geringste nachtvorst de hele oogst kon verwoesten. Hij glimlachte alleen als de wind opstak en de regen de vallei schoonspoelde.

Het regende pijpenstelen toen ik rabbi Weissmuller ging oppikken bij de bushalte in Yountville. Hij stond met zijn armen om zich heen geslagen en had zijn gleufhoed tot over zijn oren getrokken. Hij was een beetje chagrijnig omdat hij er niet in was geslaagd de natte regenvlagen die van alle kanten kwamen aanwaaien te ontwijken. Ik rende met een paraplu naar hem toe en hielp hem in de T-Ford.

Eenmaal in de beslotenheid van de pick-up begonnen de vele lagen kleding van de rabbi een geur van klamme lappen af te scheiden. Bovendien, en dat had ik nog niet eerder gemerkt, kon hij het wat winderigheid gemakkelijk opnemen tegen de oude Kaz.

'Aardig landschap,' zei hij, terwijl hij over de velden van Cana-Carpentier uitkeek.

'Zeker.'

'Wat verbouwen ze hier?' vroeg hij, terwijl hij naar de wijnstokken wees.

'Pinot noir, alicante,' antwoordde ik met mijn zojuist verworven kennis.

'Zijn de eigenaren van dit land katholiek?'

'Een ervan wel. Ja.'

'En, bent u joods, meneer Moran?' Hield hij me voor de gek? Ik wist niet wat ik moest zeggen.

'Nee meneer, dat ben ik niet. Iers-Amerikaans katholiek.' Alsof hij dat niet wist.

'Wonen hier ergens joden?' Ik keek naar de lucht omdat ik dacht dat hij naar de hemel wees, maar besefte toen dat hij naar de top van de heuvel wees, naar de wijngaard.

'O ja, meneer.' Ik begon te vrezen dat deze kleine man een stuk koosjerder was dan Sammy me had voorgespiegeld.

We hadden de wijnmakerij geschrobd en afgespoten tot hij glanzend schoon was, maar de kans dat Isaias een gesprek over het jodendom zou beginnen, was net zo klein als de kans dat Effie het Heilige Hart en de foto van de paus van haar keukenmuur zou verwijderen.

Op Jefferson Market in Fillmore had ik een tas vol eten gekocht – gevulde vis, gerookte zalm, een vette, koosjere worst en een *challe*. Na een kort gebed verorberde de rabbi snee na snee van de worst, alsof hij in weken niet had gegeten. Mara zat aan de andere kant van de tafel met haar kin in haar handen, gefascineerd door deze wonderlijk uitgedoste vreemdeling die zoveel lagen kleding droeg.

Maar het was Kaz die het ijs brak. De rabbi zei dat de wijn pas koosjer was als de wetten tijdens de bereiding strikt waren nageleefd, om een plengoffer aan afgoden te voorkomen. We begrepen er niets van, maar de oude Kaz bleef voortdurend teksten uit Leviticus en Deuteronomium citeren, alsof hij een jood was, alhoewel we allemaal wisten dat hij tot de Kerk van Armenië behoorde.

Na de lunch beklommen Kaz en de rabbi de heuvel om de wijnkelders te bekijken. Weissmuller sloop met open mond naar binnen, alsof hij de grafkamer van Toetanchamon betrad. Ze sloegen heel wat wijn achterover met zijn tweeën, en toen we hen vanuit het binnenste van de heuvel 'My Yiddishe Momme' hoorden zingen, wisten we dat alles in kannen en kruiken was.

Ik bracht de enigszins wankele rabbi weer naar Yountville, waar hij me overdreven hartelijk omhelsde. Hij was ladderzat en kuste me op mijn wang, waarbij hij mijn mond vulde met krullerige zwarte bakkebaarden.

'Dank je, mijn zoon. Dank je.'

'Graag gedaan.'

Eenmaal in de bus draaide hij zich om en schreeuwde: 'Fantastische wijn. Niets dan het beste voor de kinderen van Israël.' En wie was ik om dat tegen te spreken?

Ik zag dat de regen was gestopt, alleen een regenboog hing nog boven de vallei. Er stond geen pot met goud aan het einde, maar nu kon Kaz in elk geval oogsten en overleven. Toen ik met de T-Ford terug naar boven reed, glibberde ik als een motorboot door de gaten in de weg en zong zo hard ik kon 'My Yiddishe Momme'.

46

Ik baande me een weg door de menigte die voor het rekruteringsbureau voor havenpersoneel aan Clay Street stond te wachten. De meesten maakten geen enkele kans, maar ze bleven allemaal in de buurt; waarschijnlijk meer vanwege de gezelligheid dan in de hoop op een baantje. Ik zag dat ze een rij hadden geformeerd die van het rekruteringsbureau van de vakbond vandaan liep. Een vent had een tafel vol flessen opgesteld met daarachter een bord waarop in reusachtige letters stond: 'H. ZALLERBACH: DE HAARSPECIALIST VAN DE WERKENDE MAN Haaruitval, Ringvuur, Schurft en Roos.' De rij sukkels was meer dan een half blok lang.

Ik stond naar deze Zallerbach-vent te kijken. Met zijn kale hoofd had hij veel weg van de koepel van het nieuwe stadhuis, maar hij deed goede zaken. Zijn klanten zaten midden op het trottoir op een stoel, terwijl hij een dertig centimeter lange, metalen kam door hun haar haalde. Ik herinnerde me de aanzienlijke wijsheid van mijn oude vriend Soapy Marx, die altijd zei: 'Koop nooit een middeltje tegen haaruitval van een kalende man.' Verbaasd vroeg ik me af hoe het mogelijk was dat zoveel klaplopers die nauwelijks hun broek konden ophouden, die zich nog geen kop koffie konden veroorloven, zich plotseling zorgen maakten over roos. Tot ik doorkreeg wat de 'Haarspecialist van de werkende man' werkelijk verkocht in die grappige, langwerpige flessen met het etiket 'Zallerbach's Hair Tonic'. Het was pure alcohol. Geloof me, iedereen dreef zijn eigen, dubieuze handeltje. Ik liep langs de rij sukkels en voelde mijn handen jeuken. Ik strekte mijn vingers, liet mijn knokkels knakken en haalde diep adem, wat ik meestal deed als ik in de verleiding werd gebracht. Het werd makkelijker om een leven van eenvoudige zakkenrollerij te vergeten. Er was een tijd geweest dat ik deze klaplopers zonder nadenken van hun drankgeld had verlost. Maar ik had Effie een belofte gedaan.

Rabbi Weissmuller en ik hadden afgesproken in een koffieshop naast Ziegler's Five & Dime aan Van Ness Street. Ik zat aan de bar toen de gebakken-eierengoochelaar met de papieren muts me vertelde dat ik bezoek had. Toen ik me omdraaide, was de rabbi juist bezig zich op de kruk naast me te hijsen. Hij wees naar de koffiepot en toen naar de bar. Dit was een man van weinig woorden, en dat gold extra voor de weinige Engelse die hij kende. Hij had zijn grote zwarte gleufhoed op en onder zijn jas zag ik, net als de vorige keer, vele lagen met kwastjes en franjes – geen wonder dat hij zweette als een stuk overjarige kaas.

'En, hoe gaat het ermee?' vroeg ik. Afgaande op zijn allesbehalve vriendelijke gedrag kon hij zich blijkbaar niet meer herinneren dat hij me ooit had gekust.

'Plima.'

Ik nam aan dat hij 'prima' bedoelde. 'Heeft u de vergunning?' vroeg ik.

'Nee, er is een probleem.' Hij sprak probleem uit als 'phrobhleem'.

'Een probleem?' vroeg ik. 'Wat voor probleem?'

'Een phrobhleem met de papieren, een kunk in de khabel.' Hij blies in zijn hete koffie.

'Een kink in de kabel?'

'Ja, u moet de papieren invullen. De vent van de Drooglegging wil als levende lijf zien.'

'In levenden lijve?'

De rabbi knikte en goot de gloeiend hete koffie in één keer naar binnen. Die vent moest een loden pijp hebben. Hij gleed van zijn kruk, gebaarde dat we zouden vertrekken en kwakte een stuiver op de bar voor zijn koffie.

Ik volgde de rabbi over Van Ness Street en vervolgens over Turk Street. De kleine man had zo'n brede gang dat hij bij elke pas een halve meter opzij schoof, als een piemel in een lange onderbroek. Hij verlengde zijn pas, waardoor hij me steeds een meter voorbleef. Ik weet niet of hij dat deed om duidelijk te maken dat hij precies wist waar hij naartoe ging of om de indruk te wekken dat hij absoluut niets met me te maken had.

Op de trappen van het kantoor van de federale overheid op Polk Street was een grote 1 mei-demonstratie aan de gang. Een tiental agenten te paard, met de wapenstokken in de hand, keek geduldig van een afstandje toe hoe de menigte zich opwond. Rabbi Weissmuller draaide zich naar me om en fluisterde: 'Communisten.'

Ik volgde hem de trappen op, waarna we ons een weg baanden door de menigte van treurig kijkende werklozen. Hier op de trappen stonden er maar een paar honderd, maar volgens de kranten zaten er in het hele land meer dan zes miljoen mensen zonder werk. Een bewaker bij de deur glimlachte naar de rabbi en liet ons door.

We stapten uit de lift op een verdieping die 'ministerie van

Financiën van de VS' heette. De rabbi en ik liepen de gang uit en namen plaats op een van de hardhouten stoelen voor Kamer 171. Het bordje op het matglazen raam voor ons vermeldde 'Bureau voor Drooglegging,' en daaronder stak een smalle, mahoniehouten balie uit de muur. Ik keek opzij naar de rabbi en glimlachte. Hij zag er een beetje prikkelbaar uit en was kennelijk niet in de stemming voor een gesprek. Maar omdat de klok aan de muur steeds harder ging tikken, waagde ik me opnieuw in het land van de oppervlakkige conversatie.

'En, rabbi, is het waar dat u familie bent van Johnny Weissmuller?'

'Neven,' antwoordde hij alsof hij die vraag al veel te vaak had gehoord.

'U lijkt niet op hem.'

'Verre neven.'

'Hoever?'

'Ik kan niet eens zwemmen.'

Ik sloeg mijn hand voor mijn mond om niet in lachen uit te barsten. Op dat moment opende een dikke Droogleggingskerel met een door acne verminkt gezicht het venster boven de balie. De rabbi sprong overeind en begon tegen de man te ratelen in een mengsel van Jiddisch en Engels, wat de pennenlikker geen van tweeën leek te verstaan. Maar hij wist duidelijk wel wie de rabbi was. Puistenkop dook weer op met een dossier, dat hij opensloeg en waarvan hij het vaalgele voorblad begon voor te lezen.

'Koosjere wijn – voor religieuze doeleinden dus: Sectie zeven-negen-twee, sub 83 van de Nationale Droogleggingswet van 28 oktober 1919.' Hij keek eerst naar de rabbi en vervolgens naar mij. 'Rabbi Weissmuller, Congregatie van Hebreeuwse Orthodoxe Rabbi's?' Weissmuller knikte instemmend, ja.

'Heeft u uw gewaarmerkte congregatielijst bij zich?'

De rabbi overhandigde hem twee velletjes papier. Vervolgens verexcuseerde hij zich, verdween en liet me alleen met Puistenkop.

'Wat voor soort wijn levert u aan de rabbi?'

'Koosjere rituele wijn,' antwoordde ik.

'Natuurlijk. Is het tafelwijn?'

'Zoiets ja.' Ik incasseerde de belediging van onze wijn als een goede Ier, maar hij drong aan.

'Wat voor soort druiven teelt u? Alicante? Petit sirah, carignane?' Het bleek dat deze meneer Puistenkop zijn druivenrassen kende.

'Cabernet sauvignon,' antwoordde ik. Zijn ogen lichtten op.

'Nogal chic voor koosjere wijn.'

'Het is voor de kinderen van Israël,' antwoordde ik.

'Natuurlijk.' Hij had allang besloten dat ik Italiaans was, dus zou hij zeker niet geloven dat ik joods was. 'Ik zal het alcoholpercentage moeten controleren,' zei Puistenkop, en hij krabbelde iets op een stukje papier. Hij wenkte me vervolgens dichterbij en ik leunde voorover, zodat hij iets in mijn oor kon fluisteren.

'Twee grote vaten naar dit adres.' Hij gaf me een kneepje in mijn arm, waarmee hij een fout beging.

Ik knikte. 'Natuurlijk.' Met mijn rechterhand pakte ik het stukje papier en met mijn linkerhand stal ik zijn horloge – de inhalige klootzak. Puistenkop zette een stempel op de vergunning en ik bedankte hem met overdreven enthousiasme en vertrok.

Voor het kantoor van de federale overheid begon de 1 mei-demonstratie uit de hand te lopen. De bereden politie was bezig de vakbondsjongens op Polk Street terug te dringen. Ik botste expres tegen een kerel die eruitzag alsof hij al een week niet had gegeten en liet het horloge van de Drooglegginsbeambte in zijn zak glijden. Ik kon het niet houden – ten slotte had ik een belofte gedaan aan Effie.

47

In juni van dat jaar vocht Max Schmeling tegen Jack Sharkey om de titel in de klasse zwaargewicht. De oude Kaz en ik volgden het gevecht via de radio. Het duurde niet meer dan vier ronden voordat Schmeling onderuitging. Hij beweerde dat hij een te lage stoot had geïncasseerd, waarop de scheidsrechter besloot Sharkey te diskwalificeren. De radioverslaggever zei dat de klap niet zó laag was geweest, wat ik nogal hardvochtig vond. Als Jack Sharkey je keihard ergens tussen je navel en je klokkenspel had gemept, zou je daar immers ook over klagen. Laten we eerlijk zijn, een klap onder de gordel doet sowieso pijn, zelfs als hij niet zó laag is.

Het fruit aan de zomerse wijnstokken ging schuil onder een deken van bladeren, die het licht zachtjes filterden voor het op de paarsblauwe trossen viel. Ik beklom de heuvel achter het huis. Er groeiden overal gele klaprozen, net als toen ik dat slingerende pad voor het eerst had beklommen in 1919.

Ik ging zitten en bekeek mijn vuile, eeltige vingers. Vroeger waren mijn handen zacht en onberispelijk schoon geweest, hoewel ze in feite bevlekt waren met het bloed en zweet van anderen. Wat een misselijke vent was ik totnogtoe geweest. Ik keek omhoog naar de hemel. Hoagie, we hadden het bij het verkeerde eind. Elke keer dat je iemand berooft, pak je niet alleen zijn portemonnee of portefeuille; je steelt het respect dat hoort bij elke dollar die hij voor zijn gezin verdient. Je steelt de zin van zijn leven. Mijn oude, vertroetelde handen waren een obsessie voor me geweest. Maar die handen hadden nooit iets gemaakt. Die handen hadden nooit iets geplant. Ze hadden nooit een gebroken been gespalkt, voor iemand een hamburger gebakken, nooit een chassis vastgeschroefd in de Ford-fabriek, nooit een stuk steenkool losgehakt, een blok hout gezaagd of iemands schoenen gepoetst. Eigenlijk was ik net zo verdorven als al die luizen op Wall Street die ik zo verachtte. Ik wreef in mijn verweerde handen en was op een vreemde manier tevreden over mezelf. Met elke blaar en snee leverde ik een bijdrage aan de echte wereld, die ik tot die tijd niet had gekend. Een wereld die ik ooit alleen had doorzocht en bestolen. Man, ik moest nog een heleboel inhalen.

Mara kwam het pad op gerend, schreeuwend en zwaaiend met haar armen als een baanwachter op een op hol geslagen trein. Het bleek dat Calida op het punt stond om te bevallen. Effie holde naar de hut en ik sprong met Mara in de T-Ford om een dokter te halen.

De doop vond plaats in de kleine Church of the Sacred Heart van St. Ursula. Effie had haar vriendje, priester Jack Cathain, gevraagd om de dienst te leiden en na afloop hadden we de mooiste dag die ik me kan herinneren op Eichelberger.

Joey Abruzzinni had een bus geleend die de hele clan naar boven bracht voor het feest. Effie offerde vier van haar kippen, er waren schalen met groenten en salades en het leek of de Abruzzinni's de helft van hun winkelvoorraad heuvelopwaarts hadden gesleept. Ze hadden zelfs rabbi Weissmuller meegebracht, die onmiddellijk met Kaz naar de wijnmakerij vertrok.

Bij de benzinepomp had ik een aanplakbiljet zien hangen van een Mexicaanse band, dus verschenen er zes kerels met sombrero's, die eruitzagen alsof ze net uit de trein uit Tijuana waren gestapt.

De oude Kaz zei dat dit jaar geen goed wijnjaar zou worden doordat de zomer te warm was. In Chicago had de hittegolf al aan zeventig mensen het leven gekost en Kaz zei dat als het heet genoeg was om mensen te doden, de druiven al helemaal geen kans maakten. De auto's die over de verre weg door de vallei reden, wierpen zes meter hoge stofwolken op, de droge aarde was zo fijn als gips. Hoewel de tafel in de schaduw van de grote Californische eik stond, droop het zweet iedereen over de rug. Maar ondanks de verzengende hitte genoten we van het eten, drinken, zingen en dansen. Opnieuw deed ik alsof ik fantastisch kon dansen. Mara, Effie en ik zwierden rond alsof ik een gratis cadeaubon had gewonnen voor Arthur Murrays dansschool. Rosa had alweer een nieuw vriendje dat Gilberto heette en met wie ze het grootste deel van de middag naar de wijngaard verdween.

De band was verbijsterd over de eindeloze aanvoer van wijn en speelde nog steeds terwijl ze in de schemering heuvelafwaarts reden, gevolgd door Joeys bus en een tiental zwaaiende Abruzzinni's.

De kinderen waren in slaap gevallen, moe van de hele dag dansen en een paar slokjes wijn. Isaias en ik droegen zijn slapende kinderen naar zijn hut, terwijl Effie en Vader Cathain Mara naar binnen brachten.

Ik stak een Lucky Strike op en wachtte geduldig tot Effie haar gebed met Jack Cathain had afgerond. Hij was met een eigen auto gekomen, een glimmend zwarte Hudson met chauffeur van Cana-Carpentier. Hij zou overnachten in de residentie van de aartsbisschop, die zich, aldus de chauffeur, op het terrein van de Katholieke Broederschap bevond. De chauffeur vertelde verder dat er elk weekend wel een kerkelijke hoogwaardigheidsbekleder logeerde en dat hij heel aardig kon rondkomen van het geld dat hij verdiende door die gasten met de Hudson uit de stad op te halen en weer terug te brengen. Hij knipoogde naar me en zei: 'Ze moeten de goddelijkheid van de groei controleren.' Ik had nog wel meer van hem willen horen, maar toen kwam Cathain naar buiten en ik zwaaide hen uit.

Effie en ik stapten voorzichtig over een snurkende Kaz heen die voor de haard buiten westen was geraakt. Effie drapeerde een gehaakte sjaal over hem heen. We pakten een fles en twee glazen en liepen via het smalle pad heuvelopwaarts. Ze stopte om me een wit bloempje met kleine, groene blaadjes te geven dat ze 'mijnwerkerssla' noemde en ik kuste haar. We hebben de heuveltop niet gehaald.

Ik ontwaakte tegelijk met de zon en kleedde me aan. Effie was al bezig om het ontbijt klaar te maken en ik zag rook uit de schoorsteen van het fornuis omhoog kringelen.

Later die dag kregen we nog meer bezoek toen Sammy Liu's Pierce-Arrow met brullende motor de heuvel op kwam rijden en de hennen alle kanten op vluchtten. Hij werd vergezeld door een bijzonder aantrekkelijke Chinese actrice genaamd Mona Fong. Mara en Effie waren gefascineerd door haar schitterende, met borduursel verfraaide zijden jurk en het strak achterovergekamde, geoliede haar, dat op zijn plaats werd gehouden door een paarlemoeren kam. Ze had gaatjes in haar oren waarin ze lange gouden oorhangers met robijnen droeg die mijn vingers deden jeuken. Op haar rug bungelde een enkele vlecht, wat erop wees dat ze ongetrouwd was en waar grove zijden linten in waren geweven, waarmee ze aangaf dat ze dat wel graag zou willen. Ze had een lange, ebbenhouten sigarettenhouder en de overduidelijk tot over zijn oren verliefde Sammy sprong voortdurend op om haar een vuurtje te geven. Om haar heen, als een eeuwige sluier, hing een wolk sigarettenrook die het beschilderde gezicht erachter enigszins verzachtte.

Effie maakte veel indruk op Mona en Sammy door een fantastische maaltijd in elkaar te draaien. Ze wisten natuurlijk niet dat de Abruzzinni's genoeg voedsel hadden achtergelaten om een hele week op te teren. Hoe exotisch Mona er ook uitzag, ze was kinderlijk gefascineerd door de aanblik van een levend varken – een schepsel dat ze tot dan toe blijkbaar alleen was tegengekomen in gezelschap van bami. Toen Effie en Mara haar uitnodigden om de varkensstal te bekijken, liep ze op haar hooggehakte Manchu-klompschoenen achter hen aan als een kind dat voor het eerst in een dierentuin is.

Sammy trok zijn witte zijden jas uit en liet zich ontspannen achterover zakken in een stoel op de veranda. Ik kreeg de indruk dat hij al de nodige wijn op had en dat hij daardoor wat geprikkeld was. De oude Kaz zei dat het te warm voor hem was, verontschuldigde zich en waggelde naar zijn hangmat in de boomgaard.

'En, wat brengt jou naar dit deel van de wereld?' vroeg ik Sammy.

'Ik moest hier vlak ik de buurt wat zaakjes regelen en het is een mooie dag. Te warm om in de stad te zijn.'

'Wat voor zaakjes?'

'Onroerend goed.'

'In deze omgeving?' Ik geloof dat ik hem nogal verbaasd aankeek.

'Misschien. Wie weet? De Drooglegging duurt niet eeuwig, Tommy. Waarom kijk je zo verbaasd?' Hij presenteerde een van zijn havanna's en gaf me een vuurtje.

'Ik weet het niet, het lijkt me niet erg... Chinees.'

'Ho even, ga nou nu niet de Ierse katholiek uithangen, Tommy. Je vergeet de geschiedenis. Knoop dit in je oren: de enige reden waarom de Ieren vanuit New York hierheen konden trekken, was dat de Chinezen de spoorwegen hadden aangelegd. Trouwens, de eerste aanplant van elke wijngaard in deze vallei is hiernaartoe gebracht dankzij het zweet van Chinese dragers.'

Ik had duidelijk een tere snaar geraakt, en hij was nog niet klaar: 'In de heuvel hier achter ons zijn waarschijnlijk gangen gegraven die jullie gebruiken om wijn op te slaan, nietwaar?'

'Inderdaad.'

'Die zijn vijftig jaar geleden door Chinese mijnwerkers met de hand uitgegraven. Voordat ze besloten dat de Chinezen hier niet gewenst waren, braken de Chinezen hun rug tijdens de druivenoogst. De Italianen en de Duitsers hebben de wijn weliswaar gemaakt, maar het is zo klaar als een klontje dat zij hun handen nooit vuil hebben gemaakt.'

'Je hebt gelijk,' zei ik. 'Ik had beter moeten weten.'

'Al goed. Je bent niet de enige die ons onderschat. De plaatselijke sheriff hier beneden heeft dezelfde fout gemaakt.' Hij gebaarde naar de vallei.

'De sheriff?'

'Ja, hoe heet hij, Willi? De sheriff?' Willi Chu was druk bezig om zijn auto te poetsen en glimlachte.

'Sheriff Beedy?' antwoordde hij.

'Ja, ik vrees dat hij in zijn vrije tijd nogal veel geld heeft verloren aan de *fan tan*-tafels in de stad. Geld dat hij niet heeft. Ik ben bang dat we hem daarvoor op de vingers hebben moeten tikken.'

'Niet met een vleesmes, hoop ik.'

'Tommy, wat denk je wel niet van ons? Zulke barbaren zijn we nou ook weer niet.'

'Mooi zo.'

'Het was een bandenlichter.' Sammy en Willi Chu barstten in lachen uit en hun hoge, meisjesachtige gegiechel maakte mij eveneens aan het lachen. Sammy verzekerde me dat hij een grapje maakte, maar ik wist dat dat niet waar was. Ze bleven maar gniffelen, tot Willi iets in het Chinees zei.

'Met een degelijke Chinese wasbeurt krijgt hij dat er wel uit,' antwoordde Sammy.

'Waar ging dat over?' vroeg ik.

'Willi herinnerde me aan het feit dat de sheriff het van angst in zijn broek heeft gedaan.'

Toen Mona, Effie en Mara terugkwamen van de varkens zei Sammy dat het tijd was om naar de stad terug te keren. We laadden zijn achterbak vol met een stuk of tien flessen van Kaz' beste wijn, omhelsden elkaar en kusten elkaar op de wang. Mara vroeg Mona om haar handtekening, voor het geval ze ooit beroemd zou worden.

Nadat Sammy en ik elkaar hadden omhelsd, keek hij omlaag over de vallei.

'Schitterend. Is dat Napa?' Hij wees naar een stipje in de verte.

'Dat klopt,' zei ik. 'En St. Helena is daar.'

Sammy hield zijn hand boven zijn ogen en keek naar St. Helena. 'Wist je dat daar vroeger twee Chinatowns waren?' vroeg hij. Zelfs terwijl hij in de auto stapte bleef hij voortgaan over zijn favoriete onderwerp.

'Nee, dat wist ik niet.'

'Bij Sulphur Creek. Ze hebben ze in 1908 platgebrand om de Chinezen te verdrijven, voor het geval ze net als de wijnstokken wortel zouden schieten.'

Sammy trok het portier van de auto dicht en ik boog me voorovcr om door hct raampjc vcrdcr te praten.

'Heb je nog iets gehoord over Gracie?'

'Nee, de mensen kennen haar, maar we hebben haar nog niet getraceerd.'

'O, bedankt.'

'Maak je niet ongerust, we blijven naar haar uitkijken. Tot ziens, Tommy.'

'Tot ziens.'

Willi Chu startte de motor en scheurde weg in een wolk van rook en fladderende kippen.

Effie giechelde.

'Wat is er zo grappig?'

'Dus dat is nou een Pierce-Arrow?' Gierend van de lach liepen we terug naar huis. Mara keek ons aan alsof we gek waren.

48

Mijn moeder vertelde dat toen zij als kind in Ierland woonde, er zo veel mensen uit haar straat aan tbc overleden dat men de vijftiende augustus Maria-Teringvaart noemde in plaats van Maria-Hemelvaart. Mijn moeder maakte niet zoveel grapjes en daarom is deze me altijd bijgebleven. Zoals gewoonlijk wilde Effie deze heiligendag in St. Mary's Cathedral in de stad vieren.

Ik vond het niet prettig als ze daarheen ging, maar ik klaagde nooit. Ik had zulke ridicule denkbeelden over de wereld en over religie dat ik er niet in slaagde om haar geloof als een kracht te beschouwen, alleen als een zwakte. Maar het zou een nog grotere zwakheid mijnerzijds zijn geweest als ik haar geloof niet zou respecteren. 'Geloof is alles,' zei ze altijd. Maar waarom kon ze hier in de buurt niet met dezelfde passie geloven in de Church of the Sacred Heart van St. Ursula? God was toch net zo goed in die kleine kerk als in elk ander gebouw, ongeacht de omvang van het altaar en het dak erboven? En waarom moest God trouwens altijd in een kerk zijn? Waarom moest ze altijd die lange tocht naar de stad maken met Mara in haar kielzog? Het was alsof ze levenslang boete deed: een pelgrimstocht. Effie zei dat ik God niet kon belazeren en misschien was dat de reden waarom ik dit deel van haar nooit helemaal heb begrepen.

Hoe ongemakkelijk ik me ook voelde over Effies bezoekjes aan de stad, ik liet haar altijd gaan en probeerde mijn onvrede voor me te houden. En voor het geval ik nog een greintje trots bezat na het leven dat ik had geleid, begroef ik die ook.

Volgens Effie was het een belangrijke zondag voor de familie omdat Kaz het 'Mary's dag' noemde: de naamdag van zijn vrouw en Effies moeder. Effie vertelde ook dat het de dag was waarop mensen hun druiven op het altaar legden om ze te laten zegenen. De oude man zei dat de goede druiven in Californië nog niet rijp waren. Toen die kerels in het Vaticaan langgeleden een kalender in elkaar zetten, waren ze op die zeven heuvels van Rome duidelijk al wel bezig om druiven te oogsten.

Calida maakte zich ongerust omdat al haar kinderen de mazelen hadden, vooral haar baby, die net een maand oud was, baarde haar zorgen. Mara zat ook onder de rode vlekken, daarom reisde Effie in haar eentje naar San Francisco. Ze zei dat ze bij Patrizia en Rosa zou overnachten, zondagochtend de mis zou bijwonen en na de lunch bij de Abruzzinni's de veerboot naar huis zou nemen.

Kaz en ik brachten Effie naar de bushalte in Yountville en reden verder naar de bank in Napa.

Na een halfuur wachten mocht Kaz doorlopen naar het kantoor van de bedrijfsleider. Een bewaker met een pistool en een riem met reservepatronen over zijn schouder legde zijn hand op mijn borst om me tegen te houden. Ik glimlachte beleefd naar hem.

'Het is in orde, ik hoor bij hem, we hebben een afspraak.'

'Híj heeft een afspraak, meneer. Niet wíj. Niet ú.'

'Het is in orde, hij hoort bij mij,' zei Kaz.

'Nee meneer. Alleen ú hoort bij ú.'

Ik haalde mijn schouders op en liet Kaz in zijn eentje verdergaan. Ik ging op de houten bank zitten, terwijl de zware jongen met het pistool in de buurt bleef rondhangen. Ik probeerde een gesprek aan te knopen met de secretaresse van de bedrijfsleider.

'Wat is er aan de hand met die bewaker?'

'Dit is de derde bedrijfsleider in een maand.' Ze knikte in de richting van zijn kantoor.

'Wat is er met de eerste twee gebeurd?'

'De laatste is neergeschoten. Hij heeft het overleefd, alleen een kogel in zijn arm. De bedrijfsleider voor hem executeerde iemands hypotheek toen hij in ons kantoor in Vacaville werkte en toen is de vrouw van die vent helemaal hierheen gekomen om een hoedenpen in zijn oog te steken.'

Ik huiverde. 'Dat is niet zo best.'

'Hij heeft het overleefd, maar hij is meteen met pensioen gegaan.'

Al na vijf minuten kwam Kaz hoofdschuddend tevoorschijn uit het kantoortje. Ondanks het contract met de rabbi had die luis daarbinnen geweigerd Kaz nog één cent te lenen. En aangezien de oude man volkomen aan de grond zat, zouden we geen extra mensen kunnen huren om de oogst binnen te halen. De bewaker glimlachte toen we vertrokken. Als er een hoedenpen in de buurt was geweest, had ik de man weleens ernstig kunnen beschadigen.

Zwijgend reden de oude man en ik naar huis. Om nog een beetje frisse lucht op te vangen hadden we allebei ons hoofd buiten de T-Ford gestoken, alsof we allebei het gevoel hadden dat we naar mislukking stonken. Mijn eerste reactie was om naar de stad te rijden en aan het werk te gaan en zo een klein kapitaal bij elkaar te verdienen. Hoe lang zou dat duren? Hoeveel portemonnees zou ik nodig hebben? Het enige probleem was dat ik Effie had beloofd nooit meer te stelen.

Op zondagmorgen sleepte Kaz het gietijzeren bad voor het fornuis en begon ketels water te verwarmen. Hij beweerde dat een mens niet vaker dan éénmaal per jaar in bad hoefde, en als je dat op 15 augustus deed, zou je de volgende twaalf maanden geluk hebben. Daarnaast wilde hij ook graag schoon en fris ruiken omdat het Mary's verjaardag was.

Ik was in de tuin bezig de hennen te voeren toen de donkerblauwe Sports Phaeton naar boven kwam. Voor het huis leunde Willi Chu uit het raampje, het zweet van zijn dikke armen liep in straaltjes uit de mouwen van zijn katoenen zomershirt.

'Wat is er aan de hand?' vroeg ik, terwijl Willi uitstapte.

'Er is niets aan de hand, alleen wil meneer Sammy met je praten. Er is nogal wat haast bij. Hij dacht dat het sneller zou gaan als ik je kwam ophalen.'

'Zal ik wat limonade voor je maken?'

'Dat zou lekker zijn. En dan denk ik dat we moeten gaan, meneer Tommy.'

49

Jack Dempsey was de beste zwaargewicht aller tijden. Toen hij in 1926 in Philadelphia tegen de relatief lichte zwaargewicht Gene Tunney moest vechten, dacht niemand ook maar een seconde dat hij kon verliezen. Behalve dat hij zo goed was dat hij alle andere zwaargewichten in zijn omgeving had verslagen en daarom in drie jaar geen gevecht had geleverd. Die avond kreeg iedereen een schok te verwerken: Tunney wist Dempsey niet alleen te verslaan, hij versloeg hem met overmacht. Tien ronden lang sloeg hij Dempseys gezicht aan flarden en beukte hem bont en blauw. Dempsey was nog nooit eerder verslagen en zijn lichtelijk verbaasde vrouw vroeg: 'Hoe kon je nou verliezen, Jack?' 'Ik vergat te bukken,' antwoordde hij.

Moraal: vergeet nooit te bukken.

Terwijl we uitweken voor een kabeltram die over Clay omhoog reed, vertelde Willi dat Sammy in een restaurant op me zat te wachten. Hij noemde de Chinese naam van het etablissement: Mung Zhu.

'Wat betekent dat in het Engels?' vroeg ik.

'Het zwijn dat nooit ziet,' antwoordde hij lachend.

'Sorry, dat begrijp ik niet, Willi.'

Hij herhaalde de naam in het Chinees en vertaalde hem opnieuw: 'Mung Zhu. Het zwijn dat nooit ziet.' Ik schudde nogal dom mijn hoofd.

'Mung Zhu. Blind varken. Snap je het niet?' Een blind varken is een café waar ze onder de ogen van de smerissen illegaal drank verkopen. Hij giechelde als een bakvis om zijn flauwe grapje.

Sammy zat aan een tafeltje in de hoek met zijn rug naar de muur en las de *Chung Sai Yat Po*-krant. Hij droeg geen jasje, maar wel een onberispelijk gestreken overhemd en wuifde zich in het tropisch hete vertrek enige koelte toe. We omhelsden elkaar en gingen zitten. De ober, met een ouderwets Mantsjoerijs vlechtje op zijn rug, schonk groene thee in.

'Hoe was de reis?' vroeg Sammy.

'Zeer comfortabel.'

'Goed.' Hij slurpte van zijn thee.

'Is er iets aan de hand?'

'Nee, er is niets aan de hand. Alleen iets zakelijks.' Midden op de tafel werd een grote eend neergezet, gevolgd door diverse andere gerechten.

'Laten we eerst wat eten.' Hij knikte naar Willi Chu. 'Willi?'

Willi Chu kwam onze kant op, pakte een paar eetstokjes en proefde het voedsel. Ik herinnerde me dat Sammy's oom Joe in woelige periodes hetzelfde deed, bang als hij was dat ze hem zouden vergiftigen. Willi viel niet dood neer, dus schepten we onze borden vol.

Ze brachten nog veel meer schalen, tot we ons allebei zo hadden volgestopt dat we even bol waren als de buik van Boeddha. Sammy schudde een Chesterfield uit zijn pakje en bood mij die aan. Ik gebaarde dat ik mijn eigen sigaretten had en stak een Lucky Strike op.

'Tommy, ik heb zakenpartners. Zakenpartners die zakengesprekken voeren. Zakenpartners die vinden dat het tijd wordt dat Sammy Liu zich uitgebreid in de alcoholbusiness gaat storten.'

'Vinden ze dat?'

'Uitgebreid. Dus heb ik jouw hulp nodig.'

'Mijn hulp?'

'Ik wil Frankie Stutz de wind uit de zeilen nemen.'

'Ik heb niet zoveel touwtjes om aan te trekken. De vent weet amper dat ik besta.'

'Ik wil dat je je monseigneurvriendje vraagt of hij een afspraak voor me kan regelen met de aartsbisschop.'

'Waarover?'

'Ik wil hem een alternatief aanbieden voor Stutz en die pisemmer van een Carpentier.' Alleen al de klank van die naam maakte dat ik instemmend knikte.

'Waarom denk je dat je hun winkel kunt inpikken? Je zei toch dat ze de hele handel hadden dichtgetimmerd?'

'Dat hebben ze ook, op dit moment. De katholieke Kerk heeft zich altijd opgeworpen als de hoeder van de moraal. Ze zien zichzelf als de enige ware Kerk van God. Ze verachten de lutheranen en de joden, en wat mijn volk betreft, ze denken dat wij vervloekt zijn: afgodendienaars die offers brengen in verafgelegen pagodes. Maar de simpele waarheid is dat die papen sinds de Olijfberg alle moraal uit het oog hebben verloren. Ze misbruiken hun recht op het sacrament en de illegale drankhandelaren sturen de drank linea recta door naar de alcoholisten in Manhattan. We hebben erg veel geduld gehad. Nu is het onze beurt.'

'Om hoeders van de moraal te worden?'

'Voor ons is het puur zakelijk. Alles draait om geld, om wie er ook maar bereid is om een dollar af te staan voor een glas alcohol. Wij verwarren zaken tenminste niet met religie.'

'En jij denkt dat je dat voor elkaar kunt krijgen?'

'Ja. Maar om dat te kunnen doen, moet jij me eerst een gunst bewijzen.'

'Ik?'

'Ik heb jouw deskundigheid nodig.' Ik voelde het al aankomen, want ik had maar één deskundigheid.

'Ik wil dat je iets voor me jat.'

Ik schudde mijn hoofd. 'Dat kan ik niet doen.'

'Waarom niet?'

'Omdat ik Effie heb beloofd dat ik nooit meer zou stelen.'

'Maar dit is iets kleins. Alleen jij en ik weten ervan af.'

'Nee.'

'Nou, denk erover na,' zei Sammy, die me iets te overtuigd leek van het feit dat ik uiteindelijk wel van gedachten zou veranderen.

'Ik wil jou ook om een gunst vragen,' zei ik, terwijl ik een wolk rook uitblies en een paar fliedertjes tabak van mijn tong plukte.

'Zeg het maar,' Sammy zwaaide met zijn hand.

'Gisteren ben ik met Effies oude weer naar de bank gegaan. Hij zit helemaal aan de grond, maar de bank wil hem geen nieuwe lening geven. We moeten extra werkkrachten inhuren, misschien twintig kerels, voor de oogst en de persing. De broek hangt hem op de schoenen, hij is volkomen platzak.'

'Hoeveel?'

'Vijfduizend.'

'Dat is geen probleem.'

'We kunnen het terugbetalen zodra we aan de rabbi hebben geleverd.'

Sammy haalde zijn schouders op alsof het er niet toe deed of ik het geld wel of niet teruggaf. Dat kon onze sheriff Beedy helaas niet beamen, want Sammy had zijn knokkels met een bandenlichter laten bewerken.

50

We gingen naar Sammy's kantoor, waar hij vijfduizend dollar van een dik pak geld uit zijn kluis nam. Terwijl ik over Clay Street heuvelopwaarts liep, voelde ik de envelop in de binnenzak van mijn jas zitten. Een bordje op een telefoonpaal met de waarschuwing 'Pas op voor zakkenrollers' maakte me aan het lachen.

Het trottoir was bezaaid met gazen kooien vol levende eenden, ganzen en kippen, waar ik me met moeite een weg doorheen baande. Het deed me denken aan de tijd dat we kinderen waren, en aan de man die levende kippen verkocht uit een mand die hij aan een paal had gebonden. Zonder hartzeer brak hij ze de vleugels om te voorkomen dat ze zouden wegvliegen. Ik huiverde bij de gedachte, maar destijds leek het me absoluut niet wreed.

Het viel me op dat het overal zo druk was en ik herinnerde me de rokende ruïnes van 1906. Overal om me heen verrezen gebouwen en herinneringen en ik kon de vochtige rook die destijds in de lucht hing nog steeds ruiken. Ik herinnerde me hoe de Nationale Garde in de puinhopen op zoek was naar gesmolten sieraden. Nadat de autoriteiten het de Chinezen eindelijk hadden toegestaan om naar de stad terug te keren, probeerde een oude handelaar genaamd Chong zijn stalen kluis, die het inferno had overleefd, terug te vorderen. Toen hij op de plek aan Sacramento aankwam waar zijn winkel had gestaan, was de geblakerde kluis net achter op een legertruck geladen. Hij begon in het Chinees tegen de gardisten te schreeuwen en probeerde de kluis van de wagen te tillen. Een soldaat sloeg de man met de kolf van zijn geweer en duwde hem terug. Plotseling haalde de oude Chong een revolver tevoorschijn. Maar voordat hij de trekker kon overhalen, openden de drie gardisten die hem onder schot hielden het vuur en schoten hem dood.

Toen het stof na de aardbeving was neergedaald, kreeg een zekere kolonel Peltz, die de gardisten in Chinatown had aangevoerd, de schuld van de plunderingen. Het gerucht ging dat hij in zijn bungalow in Fort Ross diverse Chinese voorwerpen had staan. Jaren later, na zijn pensionering, werd hij in bad aangetroffen met een doorgesneden keel. Niet de Chinezen, maar een ontevreden soldaat werd als schuldige aangewezen. Wat de kranten niet vermeldden, was het gerucht dat de dader Peltz' oren had afgesneden en die in zijn mond had gepropt. En dat was, zoals iedereen in Chinatown wist, de specialiteit van een gangster genaamd 'Little Boy' Chong – de kleinzoon van de oude Chong.

In Green Street sprong ik van de kabeltram en liep de drie blokken naar Abruzzinni's kruidenierswinkel. Ik dacht dat Effie wel verbaasd zou zijn als ze ontdekte dat ik in de stad was en dat ze eindelijk een ritje kon maken in een Pierce-Arrow, helemaal naar huis, naar Eichelberger.

Abruzzinni's winkel was op zondag gesloten, dus liep ik naar het steegje aan de achterkant en belde aan bij het appartement erboven. Joey deed open. Omdat hij zich net had ingezeept voor een scheerbeurt, was mijn begroeting enigszins omzichtig.

'Tommy, wat doe jij hier?'

'Ik kom Effie ophalen.'

'Ze is hier niet, Tommy. Wil je even binnenkomen? Ik was mijn gezicht en dan zet ik koffie voor je. Wil je dat ik een sandwich of iets anders voor je klaarmaak? Ik ben alleen thuis.' Ik volgde hem naar boven.

'Alleen thuis?'

'Ja, iedereen is op bezoek bij mijn moeders zuster in Eureka. Ze is ziek.'

Mijn hersens werkten op volle toeren en een lelijke twijfel verduisterde mijn gedachten. Waarom was Effie niet hier? Ze had niet gezegd dat Rosa en Patrizia naar Eureka zouden gaan. Ze had gezegd dat ze bij hen zou overnachten en dan naar de mis zou gaan. Dat was toch zo?

'Heb je Effie helemaal niet gezien?'

Joey zette de spiegel op tafel en begon zichzelf deskundig te scheren met een ouderwets scheermes. 'O ja, ze is hier wel geweest. Maar de meeste tijd was ze in de kerk. Maria-Hemelvaart, of zoiets. Ik hou die dingen allemaal niet zo bij. Ik werk zes dagen per week hier in de winkel, ik ben niet van plan om mijn vrije dag te verspillen aan het spreken tegen beelden.'

'Is ze daar nu ook?'

'In de kerk?'

'Ja.'

Hij haalde zijn schouders op. 'Ik denk het wel.'

'Goed. Tot ziens, Joey.'

Ik nam de tram richting Broadway en sprong er af ter hoogte van Van Ness Street. Ik merkte dat ik steeds sneller ging lopen, tot ik op een drafje over het trottoir stoof. Op O'Farrell Street rende ik de brede stenen trappen van de reusachtige kathedraal van rode baksteen op en duwde de hoge deuren naar de vestibule open. Daar stond een marmeren beeld van een engel met in haar hand een reusachtige schelp met wijwater. Ze hield haar hoofd gebogen alsof ze verlegen was en elk gesprek wilde vermijden. Ik doopte mijn rechterhand in het water, sloeg een kruis en bleef achter in de kerk staan. De lucht was zwaar van de wierook, maar de dienst was afgelopen en op een oude vrouw op de eerste rij na was de ruimte verlaten. De vrouw bad weesgegroetjes en sprak zo luid dat het leek of ze bang was dat God haar anders niet zou horen. Ik weet zeker dat hij dat wel deed. Ik denk dat ze haar zelfs in Oakland nog konden verstaan.

Ik keek omhoog naar het beeld van de gekruisigde Christus met zijn bloederig beschilderde handen. Hij staarde me wederom aan, zoals Hij altijd deed. Zijn dunne haar hing over Zijn schouders als versteend touw en Zijn gezicht – het gezicht dat me aanstaarde – drukte eeuwige pijn uit, uitgehakt in een blok hout.

Op dat moment hoorde ik Effie lachen. Niet hard, maar zacht en aangenaam zoals ik haar duizenden keren eerder had horen lachen met Mara. Ik liep het brede, door beelden geflankeerde gangpad af naar de zijbeuk van de kerk, naar het heiligdom waar de priestervertrekken en kantoren gevestigd waren.

Het hoge koorhek bevatte een glas-in-loodraam in blokpatroon: afwisselend handgeblazen amber en kathedraalblauw gebrandschilderd glas. Het licht van de reusachtige hemelvaartkaarsen in het vertrek erachter baande zich een weg door de wierookmist en toonde de silhouetten van twee figuren. Hun schaduwen kropen door het glas en bloedden over de marmeren vloer.

Langzaam naderde ik de geopende deur en wierp een blik

naar binnen. 'Geloof is alles,' had ze altijd gezegd. 'Je kunt God niet belazeren,' had ze altijd gezegd. En nu zag ik dat achter haar woorden een veel pijnlijker waarheid schuilging.

Vader Cathain, deze geestelijke, deze stedelijke discipel, deze knappe man met het achterovergekamde, gepommadeerde haar en een soutane van de fijnste zijde met purperen knopen – deze man van God raakte haar knie aan en had zijn hand hoog op haar in een panty gestoken dij gelegd. Haar knie? Zijn hand? Zo hoog? Aanraken? Ik wist wat aanraken was. Aanraken was de kern van mijn bestaan. Aanraken was mijn vak. Ik kende de manier waarop vingers een wollen jas konden strelen, een satijnen jurk, een horloge, een portemonnee, een bundel kostbare brieven of een wapen. Ik wist wat aanraken inhield omdat aanraken *míjn* religie was. Deze in zijde gehulde priester had een goddeloze aanraking. Deze dienaar van Rome raakte haar aan als een man.

Wankelend verwijderde ik me van het glazen venster, ik stootte mijn heup tegen een kerkbank, draaide me om en holde het middenpad van de kathedraal af. Ik was al mijn hele leven bezig met wegrennen en het geluid dat mijn voeten op de marmeren tegels maakten, overstemde de gedachten die in mijn hoofd over elkaar heen buitelden. Ik denk dat de kathedraal door ongeveer vijftig stenen traptreden werd gescheiden van de straat en ik nam ze met zes tegelijk. Op O'Farrell Street kwam een tram aanrammelen en ik pakte de handgreep en sprong aan boord.

Buiten adem liet ik me op de bruin gelakte bank vallen. Mijn longen weigerden dienst, maar ik wilde niet ademhalen. Op dit moment had het geen enkele zin om adem te halen. Ik greep naar mijn borst. Het deed verschrikkelijk pijn, alsof iemand resoluut een hooivork door mijn hart had gestoken.

Ik zag de straten voorbijkomen: Polk, Larkin, Hyde, Jones, Larkin, Polk, Hyde Street, oost, west, noord, zuid. Waar moest ik heen? Ik zat in een tram die nergens heen ging. Ik wrong me langs een vrouw die haar baby discreet de borst gaf en sprong van de rijdende wagon. De tram had zo veel vaart dat ik niet op de been kon blijven en languit op de keien werd gesmeten. Ik rolde over straat alsof ik een *touchdown* had gemaakt in het Kezar-stadion. Onmiddellijk kwamen van alle kanten mensen aangesneld die me overeind hielpen. Ze moeten gedacht hebben dat ik gek was. De zijkant van mijn gezicht lag open en een vrouw van een ijzerwinkel gaf me een dweil om het bloeden te stelpen. Ik liep als een kip zonder kop in het rond.

'Dank u. Dank u. Ademhalen. Ademhalen. Dank u.'

Ik beklom de heuvel naar Sammy's kantoor op Clay. Toen ik wankelend de straat overstak verloor ik bijna mijn benen onder de kabeltram. Ik had mezelf net overeind gehesen toen er achter me een auto toeterde. Het was een Pierce-Arrow.

'Wil je dat ik je nu naar huis breng?' riep Willi Chu.

'Nee.'

'Wanneer dan?'

'Ik bedoel, ja. Nu.' Ik kroop achter in de auto.

'Gaat Effie niet mee?'

'Nee. Nee, ik ben haar misgelopen, ze heeft de vroege veerboot genomen.' Ik hield mijn hoofd omlaag en zag dat er druppels bloed op de geborduurde bekleding vielen.

'Het spijt me, Willi, ik ben ziek.'

Willi manoeuvreerde de auto vakkundig door de avondspits en langs de vele paardenkoetsen op Grant. 'Wil je dat ik naar Sammy's dokter rij?'

‘Nee, nee, het gaat wel. Misschien heb je iets voor mijn gezicht.’

Willi stopte op de hoek van Sacramento Street. Vanuit de hele stad kwamen mensen met hun kwalen naar de apotheek van Hahng Cheun Yuhn. Na enkele ogenblikken keerde Willi terug met een dunne katoenen doek vol zalf.

‘Hou dat tegen je gezicht en leun achterover. Ik breng je zo snel mogelijk naar huis.’

Zijn stem klonk geruststellend, ik sloot mijn ogen en dankzij de Chinese zalf viel ik snel in slaap. Mijn hoofd stroomde over van indrukken, als geschreeuw in een lege stal. Ik hoorde het gerinkel van de bellen van de kabeltram, de eentonige weesgegroetjes van de oude vrouw, Willi’s onduidelijke, verre stem die vroeg: ‘Weet je zeker dat het wel gaat?’ Ik zag het bedeesde, marmeren beeld met het gebogen hoofd dat al honderd jaar met het wijwater in haar handen stond en de klapwiekende kippen en het scheermes dat hun nekken zou doorsnijden. Maar boven alles uit hoorde ik Effies lach. En helderder dan alle andere beelden zag ik Cathains hand op Effies dij.

Man, het was wel heel duidelijk dat ik was vergeten te bukken.

‘Wat is er met jou gebeurd?’ vroeg Effie toen ik haar die avond ophaalde bij de kruising in Yountville.

‘Ik ben van de tractor gevallen.’

‘Hoe kwam dat?’

‘Op het steile stuk van de westelijke kam.’

Ze gaf me een knuffel. ‘Ik ruik kamfer,’ zei ze. Ik woelde met mijn neus door haar haar.

Het enige wat ik rook was wierook.

51

Mijn oude vriend Soapy vertelde me eens dat jezelf tot aan je nek toe begraven in paardenmest een prima remedie tegen chronische artritis is. Ik heb me daar altijd over verbaasd, over de enorme moeite die mensen willen doen om hun pijn te verzachten. En dat ze het op de koop toe nemen dat ze daarna naar stront stinken.

Zwijgend werkte ik mijn avondmaal naar binnen en ging vervolgens van tafel. Ik beklom de trap naar mijn kamer en begon te pakken. Ik haalde de envelop met Sammy's vijfduizend dollar tevoorschijn, schreef er met Carpentiers schildpadpen de naam 'Kaz' op en zette de envelop op de vensterbank tegen het raam. Ik opende mijn kartonnen koffer en legde hem op het bed. Ik vouwde mijn enige nette broek zorgvuldig op, haalde mijn overhemden uit de la en bekeek mijn leven – een koffer vol met niets.

Toen ik weer in het huis kwam, was Effie druk aan de afwas. Ik keek naar binnen in Mara's kamer en zag het sproetige gezicht dat lag te slapen op het kussen. Ik wierp haar een kushandje toe en liep het erf op om Kaz te zoeken.

Hij was niet in de wijnmakerij, door het raam van de perskamer zag ik dat hij samen met Isaias de heuvel beklom.

'Is er iets?' Effie stond in de deur van de wijnmakerij.

Ik opende mijn mond om iets te zeggen, maar er kwam geen geluid uit. Mijn tong was verlamd, mijn hersens sprongen op een goederenwagon naar een ander leven en de woorden vielen uit mijn mond als dronken speeksel. 'Ja, er is iets. Ik denk dat het langzamerhand tijd wordt om weer eens te vertrekken.'

'Vertrekken? Waarom?'

'Ik kan God niet belazeren.'

'Ik begrijp het niet.'

'Ik ben niet van de tractor gevallen.'

'Niet? Hoe heb je dan...?'

'Ik ben van een tram gevallen.'

'Vandaag? Was je in de stad?'

'Inderdaad. Sammy Liu wilde me spreken. Willi Chu kwam hiernaartoe en heeft me naar de stad gebracht. Ik kwam je ophalen bij de Abruzzinni's. Had je niet gezegd dat je daar zou lunchen?'

Effie liet haar hoofd zakken.

'Maar je wist dat ze in Eureka waren,' zei ik.

'Ik weet het.'

'Je hebt tegen me gelogen, Effie... dus ben ik naar de kathedraal gegaan om je op te halen. Ik dacht dat het misschien de langste vroegmis aller tijden was geweest... en toen zag ik je. Ik zag jou en Cathain. Ik zag hoe hij je aanraakte... Effie, ik... Ik weet het.'

Ze sloot haar ogen, leunde tegen het eikenhouten fust, haalde haar handen door haar haar en draaide zich naar me toe om te antwoorden.

'Het is niet wat je denkt.'

'Wat denk ik?'

'Jack, Jack Cathain.'

Ik liep naar de stenen trog in de hoek, draaide de slang open en zoog het water dat over mijn hoofd spatte naar binnen. Hoestend spuwde ik de woorden uit: 'Ik had nooit moeten blijven.'

'Maar Mara…'

'Hou Mara hierbuiten.'

'Dat kan ik niet.'

Ze haalde diep adem, keek omhoog naar de dakspanten, liet haar hoofd langzaam zakken en ving mijn blik met haar ogen. 'Hij is haar vader.'

Het is wonderlijk dat iemand van wie je zoveel hebt gehouden, iemand die je het gevoel gaf dat je een fatsoenlijk mens was, iemand die je zo gelukkig had gemaakt, dat zo iemand je in een oogwenk zoveel pijn kon doen. 'Hij is haar vader. Haar vader. Haar vader.' Toen ik haar woorden hoorde, knapte er iets in mijn hoofd. Het verstand stroomde weg en mijn hart, waarvan ik dacht dat ik het juist hervonden had, ging ervandoor, om opnieuw te verdwalen op de een of andere stoffige landweg. Ik realiseerde me dat ik haar lichaam, elke keer dat ze met me had gevreeën, had gedeeld met Cathain. Ik voelde hoe het mes van het bedrog in mijn maag ronddraaide, ik keerde me om en sloeg haar in het gezicht. Ik, die nog nooit van mijn leven iemand had geslagen, sloeg de enige vrouw die ooit iets voor me had betekend. Ze slaakte een kreet en deinsde achteruit, ze keek naar mijn hand alsof die van iemand anders was. Ik stond verstijfd, als die blokken hout waaruit ze de versteende lichamen van Christus hakken.

'Het spijt me… het spijt me echt,' fluisterde ik, en ik boog me naar voren om de zijkant van haar wang te strelen. Alsof haar tranen en de boze rode striemen van mijn hand daarmee zouden verdwijnen, maar het was te laat. Effie stapte achteruit en kroop weg tussen de reusachtige wijnvaten, ik hoorde haar in het duister snikken.

Ik baande me een weg over het erf. De kippen vlogen alle kanten op, maar voor mij hadden ze net zo dood en bebloed kunnen zijn als de exemplaren die ik op de boerderij van de oude Kroeger in Kentucky had gezien. Man, wat doen mensen elkaar idiote, wrede dingen aan om de belachelijkste redenen.

In mijn kamer op de zolder van de wijnmakerij sloeg ik Hoagies boek open. 'Vraag je af of de waarheid geen leugenaar is, maar twijfel nooit aan de liefde,' stond er. Natuurlijk, denk niet dat de liefde niet in staat is je ingewanden bloot te leggen als een Navajo-mes. Vergeet nooit dat de liefde me had gebeten als een hondsdolle hond en dat het jaloerse vergif het me onmogelijk maakte om helder te denken.

Ik keek naar het onopgemaakte bed, maar het enige wat ik zag, waren Effie en Cathain. Hoe kon ik zo stom zijn geweest? Ik had moeten weten dat de vader van haar kind haar nooit met rust zou laten.

Ik wierp het boek in de koffer, schoof de sloten dicht, trok mijn jas aan, snoot mijn neus, duwde mijn hoed op zijn plaats en vertrok.

Ik vertrok van Eichelberger en keek niet achterom. Ik durfde niet achterom te kijken. Als ik dat had gedaan, had ik gezien hoe Effie onbedaarlijk stond te snikken terwijl de oude man Kaz en Isaias langs de heuvel omlaag renden. Ik had gezien dat Mara in tranen was, verdwaasd van de koorts, maar meer wetend dan waar we haar ooit toe in staat achtten. Wat had een klootzak als ik trouwens ooit voor vader voor haar kunnen zijn? Ik had Calida gezien, die in de deur van haar hut stond met haar baby op de arm. Ik was te stom en te koppig om achterom te kijken. 'Butterfingers' Moran, ik liet het enige fatsoenlijke in mijn leven zomaar door mijn vingers glippen. Ik liep stug verder over het lage heuveltje, omringd door zwijgende vogels, langs de velden met de door meeldauw aangetaste kolen, langs de roestige oude Fordson-tractor, tot ik uit hun gezichtsveld was verdwenen.

Geloof me, jaloezie betekent de doodssteek voor de liefde.

Bij het busstation belde ik Sammy Liu en daarna begon ik te lopen. Ik kwam tot First Street in Napa toen Willi me langs de kant van de weg oppikte. In de auto op weg naar de stad bleef ik in mijn hoofd steeds de Tien Geboden herhalen.

Nr. 5: gij zult niet doden.
Nr. 6: gij zult geen overspel plegen.
Nr. 7: gij zult niet stelen.

Heb je dat ooit opgemerkt? Zelfs toen al vonden ze rondneuken erger dan stelen.

Willi wist een kleine kamer voor me te regelen boven een slagerij aan Joice Street – geen geringe prestatie in Chinatown, waar het zo overbevolkt was dat de meeste mensen hun bed met meerderen deelden. Als de ene vent opstond om naar zijn werk te gaan, werd zijn plek onmiddellijk ingenomen door een ander. Willi droeg mijn koffer over de smalle trap naar boven en gaf me een cadeautje van Sammy: een fles Johnnie Walker. Ik dronk ongeveer een halve fles leeg voordat ik ten slotte in slaap viel.

52

De volgende morgen parkeerde Willi Chu de auto voor de residentie van de aartsbisschop aan Alamo Square. Naast de grote eikenhouten deur hing een belkoord met een witte porseleinen knop ter grootte van een appel. Nonchalant trok Sammy het koord omlaag en vervolgens hoorden we ergens op de bovenverdieping een bel. Terwijl we daar stonden te wachten, keek Sammy me aan.

'Gedraag je nederig,' zei hij tegen me, maar ik denk dat hij het tegen zichzelf had.

'Jezus was een timmerman,' zei ik zonder duidelijke reden, behalve misschien dat we bezig waren om de betekenis van nederigheid te onderzoeken.

'Dat is waar,' antwoordde Sammy. 'Hij heeft een keer een paar boekenplanken voor me gemaakt.' Hij glimlachte, maar het was een vreemde glimlach van een Sammy die ik niet kende.

Een jonge novice met een perzikhuidje, die ons al leek te verwachten, deed de deur open. We volgden hem naar boven over de sierlijk gebogen mahoniehouten trap. Sammy gleed met zijn vingers over de glimmende, met schellak afgewerkte leuning.

'Hij levert goed werk, die timmerman van jou.'

Aan de muren hingen olieverfschilderijen in vergulde

lijsten – reusachtige, pompeuze afbeeldingen van Christus' onbeschrijflijke lijden, hoewel zijn timmerwerk op geen enkel werk voorkwam.

In het grote vertrek op de eerste verdieping zat de Meest Eerbiedwaardige Aartsbisschop Meehan onderuitgezakt achter zijn bureau. Hij droeg een zwart gewaad van Italiaanse zijde en zijn hoofd met het rode hoofddeksel was gebogen voor het gebed. Monseigneur Jack Cathain zat voor hem, tegenover twee zorgvuldig geplaatste stoelen met rechte rugleuningen. Cathain stond op en gaf me een hand. Hij fluisterde om de gebeden van de aartsbisschop niet te storen.

'Leuk je te zien, Tommy.'

'Jack, dit is Sammy Liu.'

'Aangenaam kennis te maken, meneer Liu.'

'Aangenaam,' zei Sammy. Cathain gebaarde naar de twee stoelen. We zaten enigszins ongemakkelijk te wachten tot de aartsbisschop klaar was met zijn geestelijke conversatie. Na een paar minuten keek hij op, knipperde met zijn ogen en glimlachte schaapachtig naar ons, als een epilepticus die bijkomt na een aanval. De pruimtabak had een bruine vlek achtergelaten op zijn bovenlip, waardoor het leek of zijn neus lekte als een roestige pijp. Zo te zien waren zijn neusgaten er slechter aan toe dan mijn lever.

'Heren.'

'Aartsbisschop, mijn naam is Samuel Liu. Dit hier is mijn compagnon, Thomas Moran.' Ik knikte alsof ik me in de rechtszaal bevond, de enige plek waar ik Thomas werd genoemd.

Sammy vervolgde: 'Ik vertegenwoordig bepaalde belangen van de Chinese gemeenschap hier in San Francisco.'

'Waar komt u voor, meneer Liu?' snoerde de aartsbisschop

Sammy de mond. Zelf was hij bepaald niet vies van oppervlakkig gekeuvel, maar met het gebabbel van anderen had hij weinig geduld.

'Uw Kerk heeft een aanzienlijke hoeveelheid wijn nodig voor de eucharistie. Ik wil die wijn graag aan u leveren.'

'We hebben al een leverancier, meneer Liu,' zei Cathain. Sammy negeerde hem en richtte zich opnieuw tot de aartsbisschop.

'Ik zou graag willen dat u uw huidige afspraken na de herfstoogst beëindigt.'

De aartsbisschop wierp een nerveuze blik op Cathain. Het begon tot hem door te dringen dat dit geen beleefdheidsbezoekje was en dat Sammy wilde hem onder druk zetten.

'Meneer Liu, ik denk niet dat u het begrijpt. We hebben langlopende... onze relatie met wijn heeft een lange geschiedenis in deze staat.' Hij wees naar een olieverfschilderij dat aan de muur achter ons hing. 'Dat portret is van Junipero Serra, de franciscaner monnik die als eerste in Californië wijnstokken heeft geplant.'

'Die vervolgens zestig jaar lang door de Chinezen zijn vermeerderd en onderhouden en waarvan de druiven door de Chinezen werden geoogst.'

'Meneer Liu, zestig jaar is niets. We hebben het hier over het sacrament. De heilige communie. De wijn symboliseert het kostbare bloed van Jezus, zoals het dat al bijna tweeduizend jaar doet.'

'Ik wil u eraan herinneren, aartsbisschop, dat toen de Romeinen Jezus ophingen, mijn volk al een hoge beschaving kende. Dertig eeuwen voordat ze de eerste spijker in de handen van die vent van u sloegen, aanbaden de Chinezen hun eigen goden al.'

De aartsbisschop glimlachte, wreef zelfbewust over zijn handpalm en tastte naar het grote kruis dat op zijn borst hing.

'Meneer Liu, dank u voor uw aanbod om de sacramentele wijn voor de heilige Moederkerk te verzorgen, maar we zijn zeer tevreden over onze huidige regeling. Echter, als we ooit een kom mie nodig hebben, zullen we aan u denken.' Cathain onderdrukte een glimlach over het misplaatste grapje van zijn baas.

'U heeft geen regeling, Mee Han, u heeft een smerig handeltje.' Sammy sprak Meehans naam uit alsof de man uit Sjanghai kwam, in plaats van uit Galway. 'Slechts een kwart van de wijn die u afneemt is religieus, de rest is heiligschennis.'

'Meneer Liu, de Drooglegging is een kwaad waarmee we allemaal moeten leven.' Hij wees naar de Italiaanse krant, *L'Osservatore Romano*, die voor hem lag. 'Zelfs de Heilige Vader in Rome heeft kritiek omdat de wet niet werkt.' Sammy stond op. Hij had genoeg van het gekeuvel.

'Luister goed, aartsbisschop. Stutz en Carpentier zijn verleden tijd. Stutz en Farruggio zullen elkaar blijven afmaken tot de Drooglegging wordt herroepen. Ik bied u een redelijk alternatief voor iets wat kan uitmonden in aanzienlijk bloedvergieten. Ik heb met New York gesproken en ze begrijpen het.'

Daar kon ik Sammy niet langer volgen. Over wie had hij het? Bedoelde hij Joe Masseria of Sal Maranzano en de zware maffiajongens? Met wie had hij gesproken in New York?

Cathain nam het gesprek over. 'Hoe komt u aan de hoeveelheid wijn die wij nodig hebben? Ongeveer...' Sammy wist het antwoord eerder dan de monseigneur en snoerde hem de mond.

'Vierenhalf miljoen liter. Dat kunnen we leveren. Goedendag, aartsbisschop.' Terwijl Sammy naar de deur liep, schoot ik naar voren in de richting van Meehan. Toen Sammy uit het zicht was verdwenen, greep ik de hand van de aartsbisschop met mijn beide handen vast en kneep erin. Ik boog mijn hoofd en brabbelde als een idioot.

'Uwe Excellentie, vergeeft u meneer Liu alstublieft... het zijn heidenen die op christelijke bodem zijn neergepoot. Ik drukte mijn duim in de aderen van zijn vuist, waardoor de kracht in zijn benige vingers verslapte.

'Bent u katholiek?'

'Dat ben ik, Uwe Excellentie. De Eerwaarde Vader Ramm, die St. Mary's heeft gered tijdens de Grote Brand, was een vriend van de familie.'

'Heeft u Vader Ramm gekend?'

'Inderdaad, Uwe Excellentie. Hij heeft mijn levensloop aanzienlijk beïnvloed.' Meehan trok zijn hand los en maakte een kruisteken boven mijn gebogen hoofd. Ik rook de kruidnagelgeur van zijn pruimtabak.

'Ga in vrede, mijn zoon. God zij met je.' Achteruitlopend verliet ik het vertrek. Cathain ging me voor over de gebogen mahoniehouten trap.

Terwijl ik achter Jack Cathain aan liep, voelde ik het pistool in mijn jaszak. In de auto had Sammy me een automatische Colt .45 gegeven. Mijn hele miezerige leventje lang had ik nog nooit een pistool gehad. Toen hij het aanbood, had ik gezegd: 'Nee, niet voor mij.' Maar Sammy zei dat dat geen optie was, dat hij vreesde voor zijn leven, niet voor het mijne. Ik zou de .45 tegen het hoofd van de monseigneur kunnen drukken en hem daar en op dat moment kunnen doden, pal voor het reusachtige schilderij van *Johannes de Doper in de wildernis*. Hij was een hypocriete klootzak van een priester die zijn geloften had gebroken en Effie van me had afgepakt. Ze zeggen dat je haat waar je bang voor bent. En misschien haatte ik hem daarom zo intens. Ik was bang voor Effies liefde voor hem en, diep vanbinnen, vreesde ik de waarheid dat ze altijd meer van deze heilige man had gehouden dan van mij. Als ze maar niet gevangen waren geweest in hun geloof. 'Gij zult niet stelen,' schoot er door mijn hoofd. 'Gij zult geen overspel plegen.' 'Gij zult niet doden.'

Sammy groette, stak een sigaar op en liep naar de auto. Cathain greep mijn hand, hield die langer vast dan noodzakelijk en dwong me hem aan te kijken.

'Tommy, als we onze eer verliezen, verliezen we onszelf.'

'Dat weet ik. Dat zei Antonius tegen Octavia in *Antonius en Cleopatra*, derde bedrijf, vierde toneel.'

'Ken je Shakespeare, Tommy?'

'Nee, nooit ontmoet.'

Ik keek om me heen naar het voorname interieur. 'Wat doe je er allemaal mee?'

Cathain keek me vragend aan. 'Doen met wat?'

'Met het geld dat je verdient met die drankzwendel?'

'Het is niet voor ons, Tommy. Het is voor Gods werk, het werk van de Kerk. Het is niet voor persoonlijk gewin.'

'O, dat is goed... de heilige geloften van een priester. Armoede tegenover God.'

'Dat klopt.'

'En het celibaat?' Cathain staarde me aan. Hij wist dat ik wist dat hij zich niet had gehouden aan de heilige gelofte van 'versterving van het vlees'.

'Ik denk dat je bent gestruikeld op de Heilige Weg,' zei ik.

'Misschien wel.'

Ik voelde het pistool in mijn zak. Ik kon het er op dit moment uit halen en de loop tegen zijn slaap drukken, twee centimeter onder zijn achterovergekamde haar, de trekker overhalen, zijn schedel splijten zodat zijn hersens tegen de lichtblauwe, gebloemde wandbekleding zouden spatten.

'Als Hij komt om over me te oordelen zal ik mijn leven in Gods genade overgeven,' zei hij.

Maar op dat moment was het oordeel niet aan God, maar aan míj. En ik voelde weinig mededogen. Ik bewoog mijn vinger naar de trekker van de Colt. In een honderdste van een seconde zou ik het pistool uit mijn zak kunnen trekken en het tegen de zwarte zijde van zijn gewaad kunnen drukken, recht op zijn hart gericht. Ik zou hem doden, en om alle mogelijke getuigen uit te schakelen, zou ik de novice met de perzikhuid die bij de deur stond ook een kogel door zijn hoofd jagen. Dan zou ik naar de Pierce-Arrow rennen, Willi zou het gaspedaal diep intrappen en dan zouden we vluchten. Maar ik deed het niet. Ik kon het niet. Ik liep naar de deur.

'God houdt van je, Tommy,' zei Cathain, terwijl hij een kruis sloeg.

'Echt waar? Dat is mooi. Ik begon eraan te twijfelen.'

53

Ik vroeg Sammy of hij me wilde afzetten op de hoek van Stockton en Washington Street, zodat ik een paar blokken kon lopen en tijd had om na te denken. Ik probeerde diep adem te halen om mijn hoofd helder te maken. De lucht rook naar inktvis en gezouten kool.

Ik liep door Fish Alley langs de Chong Tsui-viswinkel. Door de glibberige klinkers, die slijmerig waren van het zoute water, had ik moeite om op de been te blijven. Het rook er naar sprot. Aan het eind van het steegje waren een paar kinderen badminton aan het spelen en dat herinnerde me aan de honderden partijtjes stickball die Sammy en ik in Piss Alley hadden gespeeld.

In de kelder van de Yoot Hong at ik een grote kom soep met knoedels en terwijl ik de knoedels eruit viste, dacht ik aan de wijnmakerij en de wijnstokken. Over een maand zouden de pluk en de eerste persing beginnen, het moment waarop ze alle hulp nodig hadden die ze konden krijgen. Hopelijk had Kaz de vijfduizend dollar gevonden die ik voor hem had achtergelaten en was hij erin geslaagd de benodigde extra mankracht te huren. Ik had me op de druivenpluk verheugd, maar nu zou ik er niet bij zijn. Ik keek naar de kalender aan de muur, die vertelde dat dit het Chinese jaar van het Paard was. Was ik daarom op de vlucht geslagen? Was er een of andere op hol geslagen, schuimbekkende hengst door mijn hoofd gegaloppeerd en had die mijn verstand door de stalmest achter zich aan gesleurd? Is dat waarom ik vluchtte van de enige kruimeltjes werkelijk geluk die me zo gulhartig waren geschonken – zonder dat ik ervoor had hoeven stelen? Had ik te veel verwacht? Trots kan je verteren als een emmer vol maden en toen het tot me begon door te dringen hoeveel ik tussen mijn vingers door had laten glippen, onthulden mijn gevoelens een zieke ziel die was aangetast door te veel jaren waarin ik geheel op mezelf was aangewezen – want ik kon haar nog steeds niet vergeven.

De regen kletterde steeds harder op me neer en daarom trok ik mijn kraag op en dook een sigarenwinkel binnen om een nummer van *The Examiner* en een paar Lucky Strikes te kopen. Ik liep terug naar mijn kamer en was van plan mijn ellende te verdrinken in het restant van Sammy's fles Johnnie Walker. Ik beklom de trappen, maar op de op een na laatste overloop bleef ik doodstil staan.

'Hoi,' zei Effie, die op de eerste tree zat. Ze had haar oude jas aan, droeg geen make-up en haar haar was doorweekt van de regen.

'Hoi.'

'Wat een regen.'

'Wat een regen,' herhaalde ik.

'Het spijt me zo verschrikkelijk,' zei ze.

Ik knikte dom. Wat kon ik zeggen? Het spijt me dat ik je heb geslagen? Het spijt me dat je hebt bevestigd wat ik al mijn hele leven over mezelf heb gedacht: dat ik een pathetische, ongelukkige lafaard ben?

'Tommy, als je weggaat, breek je mijn hart.'

'Dat zijn er dan twee met een gebroken hart.'

'Drie. Je zult Mara's hart ook breken.'

Ik ging naast haar zitten, gooide mijn krant opzij en stak een Lucky Strike op. De laatste keer dat ik zo'n pijn voelde, was toen ik een brandende sintel in mijn oog had gekregen.

Effie streek haar natte haren naar achter, haalde diep adem en sloeg haar handen voor haar gezicht.

'Na de middelbare school gingen we naar St. Ursula om te leren hoe je wijn moest maken. J.B.'s dochters – Irène en Edith –, Rosa en ik zaten er tussen twintig mannelijke novicen. Eerst zorgde er een oude non voor ons, zuster Bronagh, Meesteres van Postulanten en Novicen, maar helaas is ze overleden en ze zijn er nooit toe gekomen om haar te vervangen. Jack Cathain was hoofd van de school. We waren allemaal erg gelovig. We baden samen en we maakten samen wijn. J.B. was altijd in de buurt en raakte erg gehecht aan Rosa. Vader Cathain gaf me les omdat mijn moeder het idiote idee had opgevat dat ik misschien zou intreden in de Kerk. Jack en ik brachten samen veel tijd door met wijnproeven en... van het een kwam het ander. Het is maar één keer gebeurd. Het was een verschrikkelijke vergissing, maar ik was wel zwanger van Mara.'

Na een minuut, misschien wat langer, sprak ik. 'En waarom heeft hij jou en Kaz dan nooit geholpen?'

'Hij werd nog voor Mara's geboorte naar Philadelphia gestuurd. Aartsbisschop Meehan heeft hem pas vorig jaar naar San Francisco teruggeroepen. Mijn vader heeft elk contact of elke gunst van hem verboden, maar hij wist dat Mara haar vader moest zien.'

'Weet Mara het?'

'Nee. Daar hadden we het gisteren over. Jack zou graag

willen dat jij haar als haar eigen vader opvoedt. Hij wilde ook afscheid nemen omdat hij naar Rome wordt gestuurd. Tommy, ga alsjeblieft niet bij ons weg.'

Ik schudde mijn hoofd. 'Ik denk dat ik iets moet drinken.' Ik had het gevoel dat ik net vijftien ronden had gebokst tegen Jack Dempsey.

'Het spijt me. Ik had het je meteen moeten vertellen.'

'Ik kan dit niet overhaasten,' zei ik.

'Ik weet het, het...'

'... duurt zes maanden om een Pierce-Arrow in elkaar te zetten,' zeiden we tegelijkertijd. Ze glimlachte en kuste me op mijn wang.

'Kom naar huis, Tommy.'

Ik knikte en trapte mijn Lucky Strike uit.

'Ik logeer bij Rosa,' zei ze, en ze stond op. Ze kuste me boven op mijn hoofd en verdween de trap af naar beneden. Ik zat daar te luisteren hoe het geluid van haar voetstappen tegen de muren weerkaatste terwijl ze naar de straat liep. Ik liep verder naar mijn kamer en schonk drie vingers Scotch in.

54

In het jaar 897 groeven ze paus Formosus op, die negen maanden eerder in Rome was begraven. Ze omhulden het rottende lijk met de pontificale gewaden en plaatsten het op de troon zodat het kon terechtstaan voor een religieuze rechtbank. Die vond de paus schuldig en hakte zijn zegenende vingers af.

Moraal nr. 1: voor sommige mensen is de dood nog niet genoeg.

Moraal nr. 2: katholieken zijn rare mensen.

'De sheriff zei dat de jongeman was gevonden toen hij naakt over de weg door de vallei holde ter hoogte van de wijngaard van St. Ursula. Het was tegen zonsondergang en de truck van de Chinese koolboer had hem bijna overreden. Het kind leek erg overstuur en daarom nam de boer hem direct mee naar de sheriff. De jongen beweerde dat iemand in St. Ursula had geprobeerd hem te verkrachten en te wurgen. Hij had twee rode kruistekens van lippenstift op zijn billen en een rode zijden sjerp rond zijn nek.'

Ik zat stil te luisteren naar Sammy Liu, die een Johnnie Walker voor me inschonk. Hij vervolgde: 'De sheriff zei dat het leek op de sjerp van een aartsbisschop, hoewel iedereen er zo een zou kunnen maken. Maar de ring die het kind om zijn vinger had, verontrustte hem pas echt, omdat die authentiek was en niemand die kon namaken. Het was overduidelijk een aartsbisschoppelijke ring en dat wierp een paar bijzonder verontrustende vragen op.'

Sammy nipte van zijn whisky en vertelde ondertussen met veel plezier hoe hij aartsbisschop Meehan in het nauw had gedreven. Ik luisterde alleen maar, maar ik beleefde er absoluut geen plezier aan.

'Sheriff Beedy en ik gingen direct naar de aartsbisschop en vertelden hem wat er was gebeurd. De aartsbisschop ontkende alles, natuurlijk, maar toen de sheriff hem vroeg of hij zijn ring mocht zien, zei hij dat hij die was kwijtgeraakt. Toen haalde sheriff Beedy de ring uit zijn zak en vroeg of die soms van de aartsbisschop was, en Meehan knikte, ja.

'Dezelfde sheriff Beedy die al dat geld was kwijtgeraakt aan jouw *fan tan*-tafels?' vroeg ik.

'Precies, dezelfde Jim Beedy die zei dat hij de zaak graag in de doofpot wilde stoppen en een onverkwikkelijk onderzoek wilde vermijden, op voorwaarde dat de aartsbisschop zou luisteren naar mijn zakelijke voorstel. Later heb ik aartsbisschop Meehan onder vier ogen gesproken en het verheugt me je te kunnen vertellen dat de uitkomst van dat gesprek zeer bevredigend was.'

'Maar het hele verhaal was een leugen.'

Sammy haalde zijn schouders op. 'Blijkbaar is er geen rook zonder vuur.'

Hij legde de ring op zijn bureau. Dezelfde ring die ik van de derde vinger van de rechterhand van de aartsbisschop had gestolen. Ik had me aan mijn bijgeloof moeten houden. Beroof nooit een priester, dat brengt ongeluk.

'Kun je me iets uitleggen?' vroeg ik.

'Vraag maar.'

'Staat Frankie Stutz nu buitenspel?'

'Correct.'

'Goed,' redeneerde ik verder, 'dat is geen probleem, want ik wist al dat Joe Masseria in New York bezig was zich van Stutz te ontdoen en dat hij de distributie wilde verplaatsen naar de Farruggio's. Maar zou Masseria niet kwaad worden als hij hoort dat jij de afspraken met zijn uitverkoren nieuwe leverancier hebt veranderd? Denk je niet dat je dat even moet gladstrijken voor ze je ergens op Clay Street omleggen?'

'Ik heb het al gladgestreken.'

'O ja? Hoe?'

'Ik handel niet met Masseria. Ik handel met Sal Maranzano... op dit moment in elk geval. Weet je, er is een oorlog aan de gang, Tommy, en Masseria gaat die verliezen. Dus...' Sammy haalde zijn schouders op. Hij had het inderdaad allemaal uitgedacht. Terwijl de Italianen elkaar aan de oostkust afslachtten, zou hij zijn alcohol leveren aan degene die overbleef.

'En trouwens, waar ga jij die vierenhalf miljoen liter wijn vandaan halen?'

'Frederic Frères. Ik doe zaken met Ulf en Stefan Kriegel. Als we Carpentier op de knieën hebben, zal hij wel moeten verkopen. En dan hebben wij het grootste wijngebied met de beste druiven van heel Amerika. De Drooglegging kan geen vijf jaar meer duren, misschien nog minder. Als ze die wet eenmaal hebben herroepen, zitten wij er warmpjes bij.'

Ik moest lachen. 'Ik geloof dat je het al helemaal het uitgedacht, Sammy.'

'Dat geloof ik ook,' zei hij, zonder een spoor van valse bescheidenheid. 'Het is puur zakelijk.'

Ik haalde de automatische Colt .45 tevoorschijn en legde hem op tafel. 'Hier heb je je pistool terug.'

'Nee, hou hem maar, voor het geval dat. En in elk geval tot deze affaire voorbij is. Nou, ga naar je vriendin...'

Dat klonk goed. Het herinnerde me aan de oude dame in de winkel van de Abruzzinni's toen ik Effie de eerste keer opzocht op Eichelberger.

Terwijl ik langs de trappen van Sammy's gebouw naar beneden holde, rook ik het avondeten uit de keuken van het restaurant. Sammy boog zich over de balustrade.

'Hé, Tommy, dat vergat ik bijna.' Hij holde de trap af en overhandigde me een stukje papier.

'Wat is dit?'

'Je zuster Gracie. Ze hebben haar vanavond in een opiumtent gevonden.'

Ik las het adres en verfrommelde het papier tot een prop.

'Neem de tijd, Tommy. Als je aan iets slechts denkt, tel dan eerst tot twintig. Als je het dan nog wilt doen, tel dan nog een keer tot twintig. En nog een keer, tot je van gedachten verandert.'

'Waarom zeg je dat?'

'Omdat Carpentier bij haar is.'

Ik rende drie blokken door de regen naar het adres dat Sammy me had gegeven. Aan de voorkant was het een kruidenier, maar daarachter bevond zich een grote gokhal waar ik het geklik van mahjong- en *pai go*-stenen hoorde.

Achter een kralengordijn zat een vrouw aan een kleine bar met een drankje voor zich. Ze had een aantrekkelijk opgemaakt gezicht en een hoofd vol krullen, die kortgeleden vanuit de oceaan waren binnengespat. Er hing een paarse gloed in de lucht en ik rook de zoete geur van opium. Een grote kerel, die waarschijnlijk geacht werd de tent te bewaken, was volkomen van de wereld en hing diep in slaap over de bar. Het was duidelijk dat deze tent een flinke som geld betaalde aan de smerissen van Chinatown, want niemand leek zich zorgen te maken over de mogelijkheid van een inval. Ik wurmde me langs hem heen en trok de gordijnen open die een aantal kleine cabines aan het oog onttrokken.

Ik vond Gracie liggend op een verhoogde ovale sofa, bijna geheel naakt en volkomen van de wereld. Ze was zo onder invloed dat ze amper doorhad dat ik binnenkwam. In een donkere hoek zat Carpentier, die ook ergens ver weg op een roze wolk dreef, maar hij was niet zo ver heen als Gracie.

'Ken ik jou niet ergens van?' vroeg hij.

'Ik ben een vriend van Effie Kazarian. Mijn naam is Tommy Moran. Ik ben Gracies broer.'

'Tommy?' zei Gracie met een vermoeide, onduidelijke stem. 'Ben jij het?' Ze stak haar hand uit alsof ze voor meneer Rizzola's winkel op de hoek van onze straat stond en om een schepijsje vroeg. Maar ze zag er heel anders uit dan mijn Gracie. Haar ogen waren hetzelfde, afwezig en krankzinnig, maar nu lagen ze in diepe schaduwen verborgen. Haar eens zo volmaakte gezicht was vaalgeel, verkreukeld en oud, haar lipstick was vlekkerig en haar gewatergolfde krullen slierden om haar hoofd.

'Heeft Gracie een broer?' vroeg Carpentier. 'Ik dacht dat ze de Kleine Wees Annie was.'

'Je hebt haar misbruikt.'

'Nee, ik heb haar geneukt. Dat doe ik al een poosje.'

'Net zoals je Rosa Abruzzinni neukte.' Zijn minuscule snorretje krulde tot een glimlach en vormde de onbeschaamde bevestiging van zijn andere veroveringen.

'Nou en?'

'Je bent een miezerig stuk ellende. Een beest.' Carpentier ging rechtop zitten en streek zijn lange haren naar achteren.

'We zijn allemaal beesten, Tommy. Vooral als we neuken. Net als jouw zuster. Net als Rosa. Net als jouw Effie en die hitsige priester met zijn grote lul.'

Ik haalde het pistool tevoorschijn en schoot. Misschien had ik tot twintig moeten tellen zoals Sammy me had aangeraden, maar mijn gedachten waren zo vervuld van haat dat ik niet verder kwam dan nul. De eerste kogel scheurde een slagader in zijn been open en de tweede schoof ergens onder zijn navel naar binnen.

Carpentier lag te kronkelen op de vloer, hij hield met beide handen zijn maag vast en bloedde als een gebroken olieleiding. Gracie begon te huilen, ik liet het pistool vallen en trok haar in mijn armen. Samen keken we naar zijn laatste stuiptrekkingen, alsof we twee kinderen waren die naar een stervende kakkerlak keken die over de keukenvloer van ons oude appartement aan Filbert Street kroop.

Ik zat met Gracie in mijn armen tot Sammy en Willi Chu arriveerden. Sammy raapte de .45 op en gaf hem aan Willi, die Carpentier met een vanzelfsprekend gebaar met twee schoten in het hart uit zijn lijden verloste. Hij lag stil en de rest was stilte. Net als in Hoagies boek. Een grote, lege, holle stilte waarin we naar Carpentiers in zijde gehulde lijk keken. Willi gaf het pistool terug aan Sammy, die het met zijn zakdoek schoonveegde. Met de punt van zijn witte bukskin schoen schoof hij Carpentiers jas open en trok het mes uit de schede die op de heup van de dode man rustte. Ik keek hoe hij het mes in zijn hand woog, toen hij me zonder waarschuwing van opzij in mijn nek stak. Ik gaf een schreeuw en greep naar mijn nek terwijl het bloed door mijn vingers omlaag stroomde. Wederom wreef Sammy rustig het lemmet van het mes af en duwde het in Carpentiers dode hand. Het bloed stroomde over mijn armen en Gracie snikte als een kind van drie.

Ik staarde verbijsterd naar Sammy. 'Waarom? Waarom heb je dat gedaan?' vroeg ik.

'Het is voor je eigen bestwil, Tommy. Nu heb je hem uit zelfverdediging gedood. Ik regel een paar getuigen en een goede advocaat voor je.'

55

Tijdens de rechtszaak zaten Sammy en Effie elke dag in de zaal. De jury besloot tot doodslag en ik werd veroordeeld tot tien jaar in de gevangenis van Folsom.

'Over zes jaar ben je vrij,' had Sammy voorspeld, en dat was ook zo.

Het eerste jaar kwamen Effie en Mara me elke maand in Folsom bezoeken, en daarna verheugde ik me op de zelfgemaakte Valentijnskaart die Mara me voor mijn verjaardag stuurde.

Gracie en Maeve kwamen zo vaak ze konden. Gracie was een tijdje opgenomen geweest in Agnew's Psychiatrische Inrichting, zoals het krankzinnigengesticht tegenwoordig werd genoemd, en had zonder duidelijke reden haar naam veranderd in Crescenza; ze zei dat dat Italiaans was voor Grace en dat ze dat mooier vond.

Sammy verhuisde vanwege zaken naar Los Angeles, dus die zag ik niet zoveel, maar hij schreef me geregeld. Hij genoot ervan om lange brieven te dicteren aan zijn vele secretarissen. Hij produceerde zelfs een paar films, alle met zijn nieuwe bruid Mona Fong in de hoofdrol. Niemand in Amerika heeft de films ooit gezien, maar wat ik ervan heb gehoord waren het in China grote kassuccessen. Hij kreeg zelfs een nieuwe auto, een Duesenberg – net als Gary Cooper.

Ik staarde uit het raampje van de bus en hield de fles wijn in de bruine papieren tas stevig vast.

'Man, dit is nog eens een brug,' zei de vent naast me toen we over de nieuwe Golden Gate Bridge reden.

'Dat is het zeker,' stemde ik in. De brug was geopend in de tijd dat ik in Folsom zat en hij was in één woord spectaculair.

'Een van de zeven wereldwonderen, zeggen ze.'

'Is dat zo?'

'Ja, samen met de piramides en dergelijke.'

Ik keek achterom naar de brug die in de verte verrees, de rode torens en de kabels die zich in de wolken boorden, en de contouren van de stad erachter. Hij zou niet zo lang standhouden als de piramides, maar hij was heel wat bruikbaarder en werkelijk schitterend.

'De Kolos van Rhodos,' zei mijn metgezel. 'Snap je 'm?' vroeg hij lachend om zijn eigen grap.

Natuurlijk snapte ik hem. Er waren 22 religies, 5 zintuigen, 4000 talen, 7 doodzonden, 66 bijbelboeken, 38 toneelstukken van Shakespeare, 154 sonnetten, 3 musketiers, 4 tweeën in het kaartspel, 12 werken van Hercules, 10 geboden, 9 planeten en nu blijkbaar 8 wereldwonderen. Ik dacht aan Hoagie en zijn boek: 'Er bestaat geen andere duisternis dan onwetendheid,' stond er. In geen enkel boek in de bibliotheek van Folsom heb ik een wijzere tekst gevonden.

'Zeker,' antwoordde ik glimlachend, terwijl de bus een donkere tunnel inreed die dwars door de berg naar Sausalito leidde.

Sammy had gelijk gekregen wat betreft de New Yorkse maffia. In april 1931 werd Joe Masseria vermoord door de Young

Turcs – Vito Genovese, Albert Anastasia, Bugsy Siegel en Joe Adonis –, terwijl hij zat te lunchen met Charlie Luciano. Charlie had zich op het moment van de slachting toevallig net teruggetrokken in het herentoilet, een langdurige sanitaire stop, zei hij tegen de pers. Het gevolg was dat Sal Maranzano de grote baas werd, maar dat duurde niet lang, want de volgende maand staken en schoten dezelfde kerels hem overhoop. En de Young Turcs wilden graag zakendoen met de Chinezen in San Francisco, zoals Sammy al die tijd al had geweten.

Frankie Stutz raakte geheel in het vergeetboek. Hij verdween als het balletje in een partijtje balletje-balletje. Sommige mensen zeiden dat hij zich had teruggetrokken op Key West en dat hij de onderwereld de rug toe had gekeerd, en de meeste geloofden dat. Tot een terriër uit Boston in 1936 in het Presidio Frankies stoffelijk overschot opgroef. Tijdens de autopsie haalden ze een halve kilo kogels uit zijn lichaam, wat volgens mijn celgenoot in Folsom neerkwam op zo'n zestig kogels. Wie het ook was die hem heeft vermoord, hij wilde er zeker van zijn dat hij dood was.

Monseigneur Jack Cathain bleef voortklimmen op de ladder van de kerkelijke hiërarchie en werd een hoge piet in de curie van het Vaticaan. Aartsbisschop Meehan ging 'met pensioen' in een afgelegen karmelietessenklooster in New Mexico. Hij hield toezicht op hun biecht en brevier om hun 'volmaakte en eeuwige' kuisheid veilig te stellen, en waarschijnlijk ook die van hemzelf.

De Abruzzinni's verkochten hun winkel aan Columbus en verhuisden naar Florida. Soapy Marx deed een gooi naar een congreszetel, Jack Dempsey opende een restaurant en rabbi Weissmullers neef Johnny, de olympische zwemkampioen, verwierf nog meer roem met al die Tarzanfilms.

Ik beklom de heuvel naar de Eichelberger-wijngaard. In San Francisco had ik een fles L.M. Numuth Cabernet gevonden – volgens Kaz de beste wijn aller tijden. In de hoek van het etiket had iemand met potlood geschreven '1906': een goed wijnjaar, al was het niet zo'n best jaar voor San Francisco. 's Nachts in mijn cel had ik me al duizenden keren voorgesteld dat ik hem samen met Effie en Mara zou ontkurken. Ik dacht dat we misschien wat konden praten over vroeger en dat Effie en ik later misschien, als alles goed ging, naar de zolder van de arbeiders konden sluipen en... Opeens stond ik stil. De heuvels waren bezaaid met gele klaprozen, het leek wel sterrenstof. De namiddagzon wierp lange schaduwen over het mosterdzaad tussen de wijnstokken en ik stond daar, doodstil, midden op de weg. Wie dacht ik nou voor de gek te houden? Waarom was ik hier in godsnaam? Had Effie me soms geen kaart gestuurd?

> Het duurt zes maanden om een Pierce-Arrow in elkaar te zetten, Tommy.
> Soms lopen de dingen anders dan we verwachten.
> Ik heb hier lang over nagedacht. Het is tijd om over te stappen op een Dodge.
> Hij staat hier voor de deur.
> Vaarwel. Het spijt me oprecht.
> Ik hield van je, Tommy.
> Effie

Op de kaart stond een tekening van een Wappo-indiaan en een man met een ronddraaiend hoofd. En daaronder stond: 'Liefs, Mara x.' Misschien was ze uiteindelijk toch op Coney Island geweest.

Ik keek opnieuw naar de wijnfles en voelde aan het pakje Zubelda Turkse sigaretten in mijn jaszak, het favoriete merk van de oude Kaz. Maar had Sammy me niet verteld dat de oude man in de winter van 1934 was overleden aan emfyseem? Had Sammy me ook niet verteld dat Effie getrouwd was – een aardige vent, zei Sammy – met een van de slimme jongens die alle goede wijngronden opkochten na de herroeping van de Drooglegging? Mara, nu een tiener, was bruidsmeisje geweest. Het moet een fantastische bruiloft zijn geweest daar op de Eichelberger-heuvel. Ik keek over de velden. Ik zag hoe de nevel door de vallei omhoog kroop en een deken van katoenen mist over de heuveltoppen legde. Ik riep naar een veldarbeider die bezig was de wijnstokken te verzorgen.

'Hé, man!

'*Qué*?'

'Hé, man!'

'*Qué*?' Hij kwam naar me toe lopen.

'Wil je een fles wijn?'

'*Qué*?' Hij nam de fles aan, keek naar het etiket en gleed met zijn blik naar het jaartal dat in de hoek was geschreven. Hij glimlachte.

'*Mil novecientos seis*?'

'Ja, 1906. Het is erg goede wijn,' legde ik uit, maar hij wist veel meer over druiven dan ik.

Hij knikte. '*Bueno, gracias.*'

'*De nada.*'

In de verte zag ik hoe de silhouetten van het oude huis van lavasteen, de platanen en de Californische eik tegen de horizon afstaken. De wijnstokken op de velden kropen omhoog over de helling, achter hun eigen schaduwen aan. Ik haalde mijn zakdoek tevoorschijn, veegde het stof van mijn jas, broek en schoenen, draaide me om en liep terug naar de hoofdweg, op zoek naar een nieuw leven voor mezelf. Ik liet Effie en Mara achter met dat van hen.

Ik moet toegeven dat ik een beetje medelijden met mezelf had toen ik de stapel dollarbiljetten uit de portemonnee van de veldwerker haalde. Deze vent had een kapitaal bij zich gedragen. De depressie was duidelijk voorbij.